누적 1억 명이
선택한 비상교재

만렙 AM

# 고등 수학 (하)

# 만렙은 다르다

## 1 만렙은 나의 학습 수준에 맞는 문제들로만 구성되어 있다.

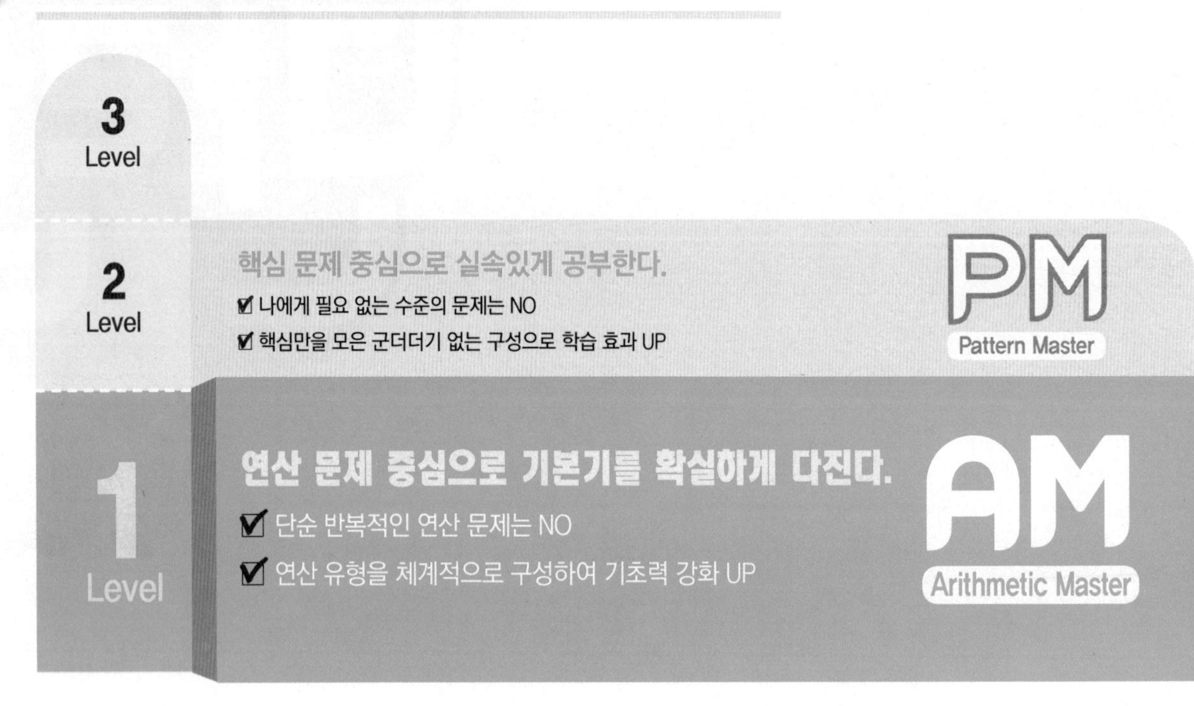


## 2 만렙은 STEP 구분 없이 한 개념에 대한 모든 문제를 한 번에 파악할 수 있다.

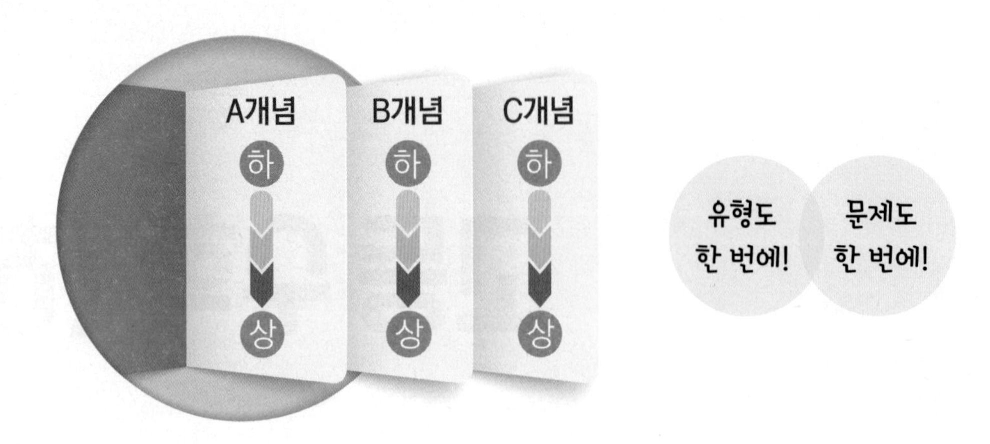


유형도 한 번에!

문제도 한 번에!

반드시 알아야 할 핵심 개념은 자세하게!

연습이 필요한 연산 문제는 유형별로!

## 연산 유형

기초를 탄탄히 할 수 있는
연산 문제를
유형별로 구성하였다.

출제율 높은 실전 문제로 실력 확인!

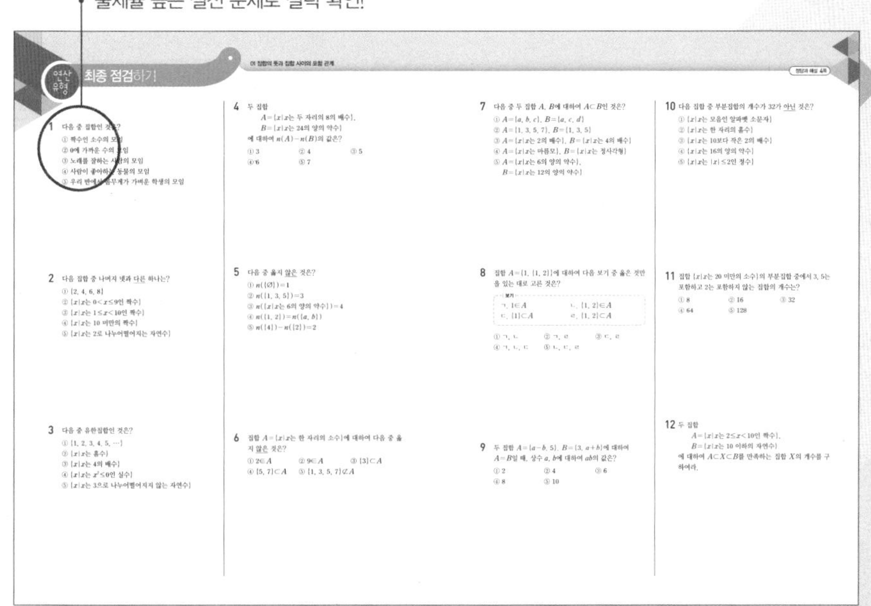

## 연산 유형 최종 점검하기

단원별 핵심 문제만을 모아
자신의 실력을
테스트할 수 있다.

# AM의 차례

## IV. 집합과 명제



## V. 함수

## VI. 경우의 수



## 수학(상)



※ 만렙 AM 수학(상)은 별도 판매됩니다.

# 01

# 집합의 뜻과 집합 사이의 포함 관계

AM

유형 01 집합의 뜻과 원소

유형 02 집합의 표현

유형 03 유한집합과 무한집합

유형 04 유한집합의 원소의 개수

유형 05 집합 사이의 포함 관계

유형 06 부분집합 구하기

유형 07 집합을 원소로 갖는 집합

유형 08 서로 같은 집합

유형 09 진부분집합 구하기

유형 10 부분집합의 개수

유형 11 특정한 원소를 포함하거나 포함하지 않는 부분집합의 개수

유형 12 $A \subset X \subset B$를 만족하는 집합 $X$의 개수

# 01 집합의 뜻과 집합 사이의 포함 관계

## 01-1 집합의 뜻과 표현

(1) **집합**: 주어진 조건에 의하여 그 대상을 분명히 정할 수 있는 것의 모임

(2) **원소**: 집합을 이루는 대상 하나하나

① $a$가 집합 $A$의 원소일 때, $a$는 집합 $A$에 속한다고 하고, 기호 $\boldsymbol{a \in A}$로 나타낸다.

② $b$가 집합 $A$의 원소가 아닐 때, $b$는 집합 $A$에 속하지 않는다고 하고, 기호 $\boldsymbol{b \notin A}$로 나타낸다.

(3) **집합의 표현**

① **원소나열법**: 집합에 속하는 모든 원소를 기호 { } 안에 나열하는 방법

② **조건제시법**: 집합에 속하는 원소의 공통된 성질을 조건으로 제시하는 방법

③ **벤다이어그램**: 집합에 속하는 원소를 원, 직사각형 등의 도형 안에 나열하여 그림으로 나타내는 방법

- 일반적으로 집합은 $A$, $B$, $C$, …로 나타내고, 원소는 $a$, $b$, $c$, …로 나타낸다.
- 집합을 원소나열법으로 나타낼 때
  ① 원소를 나열하는 순서는 생각하지 않는다.
  ② 같은 원소는 중복하여 쓰지 않는다.
  ③ 원소가 많고 일정한 규칙이 있을 때는 '…'을 사용하여 원소의 일부를 생략하여 나타낼 수 있다.

## 연.산.유.형

정답과 해설 2쪽

### 유형 01 집합의 뜻과 원소

[001~005] 다음 중 집합인 것은 ○표, 집합이 아닌 것은 ×표를 ( ) 안에 써넣어라.

**001** 3보다 큰 자연수의 모임 ( )

**002** 우리 반에서 축구를 잘하는 학생의 모임 ( )

**003** 짝수 중 작은 수의 모임 ( )

**004** 우리 반에서 키가 큰 학생의 모임 ( )

**005** 한 자리의 소수의 모임 ( )

[006~010] 12의 양의 약수의 집합을 $A$라고 할 때, 다음 □ 안에 기호 $\in$, $\notin$ 중 알맞은 것을 써넣어라.

**006** $1 \square A$

**007** $4 \square A$

**008** $8 \square A$

**009** $10 \square A$

**010** $12 \square A$

## 유형 02 집합의 표현

[011~015] 다음 집합을 원소나열법으로 나타내어라.

**011** $A=\{x|x$는 $1<x\le 10$인 짝수$\}$

**012** $B=\{x|x$는 20의 양의 약수$\}$

**013** $C=\{x|x$는 9 이하의 홀수$\}$

**014** $D=\{x|x$는 3으로 나누어떨어지는 한 자리의 자연수$\}$

**015** $E=\{x|x$는 'school'의 알파벳$\}$

[016~020] 다음 집합을 조건제시법으로 나타내어라.

**016** $A=\{a, e, i, o, u\}$

**017** $B=\{1, 2, 3, 4, 5, \cdots, 100\}$

**018** $C=\{$월요일, 화요일, 수요일, 목요일, 금요일, 토요일, 일요일$\}$

**019** $D=\{9, 18, 27, 36, 45, \cdots, 99\}$

**020** $E=\{2, 3, 5, 7, 11, 13, 17, 19\}$

[021~024] 다음 집합을 벤다이어그램으로 나타내어라.

**021** $A=\{a, b, c, d, e\}$

**022** $B=\{x|x$는 8의 양의 약수$\}$

**023** $C=\{x|x$는 $10\le x<20$인 짝수$\}$

**024** $D=\{x|x$는 'student'의 알파벳$\}$

## 01-2 집합의 원소의 개수

**(1) 원소의 개수에 따른 집합의 분류**

① 유한집합: 원소가 유한개인 집합 예 $\{1, 2, 3\}$

② 무한집합: 원소가 무수히 많은 집합 예 $\{1, 2, 3, 4, 5, \cdots\}$

③ 공집합: 원소가 하나도 없는 집합을 **공집합**이라 하고, 기호 $\varnothing$로 나타낸다.

참고 공집합은 원소의 개수가 0이므로 유한집합으로 생각한다.

**(2) 유한집합의 원소의 개수**

유한집합 $A$의 원소의 개수를 기호 $\boldsymbol{n(A)}$로 나타낸다.

참고 $n(\varnothing)=0$, $n(\{\varnothing\})=1$

• $n(A)$의 $n$은 개수를 뜻하는 number의 첫 글자이다.

### 연·산·유·형

정답과 해설 2쪽

#### 유형 03 유한집합과 무한집합

[025~029] 다음 집합이 유한집합이면 '유', 무한집합이면 '무'를 ( ) 안에 써넣어라.

**025** $\{1, 2, 3, 4, 5, 6\}$ ( )

**026** $\{4, 8, 12, 16, 20, \cdots\}$ ( )

**027** $\{x|x$는 두 자리의 홀수$\}$ ( )

**028** $\{x|x$는 $x>15$인 짝수$\}$ ( )

**029** $\{x|x$는 $0<x<1$인 자연수$\}$ ( )

#### 유형 04 유한집합의 원소의 개수

[030~034] 다음 집합의 원소의 개수를 기호를 사용하여 나타내어라.

**030** $A=\{2, 4, 6, 8, 10, \cdots, 100\}$

**031** $B=\{x|x$는 18의 양의 약수$\}$

**032** $C=\{x|x$는 두 자리의 3의 배수$\}$

**033** $D=\{x|x$는 $x^2+1=0$인 실수$\}$

**034** $E=\{x|x$는 $|x|<4$인 정수$\}$

## 01-3 부분집합

**(1) 부분집합**

두 집합 $A$, $B$에 대하여

① 집합 $A$의 모든 원소가 집합 $B$에 속할 때, $A$를 $B$의 **부분집합**이라 하고, 기호 $\boldsymbol{A \subset B}$로 나타낸다.

② 집합 $A$가 집합 $B$의 부분집합이 아닐 때, 기호 $\boldsymbol{A \not\subset B}$로 나타낸다.

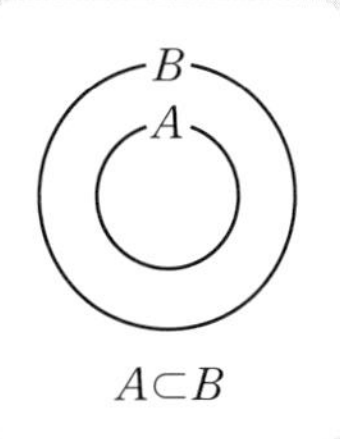

$A \subset B$

- $A \subset B$일 때, '집합 $A$는 집합 $B$에 포함된다.' 또는 '집합 $B$는 집합 $A$를 포함한다.'고 한다.
- $A \not\subset B$이면 집합 $A$의 원소 중에서 집합 $B$의 원소가 아닌 것이 적어도 하나 있다.

**(2) 부분집합의 성질**

① 집합 $A$에 대하여

- $\varnothing \subset A$ ◀ 공집합은 모든 집합의 부분집합이다.
- $A \subset A$ ◀ 모든 집합은 자기 자신의 부분집합이다.

② 세 집합 $A$, $B$, $C$에 대하여 $A \subset B$이고 $B \subset C$이면 $A \subset C$이다.

### 연·산·유·형

정답과 해설 2쪽

### 유형 05 집합 사이의 포함 관계

[035~039] 집합 $A=\{1, 3, 5, 9, 15, 45\}$에 대하여 다음 □ 안에 기호 $\subset$, $\not\subset$ 중 알맞은 것을 써넣어라.

**035** $\varnothing$ □ $A$

**036** $\{1, 7\}$ □ $A$

**037** $\{9, 15, 45\}$ □ $A$

**038** $\{3, 5, 6, 9\}$ □ $A$

**039** $\{1, 3, 5, 9, 15, 45\}$ □ $A$

[040~047] 다음 두 집합 $A$, $B$ 사이의 포함 관계를 기호 $\subset$를 사용하여 나타내어라.

**040** $A=\{a, b\}$, $B=\{a, b, c, d, e\}$

**041** $A=\{1, 2, 3, 4\}$, $B=\{x|x$는 2의 양의 약수$\}$

**042** $A=\{x|x$는 정사각형$\}$, $B=\{x|x$는 직사각형$\}$

**043** $A=\{x|x$는 6의 양의 약수$\}$,
$B=\{x|x$는 12의 양의 약수$\}$

**044** $A=\{x|x$는 2의 배수$\}$, $B=\{x|x$는 4의 배수$\}$

**045** $A=\{x|x^2=1\}$, $B=\{-1, 0, 1\}$

**046** $A=\{-1, 0\}$, $B=\{x|x$는 $-1<x<1$인 정수$\}$

**047** $A=\{x|x$는 $x>2$인 정수$\}$,
$B=\{x|x$는 $x>-1$인 정수$\}$

## 유형 06 부분집합 구하기

[048~051] 다음 집합의 부분집합을 모두 구하여라.

**048** $\{a\}$

**049** $\{-1, 1\}$

**050** $\{2, 4, 6\}$

**051** $\{x|x$는 4의 양의 약수$\}$

## 유형 07 집합을 원소로 갖는 집합

[052~055] 집합 $A=\{0, 1, \{0, 1\}\}$에 대하여 다음 중 옳은 것은 ○표, 옳지 않은 것은 ×표를 ( ) 안에 써넣어라.

**052** $0 \in A$ ( )

**053** $\{1\} \subset A$ ( )

**054** $\{0, 1\} \in A$ ( )

**055** $\{0, 1\} \not\subset A$ ( )

[056~059] 집합 $A=\{\varnothing, a, \{b, c\}, c\}$에 대하여 다음 중 옳은 것은 ○표, 옳지 않은 것은 ×표를 ( ) 안에 써넣어라.

**056** $\varnothing \in A$ ( )

**057** $\{b\} \in A$ ( )

**058** $\{a, c\} \subset A$ ( )

**059** $\{b, c\} \in A$ ( )

## 01-4 서로 같은 집합과 진부분집합

(1) **서로 같은 집합**

두 집합 $A$, $B$에 대하여

① $A\subset B$이고 $B\subset A$일 때, 두 집합 $A$, $B$는 서로 같다고 하고, 기호 $\boldsymbol{A=B}$로 나타낸다.

② 두 집합 $A$, $B$가 서로 같지 않을 때, 기호 $\boldsymbol{A\neq B}$로 나타낸다.

● 두 집합이 서로 같으면 두 집합의 모든 원소가 같다.

(2) **진부분집합**

두 집합 $A$, $B$에 대하여 $A\subset B$이고 $A\neq B$일 때, $A$를 $B$의 **진부분집합**이라고 한다.

예 집합 $\{1, 2\}$의 진부분집합은

$\varnothing$, $\{1\}$, $\{2\}$ ◀ 자기 자신 $\{1, 2\}$를 제외한 모든 부분집합

## 연.산.유.형

정답과 해설 3쪽

### 유형 08 서로 같은 집합

[060~062] 다음 두 집합 $A$, $B$ 사이의 포함 관계를 기호 $=$ 또는 $\neq$를 사용하여 나타내어라.

**060** $A=\{\text{a, h, m, t}\}$, $B=\{x|x$는 'math'의 알파벳$\}$

**061** $A=\{1, 2, 3, 4\}$, $B=\{x|x$는 4의 양의 약수$\}$

**062** $A=\{x|x^2=9\}$, $B=\{-3, 3\}$

[063~066] 다음 두 집합 $A$, $B$에 대하여 $A=B$일 때, 상수 $a$, $b$의 값을 구하여라.

**063** $A=\{1, a\}$, $B=\{b, 2\}$

**064** $A=\{a, 7\}$, $B=\{4, b\}$

**065** $A=\{5, a+1\}$, $B=\{b-1, 8\}$

**066** $A=\{-1, -2a+1\}$, $B=\{3b+5, 9\}$

### 유형 09 진부분집합 구하기

[067~069] 다음 집합의 진부분집합을 모두 구하여라.

**067** $\{a, b\}$

**068** $\{1, 2, 3\}$

**069** $\{x|x$는 한 자리의 소수$\}$

## 01-5 부분집합의 개수

집합 $A=\{a_1, a_2, a_3, a_4, a_5, \cdots, a_n\}$에 대하여

(1) 집합 $A$의 부분집합의 개수: $2^n$

(2) 집합 $A$의 진부분집합의 개수: $2^n-1$

(3) 집합 $A$의 부분집합 중 특정한 원소 $k\,(k<n)$개를 포함하는 (또는 포함하지 않는) 부분집합의 개수: $2^{n-k}$

예 집합 $A=\{1, 2, 3\}$에 대하여

- 집합 $A$의 부분집합의 개수는 $2^3=8$
- 집합 $A$의 진부분집합의 개수는 $2^3-1=7$
- 집합 $A$의 부분집합 중 1을 포함하는 부분집합의 개수는 $2^{3-1}=4$
- 집합 $A$의 부분집합 중 2, 3을 포함하지 않는 부분집합의 개수는 $2^{3-2}=2$

### 연.산.유.형

정답과 해설 3쪽

#### 유형 10 부분집합의 개수

[070~073] 다음 집합의 부분집합의 개수를 구하여라.

**070** $\{2, 4, 8\}$

**071** $\{x\,|\,x$는 6의 양의 약수$\}$

**072** $\{x\,|\,x$는 $3<x\le 8$인 자연수$\}$

**073** $\{x\,|\,x$는 'teacher'의 알파벳$\}$

[074~077] 다음 집합의 진부분집합의 개수를 구하여라.

**074** $\{a, b, c, d\}$

**075** $\{x\,|\,x$는 한 자리의 홀수$\}$

**076** $\{x\,|\,x$는 $|x|\le 3$인 정수$\}$

**077** $\{x\,|\,x$는 100보다 작은 12의 배수$\}$

## 유형 11 특정한 원소를 포함하거나 포함하지 않는 부분집합의 개수

[078~080] 집합 $\{2, 4, 6, 8, 10\}$에 대하여 다음을 구하여라.

**078** 2를 포함하는 부분집합의 개수

**079** 2, 6을 포함하는 부분집합의 개수

**080** 4, 8, 10을 포함하는 진부분집합의 개수

[081~083] 집합 $\{x|x$는 한 자리의 자연수$\}$에 대하여 다음을 구하여라.

**081** 1, 2를 포함하지 않는 부분집합의 개수

**082** 3, 6, 9를 포함하지 않는 부분집합의 개수

**083** 짝수를 포함하지 않는 부분집합의 개수

## 유형 12 $A\subset X\subset B$를 만족하는 집합 $X$의 개수

[084~088] 다음을 만족하는 집합 $X$의 개수를 구하여라.

**084** $\{1, 2\}\subset X\subset\{1, 2, 3, 4\}$

집합 $X$는 집합 $\{1, 2, 3, 4\}$의 부분집합 중 원소 1, □를 포함하는 부분집합이다.
따라서 집합 $X$의 개수는
$2^{4-\square}=\square$

**085** $\{4, 6, 8\}\subset X\subset\{2, 4, 6, 8, 10\}$

**086** $\{a, c\}\subset X\subset\{a, b, c, d, e\}$

**087** $\{1, 5, 7\}\subset X\subset\{1, 2, 3, 4, 5, \cdots, 9\}$

**088** $\{x|x$는 4의 양의 약수$\}\subset X\subset\{x|x$는 20의 양의 약수$\}$

# 연산 유형 최종 점검하기

**1** 다음 중 집합인 것은?

① 짝수인 소수의 모임
② 0에 가까운 수의 모임
③ 노래를 잘하는 사람의 모임
④ 사람이 좋아하는 동물의 모임
⑤ 우리 반에서 몸무게가 가벼운 학생의 모임

**2** 다음 집합 중 나머지 넷과 다른 하나는?

① $\{2, 4, 6, 8\}$
② $\{x|x$는 $0<x\le9$인 짝수$\}$
③ $\{x|x$는 $1\le x<10$인 짝수$\}$
④ $\{x|x$는 10 미만의 짝수$\}$
⑤ $\{x|x$는 2로 나누어떨어지는 자연수$\}$

**3** 다음 중 유한집합인 것은?

① $\{1, 2, 3, 4, 5, \cdots\}$
② $\{x|x$는 홀수$\}$
③ $\{x|x$는 4의 배수$\}$
④ $\{x|x$는 $x^2\le0$인 실수$\}$
⑤ $\{x|x$는 3으로 나누어떨어지지 않는 자연수$\}$

**4** 두 집합

$A=\{x|x$는 두 자리의 8의 배수$\}$,
$B=\{x|x$는 24의 양의 약수$\}$

에 대하여 $n(A)-n(B)$의 값은?

① 3 ② 4 ③ 5
④ 6 ⑤ 7

**5** 다음 중 옳지 않은 것은?

① $n(\{\varnothing\})=1$
② $n(\{1, 3, 5\})=3$
③ $n(\{x|x$는 6의 양의 약수$\})=4$
④ $n(\{1, 2\})=n(\{a, b\})$
⑤ $n(\{4\})-n(\{2\})=2$

**6** 집합 $A=\{x|x$는 한 자리의 소수$\}$에 대하여 다음 중 옳지 않은 것은?

① $2\in A$ ② $9\in A$ ③ $\{3\}\subset A$
④ $\{5, 7\}\subset A$ ⑤ $\{1, 3, 5, 7\}\not\subset A$

**7** 다음 중 두 집합 $A$, $B$에 대하여 $A \subset B$인 것은?

① $A=\{a, b, c\}$, $B=\{a, c, d\}$
② $A=\{1, 3, 5, 7\}$, $B=\{1, 3, 5\}$
③ $A=\{x|x$는 2의 배수$\}$, $B=\{x|x$는 4의 배수$\}$
④ $A=\{x|x$는 마름모$\}$, $B=\{x|x$는 정사각형$\}$
⑤ $A=\{x|x$는 6의 양의 약수$\}$,
$B=\{x|x$는 12의 양의 약수$\}$

**8** 집합 $A=\{1, \{1, 2\}\}$에 대하여 다음 보기 중 옳은 것만을 있는 대로 고른 것은?

보기
ㄱ. $1 \in A$　　ㄴ. $\{1, 2\} \in A$
ㄷ. $\{1\} \subset A$　　ㄹ. $\{1, 2\} \subset A$

① ㄱ, ㄴ　② ㄱ, ㄹ　③ ㄷ, ㄹ
④ ㄱ, ㄴ, ㄷ　⑤ ㄴ, ㄷ, ㄹ

**9** 두 집합 $A=\{a-b, 5\}$, $B=\{3, a+b\}$에 대하여 $A=B$일 때, 상수 $a$, $b$에 대하여 $ab$의 값은?

① 2　② 4　③ 6
④ 8　⑤ 10

**10** 다음 집합 중 부분집합의 개수가 32가 아닌 것은?

① $\{x|x$는 모음인 알파벳 소문자$\}$
② $\{x|x$는 한 자리의 홀수$\}$
③ $\{x|x$는 10보다 작은 2의 배수$\}$
④ $\{x|x$는 16의 양의 약수$\}$
⑤ $\{x|x$는 $|x| \le 2$인 정수$\}$

**11** 집합 $\{x|x$는 20 미만의 소수$\}$의 부분집합 중에서 3, 5는 포함하고 2는 포함하지 않는 집합의 개수는?

① 8　② 16　③ 32
④ 64　⑤ 128

**12** 두 집합

$A=\{x|x$는 $2 \le x < 10$인 짝수$\}$,
$B=\{x|x$는 10 이하의 자연수$\}$

에 대하여 $A \subset X \subset B$를 만족하는 집합 $X$의 개수를 구하여라.

# 02

# 집합의 연산

AM

유형 01 합집합과 교집합
유형 02 서로소
유형 03 여집합과 차집합

유형 04 집합의 연산에 대한 성질
유형 05 집합의 연산 법칙
유형 06 드모르간 법칙
유형 07 집합의 연산을 이용하여 간단히 하기
유형 08 유한집합의 원소의 개수

# 02 집합의 연산



## 02-1 합집합과 교집합

**(1) 합집합**

두 집합 $A$, $B$에 대하여 $A$에 속하거나 $B$에 속하는 모든 원소로 이루어진 집합을 $A$와 $B$의 **합집합**이라 하고, 기호 $\boldsymbol{A \cup B}$로 나타낸다. 즉,

$$A \cup B = \{x \mid x \in A \text{ 또는 } x \in B\}$$

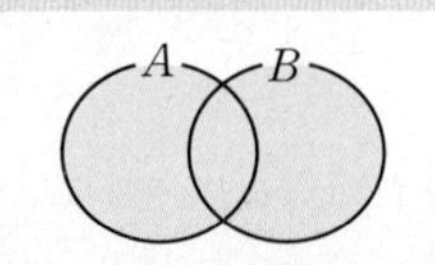


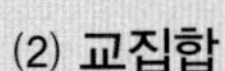

**(2) 교집합**

두 집합 $A$, $B$에 대하여 $A$에도 속하고 $B$에도 속하는 모든 원소로 이루어진 집합을 $A$와 $B$의 **교집합**이라 하고, 기호 $\boldsymbol{A \cap B}$로 나타낸다. 즉,

$$A \cap B = \{x \mid x \in A \text{ 그리고 } x \in B\}$$

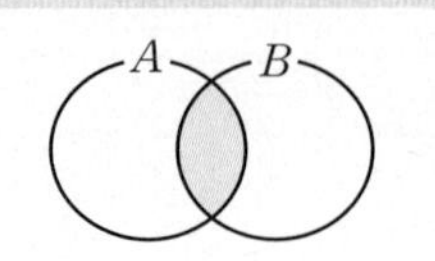


● '~이거나', '~ 또는'이면 합집합이고, '~이고', '~와'이면 교집합이다.

**(3) 서로소**

두 집합 $A$, $B$에 대하여 공통인 원소가 하나도 없을 때, 즉 $A \cap B = \varnothing$일 때, $A$와 $B$는 **서로소**라고 한다.

참고 공집합은 모든 집합과 서로소이다.

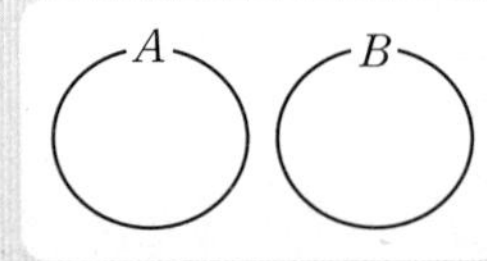


### 연.산.유.형

정답과 해설 5쪽

#### 유형 01 합집합과 교집합

[001~008] 다음 두 집합 $A$, $B$에 대하여 $A \cup B$를 구하여라.

**001** $A = \{a, b, d\}$, $B = \{b, c, e\}$

**002** $A = \{1, 2, 3\}$, $B = \{1, 2, 3, 4\}$

**003** $A = \{a, b, c, e\}$, $B = \{c, d, e\}$

**004** $A = \{1, 2, 3, 5\}$, $B = \{3, 4, 5, 6\}$

**005** $A = \{x \mid x\text{는 한 자리의 홀수}\}$,
$B = \{x \mid x\text{는 한 자리의 소수}\}$

**006** $A = \{x \mid x\text{는 4의 양의 약수}\}$,
$B = \{x \mid x\text{는 6의 양의 약수}\}$

**007** $A = \{x \mid x\text{는 20 이하의 2의 배수}\}$,
$B = \{x \mid x\text{는 20 이하의 4의 배수}\}$

**008** $A = \{x \mid x\text{는 } 1 < x < 5\text{인 자연수}\}$,
$B = \{x \mid x\text{는 } 3 \le x \le 6\text{인 자연수}\}$

[009~016] 다음 두 집합 $A$, $B$에 대하여 $A\cap B$를 구하여라.

**009** $A=\{1, 2, 4\}$, $B=\{2, 3, 5\}$

**010** $A=\{a, c, d\}$, $B=\{b, c, d, e\}$

**011** $A=\{1, 2, 3, 4, 5\}$, $B=\{2, 4, 5\}$

**012** $A=\{a, b, d, e\}$, $B=\{b, c, e, f, g\}$

**013** $A=\{x|x$는 10 미만의 홀수$\}$,
$B=\{x|x$는 10 미만의 소수$\}$

**014** $A=\{x|x$는 8의 양의 약수$\}$,
$B=\{x|x$는 12의 양의 약수$\}$

**015** $A=\{x|x$는 30 미만의 5의 배수$\}$,
$B=\{x|x$는 30 이하의 10의 배수$\}$

**016** $A=\{x|x$는 $2\le x<7$인 자연수$\}$,
$B=\{x|x$는 $|x|\le 3$인 정수$\}$

## 유형 02 서로소

[017~024] 다음 두 집합 $A$, $B$가 서로소인 것은 ○표, 서로소가 아닌 것은 ×표를 (  ) 안에 써넣어라.

**017** $A=\{1, 2, 3\}$, $B=\varnothing$ (  )

**018** $A=\{a, b, f\}$, $B=\{c, d, e, f\}$ (  )

**019** $A=\{1, 2, 3, 6\}$, $B=\{3, 4, 5, 7\}$ (  )

**020** $A=\{a, b, e\}$, $B=\{c, d, f, g, h\}$ (  )

**021** $A=\{x|x$는 짝수$\}$, $B=\{x|x$는 홀수$\}$ (  )

**022** $A=\{x|x$는 유리수$\}$,
$B=\{x|x$는 무리수$\}$ (  )

**023** $A=\{x|x$는 5의 양의 약수$\}$,
$B=\{x|x$는 9의 양의 약수$\}$ (  )

**024** $A=\{x|x$는 $3<x\le 6$인 자연수$\}$,
$B=\{x|x$는 $6\le x<9$인 자연수$\}$ (  )

## 02-2 여집합과 차집합

**(1) 전체집합**

주어진 집합에 대하여 그 부분집합을 생각할 때, 처음에 주어진 집합을 **전체집합**이라 하고, 기호 $\boldsymbol{U}$로 나타낸다.

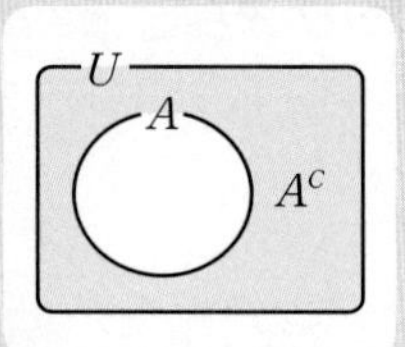


**(2) 여집합**

전체집합 $U$의 부분집합 $A$에 대하여 $U$의 원소 중 $A$에 속하지 않는 모든 원소로 이루어진 집합을 $U$에 대한 $A$의 **여집합**이라 하고, 기호 $\boldsymbol{A^C}$으로 나타낸다. 즉,

$A^C=\{x|x\in U$ 그리고 $x\notin A\}$

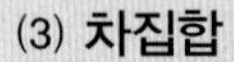

**(3) 차집합**

두 집합 $A$, $B$에 대하여 $A$에는 속하지만 $B$에는 속하지 않는 모든 원소로 이루어진 집합을 $A$에 대한 $B$의 **차집합**이라 하고, 기호 $\boldsymbol{A-B}$로 나타낸다. 즉,

$A-B=\{x|x\in A$ 그리고 $x\notin B\}$

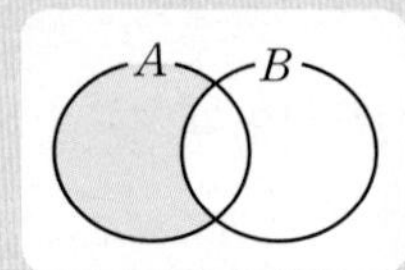


● 집합 $A$의 여집합은 전체집합 $U$에 대한 차집합으로 생각할 수 있다. 즉,
$A^C=U-A$

## 연.산.유.형

정답과 해설 **5쪽**

### 유형 03 여집합과 차집합

[025~029] 전체집합 $U=\{x|x$는 10 이하의 자연수$\}$의 부분집합이 다음과 같을 때, 각 집합의 여집합을 구하여라.

**025** $A=\{2,\ 4,\ 6,\ 8\}$

**026** $B=\{1,\ 2,\ 3,\ 4,\ 5,\ \cdots,\ 10\}$

**027** $C=\{x|x$는 홀수$\}$

**028** $D=\{x|x$는 8의 양의 약수$\}$

**029** $E=\{x|x$는 $1<x<3$인 홀수$\}$

[030~034] 다음 두 집합 $A$, $B$에 대하여 $A-B$와 $B-A$를 구하여라.

**030** $A=\{a,\ b,\ c,\ d\}$, $B=\{c,\ d,\ e\}$

**031** $A=\{1,\ 2,\ 4,\ 5\}$, $B=\{2,\ 3,\ 5,\ 6\}$

**032** $A=\{x|x$는 10의 양의 약수$\}$,
$B=\{x|x$는 20의 양의 약수$\}$

**033** $A=\{x|x$는 20 이하의 3의 배수$\}$,
$B=\{x|x$는 20 이하의 4의 배수$\}$

**034** $A=\{x|x$는 $2\le x<10$인 자연수$\}$,
$B=\{x|x$는 $6<x\le 12$인 자연수$\}$

[035~041] 전체집합 $U=\{a, b, c, d, e, f, g, h, i, j, k\}$의 두 부분집합 $A=\{a, b, c, f, g, h\}$, $B=\{c, d, e, g, h, i\}$에 대하여 다음을 구하여라.

035 $A\cup B$

036 $A\cap B$

037 $A^C$

038 $B^C$

039 $A-B$

040 $B-A$

041 $A-B^C$

[042~048] 전체집합 $U=\{x|x$는 36의 양의 약수$\}$의 두 부분집합 $A=\{x|x$는 12의 양의 약수$\}$, $B=\{x|x$는 18의 양의 약수$\}$에 대하여 다음을 구하여라.

042 $A\cup B$

043 $A\cap B$

044 $A^C$

045 $B^C$

046 $A-B$

047 $B-A$

048 $B^C-A$

## 02-3 집합의 연산에 대한 성질

전체집합 $U$의 두 부분집합 $A$, $B$에 대하여

(1) $A\cup A=A$, $A\cap A=A$

(2) $A\cup\varnothing=A$, $A\cap\varnothing=\varnothing$

(3) $A\cup U=U$, $A\cap U=A$

(4) $A\cup A^C=U$, $A\cap A^C=\varnothing$

(5) $U^C=\varnothing$, $\varnothing^C=U$

(6) $(A^C)^C=A$

(7) $A-B=A\cap B^C$

참고 $A\subset B$와 같은 표현

- $A\cup B=B$
- $A\cap B=A$
- $A-B=\varnothing$
- $B^C\subset A^C$

연.산.유.형

정답과 해설 6쪽

### 유형 04 집합의 연산에 대한 성질

[049~053] 전체집합 $U$의 두 부분집합 $A$, $B$에 대하여 다음 집합을 벤다이어그램에 색칠하여 나타내고, □ 안에 알맞은 기호를 써넣어라.

**049** $A\cup A^C$ □ $U$

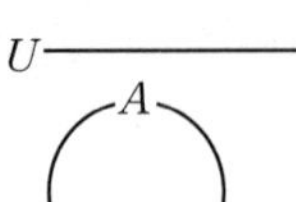


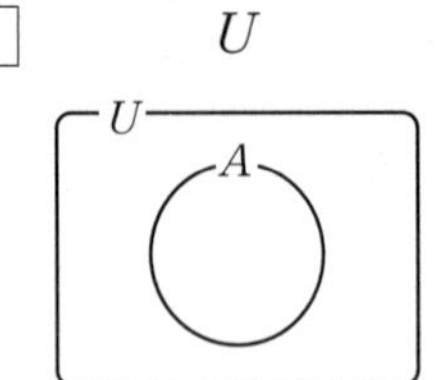


**050** $A\cap A^C$ □ $\varnothing$

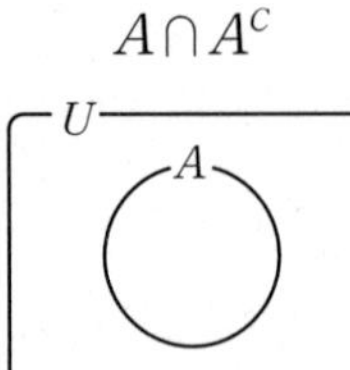


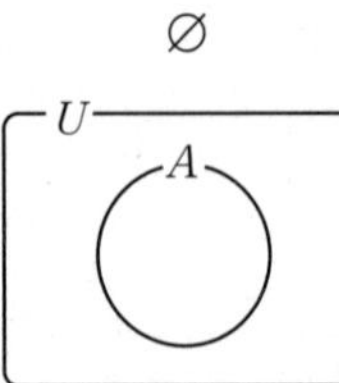


**051** $(A^C)^C$ □ $A$

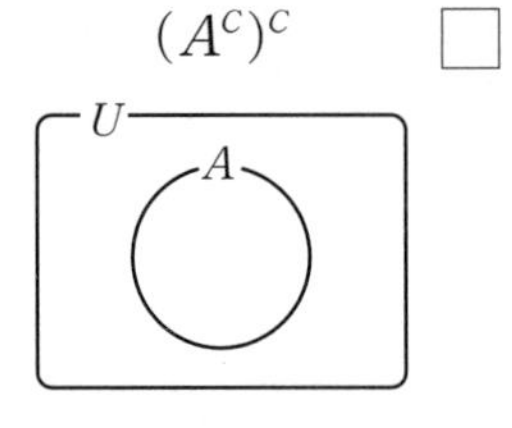


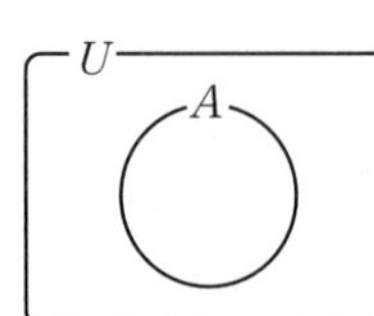


**052** $A-B$ □ $A\cap B^C$

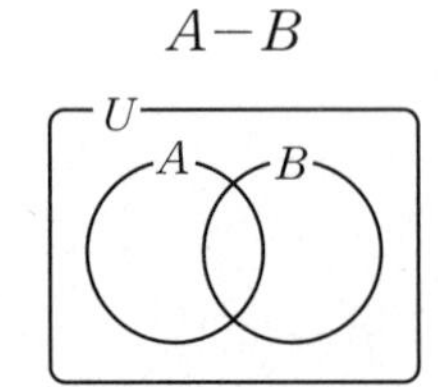


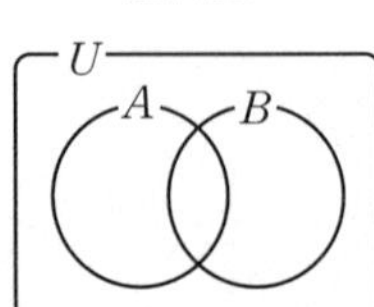


**053** $B-A$ □ $B\cap A^C$

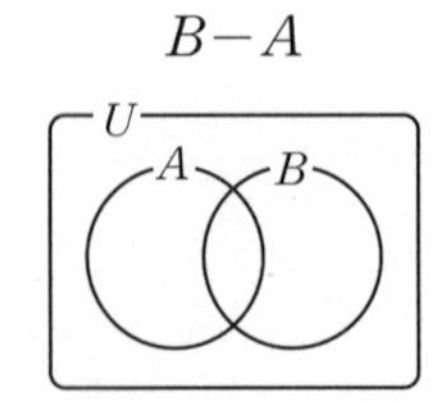


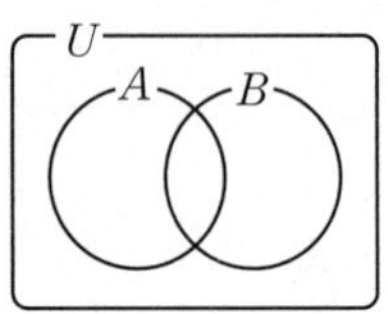

[054~068] 전체집합 $U$의 두 부분집합 $A$, $B$에 대하여 다음 □ 안에 알맞은 집합을 써넣어라.

**054** $A \cup A = \square$

**055** $A \cap A = \square$

**056** $A \cup \varnothing = \square$

**057** $A \cap \varnothing = \square$

**058** $A \cup U = \square$

**059** $A \cap U = \square$

**060** $B \cup B^C = \square$

**061** $B \cap B^C = \square$

**062** $U^C = \square$

**063** $\varnothing^C = \square$

**064** $(B^C)^C = \square$

**065** $A - B = A \cap \square$

**066** $B \cap A^C = B - \square$

**067** $A - B^C = A \cap \square$

**068** $A^C - B^C = \square \cap B$

[069~074] 전체집합 $U$의 두 부분집합 $A$, $B$에 대하여 $A \subset B$일 때, 다음 □ 안에 알맞은 집합을 써넣어라. (단, $A \neq \varnothing$, $B \neq \varnothing$)

**069**

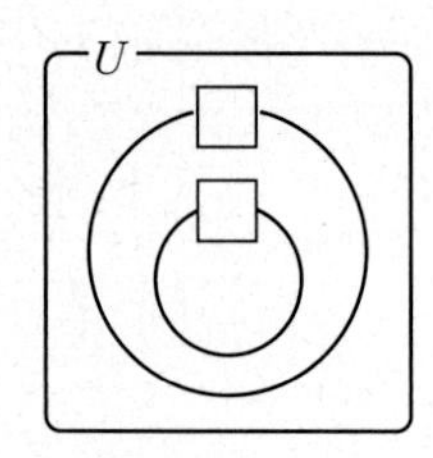


**070** $A \cap B=$□

**071** $A \cup B=$□

**072** $A-B=$□

**073** $A \cap B^{C}=$□

**074** $B^{C}-A^{C}=$□

[075~082] 전체집합 $U$의 두 부분집합 $A$, $B$에 대하여 $B \subset A$일 때, 다음 중 옳은 것은 ○표, 옳지 않은 것은 ×표를 (　) 안에 써넣어라. (단, $A \neq \varnothing$, $B \neq \varnothing$)

**075** $A \cap B=B$ (　)

**076** $A \cup B=A$ (　)

**077** $B-A=\varnothing$ (　)

**078** $B^{C} \subset A^{C}$ (　)

**079** $A \cap B^{C}=\varnothing$ (　)

**080** $A^{C}-B^{C}=\varnothing$ (　)

**081** $A-(A \cap B)=\varnothing$ (　)

**082** $(A \cup B)-A=\varnothing$ (　)

## 02-4 집합의 연산 법칙

세 집합 $A$, $B$, $C$에 대하여
(1) **교환법칙**: $A\cup B=B\cup A$, $A\cap B=B\cap A$
(2) **결합법칙**: $(A\cup B)\cup C=A\cup(B\cup C)$, $(A\cap B)\cap C=A\cap(B\cap C)$
(3) **분배법칙**: $A\cup(B\cap C)=(A\cup B)\cap(A\cup C)$, $A\cap(B\cup C)=(A\cap B)\cup(A\cap C)$

● 세 집합 $A$, $B$, $C$에 대하여 결합법칙이 성립하므로 괄호를 생략하여 $A\cup B\cup C$, $A\cap B\cap C$로 나타낼 수 있다.

### 연.산.유.형

정답과 해설 7쪽

### 유형 05 집합의 연산 법칙

[083~085] 세 집합 $A$, $B$, $C$에 대하여 다음 집합을 벤다이어그램에 색칠하여 나타내고, □ 안에 알맞은 기호를 써넣어라.

**083** $(A\cap B)\cap C$ □ $A\cap(B\cap C)$

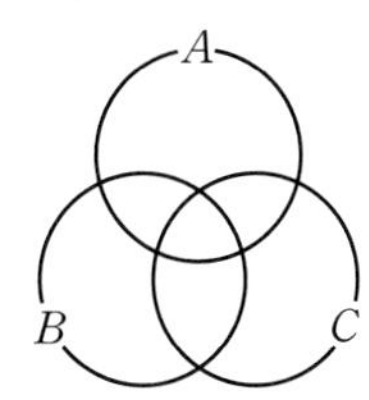


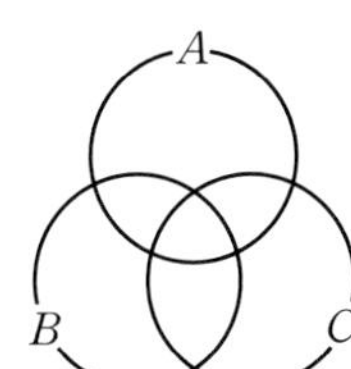


**084** $A\cup(B\cap C)$ □ $(A\cup B)\cap(A\cup C)$

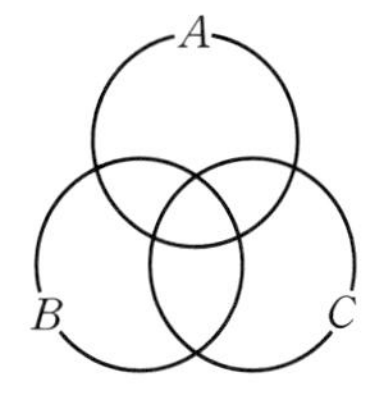


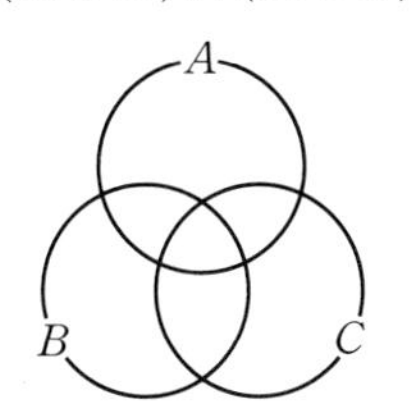


**085** $A\cap(B\cup C)$ □ $(A\cap B)\cup(A\cap C)$

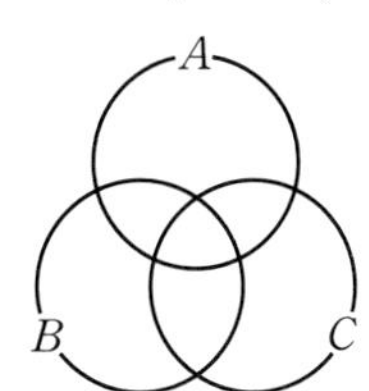


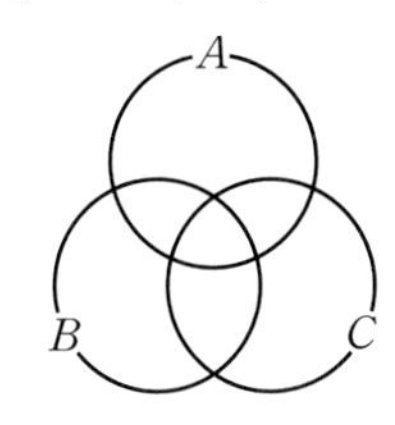


[086~091] 세 집합 $A$, $B$, $C$에 대하여 다음 □ 안에 알맞은 것을 보기에서 찾아 써넣어라.

**보기**
$A$, $B$, $C$, $\cap$, $\cup$

**086** $A\cup B=B\cup$□

**087** $B\cap A=A$□$B$

**088** $(A\cup B)\cup C=A\cup(B\cup$□$)$

**089** $A\cap(B\cap C)=(A$□$B)$□$C$

**090** $A\cup(B\cap C)=(A\cup$□$)\cap($□$\cup C)$

**091** $(A\cap B)\cup(A\cap C)=A$□$(B$□$C)$

## 02-5 드모르간 법칙

전체집합 $U$의 두 부분집합 $A$, $B$에 대하여

(1) $(A\cup B)^{c}=A^{c}\cap B^{c}$

(2) $(A\cap B)^{c}=A^{c}\cup B^{c}$

### 연·산·유·형

정답과 해설 7쪽

#### 유형 06 드모르간 법칙

[092~094] 전체집합 $U$의 두 부분집합 $A$, $B$에 대하여 다음 집합을 벤다이어그램에 색칠하여 나타내고, □ 안에 알맞은 기호를 써넣어라.

**092**  □ $A^{c}\cap B^{c}$

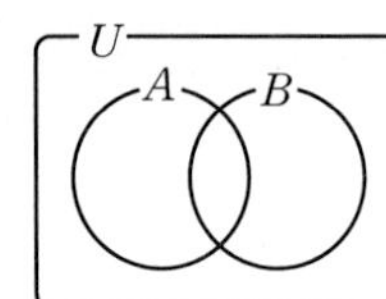


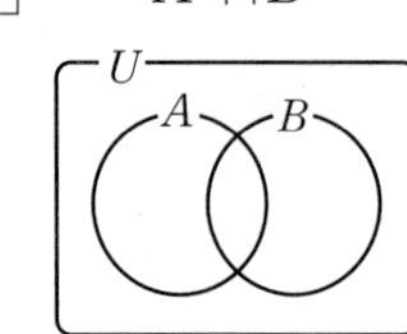


**093** $(A\cap B)^{c}$ □ $A^{c}\cup B^{c}$

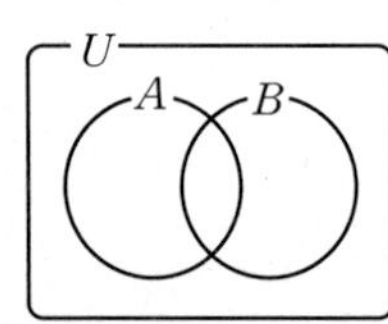


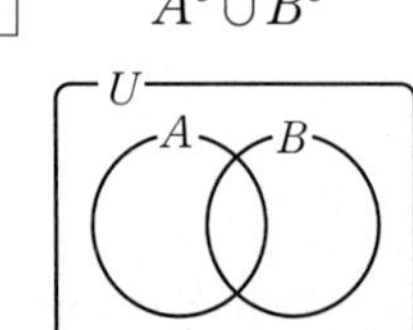


**094** $(A^{c}\cap B)^{c}$ □ $A\cup B^{c}$

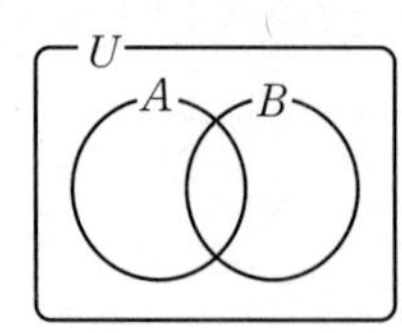


[095~100] 전체집합 $U$의 두 부분집합 $A$, $B$에 대하여 다음 □ 안에 알맞은 것을 보기에서 찾아 써넣어라.

보기

$A$, $B$, $A^{c}$, $B^{c}$, $\cap$, $\cup$

**095** $(A\cap B)^{c}=A^{c}\cup$□

**096** $(A\cup B^{c})^{c}=$□$\cap B$

**097** $(A^{c}\cup B)^{c}=A$□$B^{c}$

**098** $(A\cap B^{c})^{c}=A^{c}$□$B$

**099** $(A^{c}\cup B^{c})^{c}=A\cap$□

**100** $(A^{c}\cap B^{c})^{c}=$□$\cup B$

## 유형 07 집합의 연산을 이용하여 간단히 하기

[101~103] 다음은 전체집합 $U$의 두 부분집합 $A$, $B$에 대하여 주어진 식을 간단히 하는 과정이다. 각 과정에서 이용한 연산 법칙을 보기에서 골라 □ 안에 써넣어라.

보기
ㄱ. 교환법칙　　ㄴ. 결합법칙
ㄷ. 분배법칙　　ㄹ. 드모르간 법칙

**101** $(A-B)\cup(A\cap B)$
$=(A\cap B^C)\cup(A\cap B)$
$=A\cap(B^C\cup B)$ ) □
$=A\cap U$
$=A$

**102** $A\cup(B\cap A)^C$
$=A\cup(B^C\cup A^C)$ ) □
$=A\cup(A^C\cup B^C)$ ) □
$=(A\cup A^C)\cup B^C$ ) □
$=U\cup B^C$
$=U$

**103** $(A-B)^C\cap A$
$=(A\cap B^C)^C\cap A$
$=(A^C\cup B)\cap A$ ) □
$=(A^C\cap A)\cup(B\cap A)$ ) □
$=\varnothing\cup(A\cap B)$ ) □
$=A\cap B$

[104~107] 다음은 전체집합 $U$의 두 부분집합 $A$, $B$에 대하여 주어진 식을 간단히 하는 과정이다. □ 안에 알맞은 것을 보기에서 찾아 써넣어라.

보기
$A$,　$A^C$,　$\varnothing$,　$\cap$,　$\cup$

**104** $(A\cup B)\cap A^C$
$=(A\cap\square)\cup(B\cap\square)$
$=\square\cup(B\cap\square)$
$=B\cap\square$
$=B-\square$

**105** $A-(B\cup A^C)$
$=A\cap(B\cup A^C)^C$
$=A\cap(B^C\cap\square)$
$=A\cap(\square\cap B^C)$
$=(A\cap\square)\cap B^C$
$=\square\cap B^C$
$=\square-B$

**106** $(B-A)\cap B^C$
$=(B\square A^C)\cap B^C$
$=(A^C\square B)\cap B^C$
$=A^C\square(B\square B^C)$
$=A^C\square\varnothing$
$=\square$

**107** $(A\cup B)\cap(B-A)^C$
$=(A\cup B)\cap(B\cap\square)^C$
$=(A\cup B)\cap(B^C\cup\square)$
$=(A\cup B)\cap(\square\cup B^C)$
$=A\cup(B\square B^C)$
$=A\cup\square$
$=\square$

## 02-6 유한집합의 원소의 개수

전체집합 $U$의 두 부분집합 $A$, $B$에 대하여

(1) $n(A\cup B)=n(A)+n(B)-n(A\cap B)$

(2) $n(A^C)=n(U)-n(A)$

(3) $n(A-B)=n(A)-n(A\cap B)=n(A\cup B)-n(B)$

참고 • $A\cap B=\varnothing$이면 $n(A\cup B)=n(A)+n(B)$
• $B\subset A$이면 $n(A-B)=n(A)-n(B)$

연.산.유.형

정답과 해설 8쪽

### 유형 08 유한집합의 원소의 개수

[108~115] 두 집합 $A$, $B$에 대하여 다음을 구하여라.

**108** $n(A)=9$, $n(B)=10$, $n(A\cap B)=2$일 때, $n(A\cup B)$

**109** $n(A)=5$, $n(B)=9$, $n(A\cap B)=3$일 때, $n(A\cup B)$

**110** $n(A)=14$, $n(B)=12$, $n(A\cup B)=20$일 때, $n(A\cap B)$

**111** $n(A)=8$, $n(B)=11$, $n(A\cup B)=14$일 때, $n(A\cap B)$

**112** $n(B)=6$, $n(A\cap B)=4$, $n(A\cup B)=15$일 때, $n(A)$

**113** $n(A)=10$, $n(A\cap B)=8$, $n(A\cup B)=17$일 때, $n(B)$

**114** $n(A)=9$, $n(B)=5$, $A\cap B=\varnothing$일 때, $n(A\cup B)$

**115** $n(A)=7$, $n(A\cup B)=13$, $A\cap B=\varnothing$일 때, $n(B)$

[116~118] 전체집합 $U$의 두 부분집합 $A$, $B$에 대하여 $n(U)=14$, $n(A)=7$, $n(A\cap B)=4$일 때, 다음을 구하여라.

**116** $n(A^C)$

**117** $n(A-B)$

**118** $n(A^C\cup B^C)$

[119~121] 전체집합 $U$의 두 부분집합 $A$, $B$에 대하여 $n(U)=24$, $n(A)=13$, $n(B)=15$, $n(A\cap B)=7$일 때, 다음을 구하여라.

**119** $n(B^C)$

**120** $n(B-A)$

**121** $n((A\cup B)^C)$

[122~124] 전체집합 $U$의 두 부분집합 $A$, $B$에 대하여 $n(U)=22$, $n(B)=12$, $n(A\cup B)=19$일 때, 다음을 구하여라.

**122** $n(B^C)$

**123** $n(A-B)$

**124** $n(A^C\cap B^C)$

[125~127] 전체집합 $U$의 두 부분집합 $A$, $B$에 대하여 $n(U)=25$, $n(A)=14$, $n(B)=11$, $n(A\cup B)=20$일 때, 다음을 구하여라.

**125** $n(A^C)$

**126** $n(B-A)$

**127** $n((A\cap B)^C)$

# 연산 유형 최종 점검하기

**1** 두 집합 $A=\{a, b, d, f\}$, $B=\{b, c, d, e\}$에 대하여 오른쪽 벤다이어그램의 색칠한 부분이 나타내는 집합을 원소나열법으로 나타내어라.

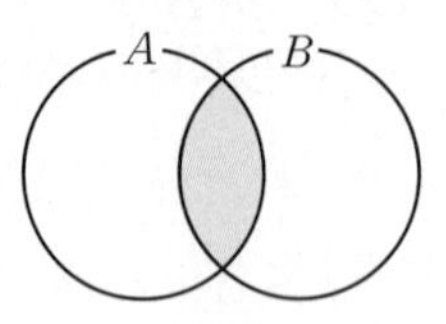


**2** 세 집합 $A=\{2, 3, 4, 5\}$, $B=\{3, 4, 6, 7\}$, $C=\{4, 5, 6, 8\}$에 대하여 $A\cap(B\cup C)$는?

① $\{3, 4\}$ ② $\{4, 5\}$ ③ $\{2, 4, 6\}$
④ $\{3, 4, 5\}$ ⑤ $\{3, 4, 5, 6\}$

**3** 다음 중 집합 $\{2, 4, 6\}$과 서로소가 아닌 집합은?

① $\varnothing$
② $\{1, 5, 7\}$
③ $\{x|x$는 5의 양의 약수$\}$
④ $\{x|x$는 한 자리의 홀수$\}$
⑤ $\{x|x$는 한 자리의 소수$\}$

**4** 전체집합 $U=\{x|x$는 8 이하의 자연수$\}$의 두 부분집합

$A=\{x|x$는 짝수$\}$, $B=\{x|x$는 3의 배수$\}$

에 대하여 다음 중 옳지 않은 것은?

① $A\cap B=\{6\}$
② $A\cup B=\{2, 3, 4, 6, 8\}$
③ $A^C=\{1, 3, 5, 7\}$
④ $A-B=\{2, 4, 8\}$
⑤ $B-A=\{3, 6\}$

**5** 두 집합 $A$, $B$에 대하여

$B=\{b, d, f\}$, $A\cup B=\{a, b, c, d, e, f\}$

일 때, 집합 $A-B$를 원소나열법으로 나타내어라.

**6** 다음 중 오른쪽 벤다이어그램에서 색칠한 부분이 나타내는 집합은?

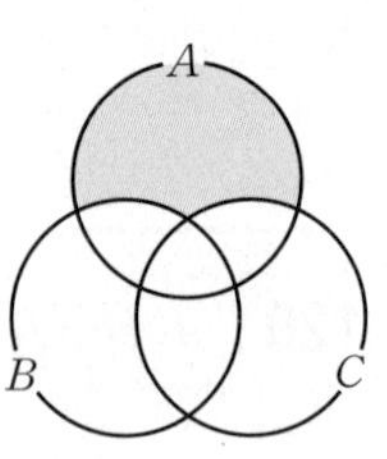


① $(A\cap B)\cup C$
② $A\cap(B\cup C)$
③ $A-(B\cup C)$
④ $A-(B\cap C)$
⑤ $A\cap(B-C)$

**7** 전체집합 $U$의 두 부분집합 $A$, $B$에 대하여 다음 중 옳지 않은 것은?

① $A^C \cap A = \varnothing$
② $U - A = A^C$
③ $A \subset (A \cup B)$
④ $B - A = A \cap B^C$
⑤ $A \cap (A \cup A^C) = A$

**8** 전체집합 $U$의 두 부분집합 $A$, $B$에 대하여 $A \subset B$일 때, 다음 중 옳지 않은 것은?

① $A \cap B = A$
② $A \cup B = B$
③ $B - A = \varnothing$
④ $B^C \subset A^C$
⑤ $A \cap (A \cup B) = A$

**9** 전체집합 $U = \{x | x$는 10 이하의 자연수$\}$의 두 부분집합 $A$, $B$에 대하여

$A - B = \{1, 4\}$, $B - A = \{3, 7, 8\}$,
$A \cap B = \{2, 5, 6\}$

일 때, 집합 $A^C \cap B^C$의 모든 원소의 합은?

① 18 ② 19 ③ 20
④ 21 ⑤ 22

**10** 다음은 전체집합 $U$의 세 부분집합 $A$, $B$, $C$에 대하여 $(A-B)-C = A-(B \cup C)$임을 보이는 과정이다. ㉠, ㉡에서 이용한 연산 법칙으로 알맞은 것은?

$$\begin{aligned}(A-B)-C &= (A \cap B^C) \cap C^C \\ &= A \cap (B^C \cap C^C) \quad ㉠ \\ &= A \cap (B \cup C)^C \quad ㉡ \\ &= A - (B \cup C)\end{aligned}$$

① ㉠: 교환법칙, ㉡: 결합법칙
② ㉠: 교환법칙, ㉡: 분배법칙
③ ㉠: 결합법칙, ㉡: 분배법칙
④ ㉠: 결합법칙, ㉡: 드모르간 법칙
⑤ ㉠: 분배법칙, ㉡: 드모르간 법칙

**11** 전체집합 $U$의 두 부분집합 $A$, $B$에 대하여 다음 중 $(A^C \cap B) \cup (A \cup B)^C$과 항상 같은 집합은?

① $\varnothing$ ② $B$ ③ $A^C$
④ $A \cap B$ ⑤ $A \cup B$

**12** 전체집합 $U$의 두 부분집합 $A$, $B$에 대하여
$n(U)=20$, $n(A)=12$, $n(B)=10$, $n(A \cap B)=4$
일 때, $n(A^C \cap B^C)$은?

① 2 ② 4 ③ 6
④ 8 ⑤ 10

# 03

# 명제

AM

유형 01 명제

유형 02 진리집합

유형 03 명제와 조건의 부정

유형 04 명제 $p \longrightarrow q$의 가정과 결론

유형 05 명제 $p \longrightarrow q$의 참, 거짓

유형 06 명제의 참, 거짓과 진리집합의 포함 관계

유형 07 '모든'이나 '어떤'이 있는 명제의 참, 거짓

유형 08 '모든'이나 '어떤'이 있는 명제의 부정

유형 09 명제의 역과 대우

유형 10 명제의 역과 대우의 참, 거짓

유형 11 명제와 그 대우의 관계

유형 12 충분조건과 필요조건

유형 13 필요충분조건

유형 14 대우를 이용한 증명

유형 15 귀류법

유형 16 절대부등식

유형 17 절대부등식의 증명

# 03 명제

## 03-1 명제

참, 거짓을 분명하게 판별할 수 있는 문장이나 식을 **명제**라고 한다.

예
- $\sqrt{3}$은 무리수이다. ➡ 참인 명제
- $3+2=6$ ➡ 거짓인 명제
- $x+2=5$ ➡ 명제가 아니다.

### 연.산.유.형

정답과 해설 9쪽

#### 유형 01 명제

[001~006] 다음 중 명제인 것은 ○표, 명제가 아닌 것은 ×표를 (  ) 안에 써넣어라.

**001** $\sqrt{2}$는 유리수이다. (  )

**002** 제주도는 큰 섬이다. (  )

**003** 직사각형은 정사각형이다. (  )

**004** 1은 0에 가까운 수이다. (  )

**005** $x$는 3의 양의 약수이다. (  )

**006** $5-2\ge 0$ (  )

[007~012] 다음 명제의 참, 거짓을 말하여라.

**007** 13은 소수이다.

**008** $1+2<4$

**009** 삼각형의 세 내각의 크기의 합은 $360°$이다.

**010** 1은 0에 가장 가까운 자연수이다.

**011** $x=5$이면 $x^2-25>0$이다.

**012** 3의 배수는 6의 배수이다.

## 03-2 조건과 진리집합

**(1) 조건**

변수의 값에 따라 참, 거짓이 판별되는 문장이나 식을 **조건**이라고 한다.

**(2) 진리집합**

전체집합의 원소 중에서 조건을 참이 되게 하는 모든 원소의 집합을 **진리집합**이라고 한다.

● 특별한 말이 없으면 전체집합은 실수 전체의 집합이다.

예 전체집합 $U=\{1, 2, 3, 4, 5\}$에 대하여 조건 '$p$: $x$는 4의 양의 약수'의 진리집합은 $\{1, 2, 4\}$이다.

참고 두 조건 $p$, $q$의 진리집합을 각각 $P$, $Q$라고 할 때, '$p$ 또는 $q$'의 진리집합은 $P\cup Q$, '$p$ 그리고 $q$'의 진리집합은 $P\cap Q$이다.

### 연.산.유.형

정답과 해설 9쪽

### 유형 02 진리집합

[013~017] 전체집합 $U=\{1, 2, 3, 4, 5, 6, 7\}$에 대하여 다음 조건의 진리집합을 구하여라.

**013** $x$는 소수이다.

**014** $x$는 10의 약수가 아니다.

**015** $2x-1\geq5$

**016** $x^2-6x+5=0$

**017** $|x-2|<1$

[018~021] 실수 전체의 집합에서 두 조건 $p$, $q$가

$p$: $(x-1)(x-2)=0$, $q$: $x^2-1=0$

일 때, 다음 조건의 진리집합을 구하여라.

**018** $p$

**019** $q$

**020** $p$ 또는 $q$

**021** $p$ 그리고 $q$

[022~025] 전체집합 $U=\{x|x$는 5 이하의 자연수$\}$에 대하여 두 조건 $p$, $q$가

$p$: $0<x<3$, $q$: $|x-3|<2$

일 때, 다음 조건의 진리집합을 구하여라.

**022** $p$

**023** $q$

**024** $p$ 또는 $q$

**025** $p$ 그리고 $q$

## 03-3 명제와 조건의 부정

명제 또는 조건 $p$에 대하여 '$p$가 아니다.'를 $p$의 **부정**이라 하고, 기호 $\sim p$로 나타낸다.

(1) $\sim p$의 부정은 $p$이다. 즉, $\sim(\sim p)=p$이다.

(2) 명제 $p$가 참이면 $\sim p$는 거짓이고, 명제 $p$가 거짓이면 $\sim p$는 참이다.

(3) 조건 $p$의 진리집합을 $P$라고 하면 조건 $\sim p$의 진리집합은 $P^C$이다.

참고 '또는'의 부정은 '그리고'이고, '그리고'의 부정은 '또는'이다.

### 연.산.유.형

정답과 해설 10쪽

#### 유형 03 명제와 조건의 부정

[026~031] 다음 명제 또는 조건의 부정을 말하여라.

**026** $x=2$

**027** $x\le 3$

**028** $0\in\varnothing$

**029** $x<1$ 또는 $x>2$

**030** $\sqrt{3}$은 무리수이다.

**031** 5는 3의 배수도 아니고 4의 배수도 아니다.

[032~037] 두 조건

$p$: $x\le 0$, $q$: $x>-5$

에 대하여 다음 조건의 부정을 말하여라.

**032** $p$

**033** $q$

**034** $\sim p$

**035** $\sim q$

**036** $p$ 그리고 $q$

**037** $p$ 또는 $\sim q$

## 03-4 명제 $p \longrightarrow q$의 참, 거짓

**(1) 명제 $p \longrightarrow q$의 가정과 결론**

두 조건 $p$, $q$에 대하여 명제 '$p$이면 $q$이다.'를 기호 $\boldsymbol{p \longrightarrow q}$로 나타내고, $p$를 **가정**, $q$를 **결론**이라고 한다.

**(2) 명제 $p \longrightarrow q$의 참, 거짓과 진리집합**

두 조건 $p$, $q$의 진리집합을 각각 $P$, $Q$라고 할 때

① 명제 $p \longrightarrow q$가 참이면 $P \subset Q$이고, $P \subset Q$이면 명제 $p \longrightarrow q$는 참이다.

② 명제 $p \longrightarrow q$가 거짓이면 $P \not\subset Q$이고, $P \not\subset Q$이면 명제 $p \longrightarrow q$는 거짓이다.

● 명제가 거짓임을 보일 때는 가정은 만족하지만 결론은 만족하지 않는 예, 즉 반례를 보이면 된다.

### 연.산.유.형

정답과 해설 10쪽

### 유형 04 명제 $p \longrightarrow q$의 가정과 결론

[038~042] 다음 명제의 가정과 결론을 말하여라.

**038** $x=2$이면 $2x+3=7$이다.

**039** $-2<x<2$이면 $-2 \leq x \leq 2$이다.

**040** $n$이 3의 배수이면 $3n$은 9의 배수이다.

**041** $a$, $b$가 모두 짝수이면 $a+b$는 짝수이다.

**042** 삼각형 ABC에서 $\angle B=\angle C$이면 $\overline{AB}=\overline{AC}$이다.

### 유형 05 명제 $p \longrightarrow q$의 참, 거짓

[043~047] 실수 전체의 집합에서 다음 두 조건 $p$, $q$에 대하여 명제 $p \longrightarrow q$의 참, 거짓을 말하여라.

**043** $p$: $x$는 6의 양의 약수,  $q$: $x$는 12의 양의 약수

**044** $p$: $x$는 정수,  $q$: $x$는 자연수

**045** $p$: $x^2=4$,  $q$: $x-2=0$

**046** $p$: $x>2$,  $q$: $x^2-1>0$

**047** $p$: $|x-1| \leq 2$,  $q$: $-1<x<2$

[048~055] 다음 명제의 참, 거짓을 말하여라.

**048** $x=2$이면 $x^2+x-6=0$이다.

**049** $x+2>1$이면 $x>0$이다.

**050** $x$가 실수이면 $x^2 \geq 0$이다.

**051** $x$가 소수이면 $x$는 홀수이다.

**052** 자연수 $x$, $y$에 대하여 $xy$가 홀수이면 $x+y$는 짝수이다.

**053** 실수 $x$, $y$에 대하여 $x+y>0$이면 $x>0$, $y>0$이다.

**054** 실수 $x$, $y$에 대하여 $x^2+y^2=0$이면 $x=0$ 또는 $y=0$이다.

**055** 실수 $x$, $y$에 대하여 $xy=|xy|$이면 $x>0$, $y>0$이다.

## 유형 06 명제의 참, 거짓과 진리집합의 포함 관계

[056~061] 전체집합 $U$에 대하여 두 조건 $p$, $q$의 진리집합을 각각 $P$, $Q$라고 하자. 명제 $p \longrightarrow q$가 참일 때, 다음 중 옳은 것은 ○표, 옳지 않은 것은 ×표를 (   ) 안에 써넣어라.

**056** $P \cup Q = P$ (   )

**057** $P \cap Q = P$ (   )

**058** $P \cap Q^C = \varnothing$ (   )

**059** $P \cup Q^C = U$ (   )

**060** $P^C \cap Q^C = Q^C$ (   )

**061** $P^C \cup Q^C = \varnothing$ (   )

## 03-5 '모든'이나 '어떤'이 있는 명제

(1) **'모든'이나 '어떤'이 있는 명제의 참, 거짓**

전체집합 $U$에 대하여 조건 $p$의 진리집합을 $P$라고 할 때

① '모든 $x$에 대하여 $p$이다.'는 $P=U$이면 참이고, $P\neq U$이면 거짓이다.

② '어떤 $x$에 대하여 $p$이다.'는 $P\neq\varnothing$이면 참이고, $P=\varnothing$이면 거짓이다.

(2) **'모든'이나 '어떤'이 있는 명제의 부정**

① '모든 $x$에 대하여 $p$이다.'의 부정은 '어떤 $x$에 대하여 $\sim p$이다.'이다.

② '어떤 $x$에 대하여 $p$이다.'의 부정은 '모든 $x$에 대하여 $\sim p$이다.'이다.

### 연.산.유.형

정답과 해설 11쪽

#### 유형 07 '모든'이나 '어떤'이 있는 명제의 참, 거짓

**[062~066]** 전체집합 $U=\{1, 2, 3, 4, 5\}$에 대하여 $x\in U$일 때, 다음 명제의 참, 거짓을 말하여라.

**062** 모든 $x$에 대하여 $x+5<10$이다.

**063** 어떤 $x$에 대하여 $x-2\geq 3$이다.

**064** 모든 $x$에 대하여 $|x-1|>0$이다.

**065** 모든 $x$에 대하여 $x^2<30$이다.

**066** 어떤 $x$에 대하여 $x^2=x$이다.

#### 유형 08 '모든'이나 '어떤'이 있는 명제의 부정

**[067~071]** 다음 명제의 부정의 참, 거짓을 말하여라.

**067** 어떤 자연수 $x$에 대하여 $x<1$이다.

**068** 모든 소수는 홀수가 아니다.

**069** 어떤 자연수 $x$에 대하여 $\sqrt{x}$는 무리수이다.

**070** 어떤 실수 $x$에 대하여 $x^2>0$이다.

**071** 모든 유리수 $x$, $y$에 대하여 $xy=1$이다.

## 03-6 명제의 역과 대우

(1) **명제의 역과 대우**

명제 $p \longrightarrow q$에 대하여

① 명제 $q \longrightarrow p$를 $p \longrightarrow q$의 **역**이라고 한다.

② 명제 $\sim q \longrightarrow \sim p$를 $p \longrightarrow q$의 **대우**라고 한다.

(2) **명제와 그 대우의 참, 거짓**

① 명제 $p \longrightarrow q$가 참이면 그 대우 $\sim q \longrightarrow \sim p$도 참이다.

② 명제 $p \longrightarrow q$가 거짓이면 그 대우 $\sim q \longrightarrow \sim p$도 거짓이다.

● 참인 명제의 역이 반드시 참인 것은 아니다.

연.산.유.형

정답과 해설 11쪽

### 유형 09 명제의 역과 대우

[072~075] 다음 명제의 역과 대우를 말하여라.

**072** $q \longrightarrow p$

**073** $p \longrightarrow \sim q$

**074** $\sim p \longrightarrow q$

**075** $\sim q \longrightarrow \sim p$

### 유형 10 명제의 역과 대우의 참, 거짓

[076~079] 다음 명제의 역과 대우의 참, 거짓을 말하여라.

**076** $x^2=4$이면 $x=2$이다.

**077** $-1 \le x \le 1$이면 $x^2 \le 1$이다.

**078** 10의 양의 약수이면 5의 양의 약수이다.

**079** 정삼각형이면 이등변삼각형이다.

[080~085] 다음 명제의 역과 대우의 참, 거짓을 말하여라.
(단, $x$, $y$는 실수)

**080** $x-y=|x-y|$이면 $x>y$이다.

**081** $xy=0$이면 $x^2+y^2=0$이다.

**082** $x+y<0$이면 $x<0$ 또는 $y<0$이다.

**083** $x+y\geq 2$이면 $x\geq 1$이고 $y\geq 1$이다.

**084** $xy$가 홀수이면 $x$ 또는 $y$는 홀수이다.

**085** $x$, $y$가 모두 유리수이면 $xy$는 유리수이다.

## 유형 11 명제와 그 대우의 관계

[086~089] 두 조건 $p$, $q$에 대하여 다음 명제가 참일 때, 보기 중 반드시 참인 명제인 것만을 있는 대로 골라라.

보기
ㄱ. $q \longrightarrow p$　　ㄴ. $q \longrightarrow \sim p$
ㄷ. $\sim q \longrightarrow p$　　ㄹ. $\sim q \longrightarrow \sim p$

**086** $p \longrightarrow q$

**087** $p \longrightarrow \sim q$

**088** $\sim p \longrightarrow q$

**089** $\sim p \longrightarrow \sim q$

## 03-7 충분조건, 필요조건, 필요충분조건

(1) **충분조건과 필요조건**

① 명제 $p \longrightarrow q$가 참일 때, 기호 $\boldsymbol{p \Longrightarrow q}$로 나타내고, $p$는 $q$이기 위한 **충분조건**, $q$는 $p$이기 위한 **필요조건**이라고 한다.

② 명제 $p \longrightarrow q$에서 두 조건 $p$, $q$의 진리집합을 각각 $P$, $Q$라고 할 때, $P \subset Q$이면 $p$는 $q$이기 위한 충분조건, $q$는 $p$이기 위한 필요조건이다.

(2) **필요충분조건**

① 명제 $p \longrightarrow q$에 대하여 $p \Longrightarrow q$이고 $q \Longrightarrow p$일 때, 기호 $\boldsymbol{p \Longleftrightarrow q}$로 나타내고, $p$는 $q$이기 위한 **필요충분조건**, $q$는 $p$이기 위한 필요충분조건이라고 한다.

② 명제 $p \longrightarrow q$에서 두 조건 $p$, $q$의 진리집합을 각각 $P$, $Q$라고 할 때, $P=Q$이면 $p$는 $q$이기 위한 필요충분조건, $q$는 $p$이기 위한 필요충분조건이다.

### 연.산.유.형

정답과 해설 12쪽

### 유형 12 충분조건과 필요조건

**[090~095]** 두 조건 $p$, $q$가 다음과 같을 때, $p$는 $q$이기 위한 무슨 조건인지 말하여라.

**090** $p$: $x=1$, $q$: $x^2=x$

> 두 조건 $p$, $q$의 진리집합을 각각 $P$, $Q$라고 하면
> $P=\{1\}$, $Q=\{0, \square\}$
> 따라서 $P \square Q$이므로 $p$는 $q$이기 위한 $\square$조건이다.

**091** $p$: 실수, $q$: 복소수

**092** $p$: 마름모, $q$: 정사각형

**093** $p$: $x$는 6의 양의 약수이다., $q$: $x$는 12의 양의 약수이다.

**094** $p$: $x$는 4의 배수이다., $q$: $x$는 8의 배수이다.

**095** $p$: $x$는 홀수이다., $q$: $x^2-4x+3=0$

[096~101] 두 조건 $p$, $q$가 다음과 같을 때, $p$는 $q$이기 위한 무슨 조건인지 말하여라. (단, $x$, $y$는 실수)

**096** $p$: $x \geq 5$, $q$: $5 < x < 10$

**097** $p$: $x > 3$, $q$: $(x+2)(x-1) > 0$

**098** $p$: $x = y$, $q$: $x^2 = y^2$

**099** $p$: $xy = 0$, $q$: $x = 0$, $y = 0$

**100** $p$: $x > 0$, $y > 0$, $q$: $xy > 0$

**101** $p$: $|x+y| = |x| + |y|$, $q$: $x \geq 0$, $y \geq 0$

## 유형 13 필요충분조건

[102~106] 두 조건 $p$, $q$가 다음과 같을 때, $p$는 $q$이기 위한 무슨 조건인지 말하여라. (단, $x$, $y$는 실수)

**102** $p$: $|x| = 2$, $q$: $x^2 = 4$

> 두 조건 $p$, $q$의 진리집합을 각각 $P$, $Q$라고 하면
> $P = \{\square, 2\}$, $Q = \{-2, \square\}$
> 따라서 $P \square Q$이므로 $p$는 $q$이기 위한 $\square$조건이다.

**103** $p$: $x^2 - x - 12 < 0$, $q$: $-3 < x < 4$

**104** $p$: $|x| > 1$, $q$: $x < -1$ 또는 $x > 1$

**105** $p$: $xy = 0$, $q$: $x = 0$ 또는 $y = 0$

**106** $p$: $|x| + |y| = 0$, $q$: $x^2 + y^2 = 0$

## 03-8 명제의 증명

(1) **증명**: 명제의 가정과 이미 알려진 성질을 근거로 그 명제가 참임을 논리적으로 밝히는 과정

(2) **대우를 이용한 증명**: 명제 $p \longrightarrow q$가 참임을 증명할 때, 그 명제의 대우 $\sim q \longrightarrow \sim p$가 참임을 보여 증명하는 방법

(3) **귀류법**: 명제가 참임을 증명할 때, 명제의 결론을 부정하여 가정이나 이미 알려진 사실에 모순됨을 보여 증명하는 방법

● 대우를 이용한 증명과 귀류법은 어떤 명제가 참임을 직접 증명하기 어려울 때 이용하는 간접 증명법이다.

### 연.산.유.형

정답과 해설 12쪽

### 유형 14 대우를 이용한 증명

**[107~108]** 자연수 $n$에 대하여 다음 명제가 참임을 대우를 이용하여 증명하여라.

**107** $n^2$이 짝수이면 $n$도 짝수이다.

> 주어진 명제의 대우 '$n$이 $\square$이면 $n^2$도 $\square$이다.'가 참임을 보이면 된다.
> $n$이 홀수이면 $n=2k-1$ ($k$는 자연수)로 나타낼 수 있으므로
> $n^2=2(2k^2-2k)+\square$
> 즉, $n^2$은 $\square$이다.
> 따라서 주어진 명제의 대우가 참이므로 주어진 명제도 참이다.

**108** $n^2$이 홀수이면 $n$도 홀수이다.

### 유형 15 귀류법

**[109~110]** 다음 명제가 참임을 증명하여라.

**109** $\sqrt{3}$은 유리수가 아니다.

> $\sqrt{3}$이 $\square$라고 가정하면
> $\sqrt{3}=\dfrac{n}{m}$ ($m$, $n$은 서로소인 자연수)
> 으로 나타낼 수 있다.
> 양변을 제곱하여 정리하면 $n^2=\square m^2$ ...... ㉠
> 이때 $n^2$이 $\square$의 배수이므로 $n$도 3의 배수이다.
> $n=3k$ ($k$는 자연수)라 하고 ㉠에 대입하여 정리하면
> $m^2=\square k^2$
> 이때 $m^2$이 $\square$의 배수이므로 $m$도 3의 배수이다.
> 즉, $m$, $n$이 모두 3의 배수이므로 $m$, $n$이 서로소라는 가정에 모순이다.
> 따라서 $\sqrt{3}$은 유리수가 아니다.

**110** $\sqrt{2}$는 유리수가 아니다.

## 03-9 절대부등식

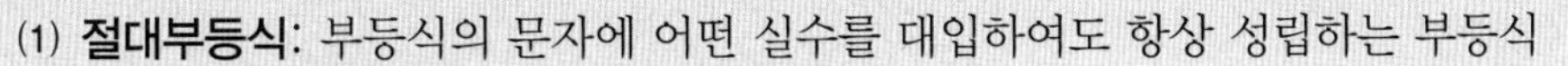

(1) **절대부등식:** 부등식의 문자에 어떤 실수를 대입하여도 항상 성립하는 부등식

(2) **부등식의 증명에 이용되는 실수의 성질**

실수 $a$, $b$에 대하여

① $a>b \Longleftrightarrow a-b>0$　② $a^2\geq 0$

③ $a^2+b^2\geq 0$　④ $a^2+b^2=0 \Longleftrightarrow a=0,\ b=0$

⑤ $a>b \Longleftrightarrow a^2>b^2$ (단, $a>0$, $b>0$)　⑥ $|a|^2=a^2$, $|a||b|=|ab|$, $|a|\geq a$

• 등호가 포함된 부등식을 증명할 때는 등호가 성립하는 경우도 보인다.

### 연.산.유.형

정답과 해설 13쪽

### 유형 16 절대부등식

[111~115] 다음 중 절대부등식인 것은 ○표, 절대부등식이 아닌 것은 ×표를 (　) 안에 써넣어라. (단, $x$는 실수)

**111** $2x+1>0$ (　)

**112** $|x|+2\geq 0$ (　)

**113** $(x+2)^2+1\geq 1$ (　)

**114** $x^2+1>2x$ (　)

**115** $|x+5|>1$ (　)

### 유형 17 절대부등식의 증명

[116~118] 다음 부등식이 성립함을 증명하여라.

(단, $a$, $b$, $x$, $y$는 실수)

**116** $a^2+b^2\geq ab$

$a^2-ab+b^2=\left(a-\frac{1}{2}b\right)^2+\square b^2$

그런데 $a$, $b$가 실수이므로

$\left(a-\frac{1}{2}b\right)^2\geq 0$, $\square b^2\geq 0$

따라서 $a^2-ab+b^2\geq 0$이므로

$a^2+b^2\geq ab$

이때 등호가 성립하는 경우는 $a-\square=0$, $b=0$, 즉 $a=\square$, $b=\square$일 때이다.

**117** $a+b\geq 2\sqrt{ab}$ (단, $a>0$, $b>0$)

**118** $(a^2+b^2)(x^2+y^2)\geq (ax+by)^2$

# 연산 유형 최종 점검하기

**1** 다음 중 명제인 것은?

① $x^2-2x-15=0$
② $2x+1<0$
③ 150의 양의 약수는 많다.
④ 3의 배수는 9의 배수이다.
⑤ $x>1$이고 $y<1$이다.

**2** 다음 보기의 명제 중 참인 것만을 있는 대로 고른 것은?

보기
ㄱ. $x=0$이면 $x^2=0$이다.
ㄴ. $x^2=1$이면 $x^3=1$이다.
ㄷ. $x>1$이면 $x>3$이다.

① ㄱ ② ㄴ ③ ㄷ
④ ㄱ, ㄴ ⑤ ㄴ, ㄷ

**3** 자연수 전체의 집합에서 조건 $p$가

$p$: $x$는 3의 배수이고 24의 양의 약수이다.

일 때, 조건 $p$의 진리집합의 원소의 개수는?

① 2 ② 3 ③ 4
④ 5 ⑤ 6

**4** 전체집합 $U=\{x|x$는 20의 양의 약수$\}$에 대하여 조건 $p$가 $p$: $x<3$ 또는 $x\geq 12$일 때, $\sim p$의 진리집합을 구하여라.

**5** 전체집합 $U$에 대하여 두 조건 $p$, $q$의 진리집합을 각각 $P$, $Q$라고 하자. $P\cap Q=\varnothing$일 때, 다음 중 항상 참인 명제는?

① $p \longrightarrow \sim q$ ② $q \longrightarrow p$
③ $\sim p \longrightarrow q$ ④ $\sim q \longrightarrow p$
⑤ $\sim q \longrightarrow \sim p$

**6** 다음 두 조건 $p$, $q$에 대하여 명제 $p \longrightarrow q$가 거짓인 것은?

① $p$: $x^2=9$ $q$: $|x|=3$
② $p$: $x>0$ $q$: $x^2>0$
③ $p$: $|x|<3$ $q$: $x<3$
④ $p$: 직사각형 $q$: 평행사변형
⑤ $p$: 18의 양의 약수 $q$: 9의 양의 약수

**7** 실수 $x$에 대하여 명제 '어떤 $x$에 대하여 $p$이다.'의 부정이 참일 때, 다음 중 조건 $p$가 될 수 있는 것은?

① $p$: $x<0$ ② $p$: $x=1$ ③ $p$: $x^2<0$
④ $p$: $x^2\geq 0$ ⑤ $p$: $x^2=x$

**8** 실수 $x$, $y$, $z$에 대하여 다음 중 그 역이 참인 명제는?

① $x>2$이면 $x>1$이다.
② $x^2=1$이면 $x=1$이다.
③ $x=y$이면 $xz=yz$이다.
④ $x>y$이면 $\frac{1}{x}<\frac{1}{y}$이다. (단, $xy\neq0$)
⑤ $x$, $y$가 짝수이면 $xy$는 짝수이다.

**9** 두 조건 $p$, $q$에 대하여 다음 중 $p$는 $q$이기 위한 충분조건이지만 필요조건은 아닌 것은? (단, $x$, $y$, $z$는 실수)

① $p$: $x^2=0$ $\quad q$: $|x|=0$
② $p$: $x+y=0$ $\quad q$: $x=y=0$
③ $p$: $x+yi=0$ $\quad q$: $x=0$, $y=0$
④ $p$: $x$, $y$는 유리수 $\quad q$: $x+y$는 유리수
⑤ $p$: $(x-y)(y-z)(z-x)=0$ $\quad q$: $x=y=z$

**10** 두 집합 $A$, $B$에 대하여 두 조건 $p$, $q$가

$p$: $A\cup B=B$, $\quad q$: $A\subset B$

일 때, $p$는 $q$이기 위한 무슨 조건인지 말하여라.

**11** 다음은 자연수 $n$에 대하여 명제

'$n^2$이 3의 배수이면 $n$은 3의 배수이다.'

가 참임을 대우를 이용하여 증명하는 과정이다. (가), (나)에 알맞은 것을 구하여라.

> 주어진 명제의 대우
> '$n$이 3의 배수가 아니면 $n^2$은 3의 배수가 아니다.'
> 가 참임을 보이면 된다.
> $n$이 3의 배수가 아니면
> $n=3k-1$ 또는 $n=$ (가) ($k$는 자연수)
> 로 나타낼 수 있으므로
> $n^2=3(3k^2-2k)+1$ 또는 $n^2=3($ (나) $)+1$
> 즉, $n^2$은 3으로 나누었을 때의 나머지가 1인 자연수이므로 3의 배수가 아니다.
> 따라서 주어진 명제의 대우가 참이므로 주어진 명제도 참이다.

**12** 다음은 $\sqrt{3}$이 무리수임을 이용하여 명제

'유리수 $a$, $b$에 대하여 $a+b\sqrt{3}=0$이면 $a=b=0$이다.'

가 참임을 증명하는 과정이다. (가)~(라)에 알맞은 것을 구하여라.

> $b\neq0$이라고 가정하면 $a+b\sqrt{3}=0$에서
> $\sqrt{3}=-\frac{a}{b}$
> $a$, $b$가 유리수이므로 $-\frac{a}{b}$, 즉 $\sqrt{3}$은 (가) 이다.
> 이는 $\sqrt{3}$이 (나) 라는 사실에 모순이므로 $b=0$이다.
> $b=0$을 $a+b\sqrt{3}=0$에 대입하면 $a=$ (다)
> 따라서 유리수 $a$, $b$에 대하여 $a+b\sqrt{3}=0$이면
> (라) 이다.

# 04

# 함수

AM

# 04 함수

## 04-1 대응과 함수

**(1) 대응**

두 집합 $X$, $Y$에 대하여 $X$의 원소에 $Y$의 원소를 짝 지어 주는 것을 $X$에서 $Y$로의 **대응**이라고 한다. 이때 집합 $X$의 원소 $x$에 집합 $Y$의 원소 $y$가 짝 지어지면 $x$에 $y$가 대응한다고 하고, 기호 $\boldsymbol{x \longrightarrow y}$로 나타낸다.

**(2) 함수**

두 집합 $X$, $Y$에 대하여 $X$의 각 원소에 $Y$의 원소가 오직 하나씩 대응할 때, 이 대응을 $X$에서 $Y$로의 **함수**라 하고, 기호

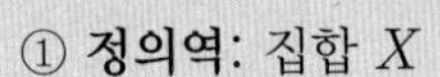

$\boldsymbol{f : X \longrightarrow Y}$로 나타낸다.

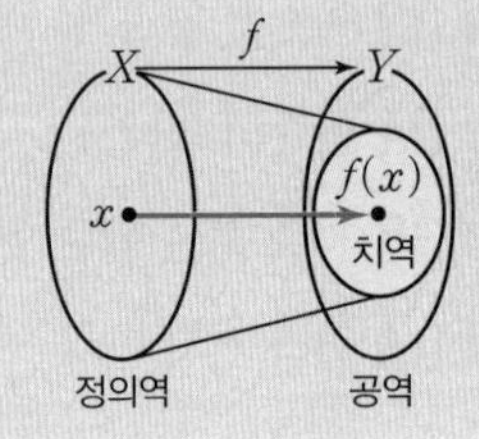


① **정의역**: 집합 $X$

② **공역**: 집합 $Y$

③ **치역**: 함숫값 전체의 집합 ➡ $\{f(x) | x \in X\}$

● 치역은 공역의 부분집합이다.

참고 특별한 말이 없는 경우에 정의역은 함숫값이 정의되는 실수 전체의 집합으로, 공역은 실수 전체의 집합으로 생각한다.

연.산.유.형

정답과 해설 14쪽

### 유형 01 함수

[001~004] 다음 대응 중 집합 $X$에서 집합 $Y$로의 함수인 것은 ○표, 함수가 아닌 것은 ×표를 (  ) 안에 써넣어라.

**001**

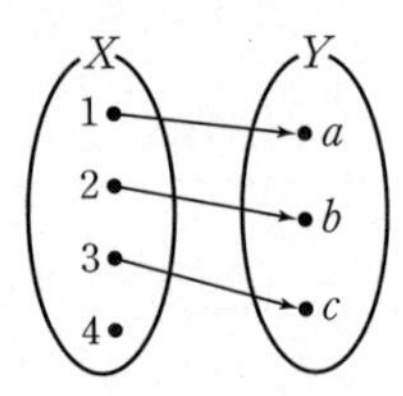


(  )

**002**

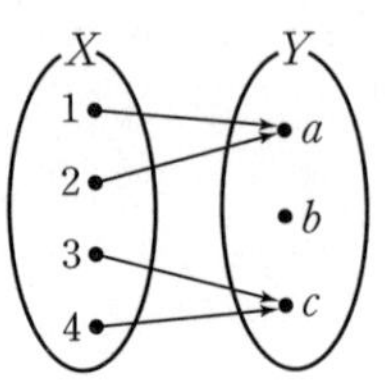


(  )

**003**

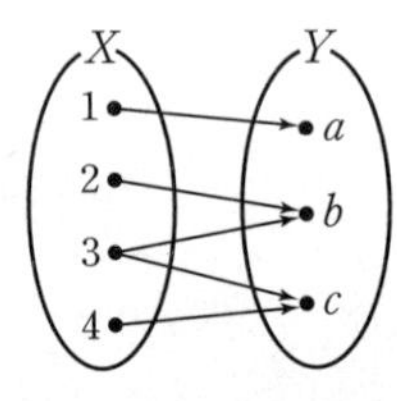


(  )

**004**

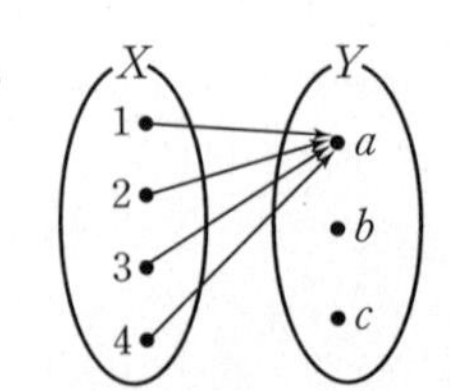


(  )

## 유형 02 정의역, 공역, 치역

[005~008] 다음 함수 $f : X \longrightarrow Y$의 정의역, 공역, 치역을 각각 구하여라.

**005**

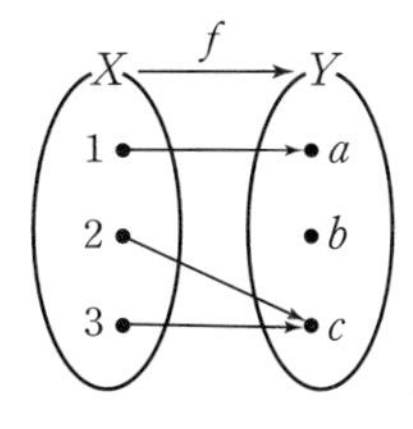

**006**

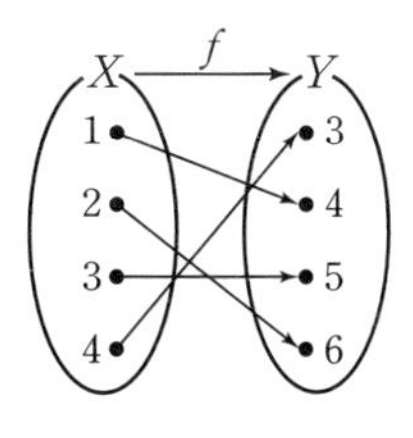

**007**

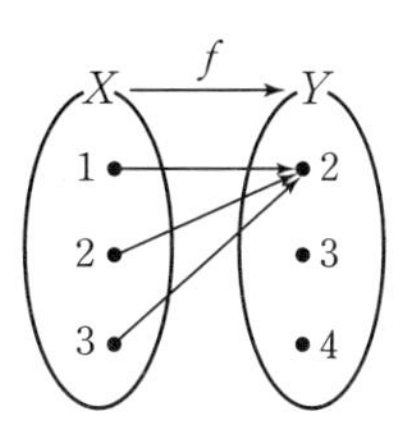

**008**

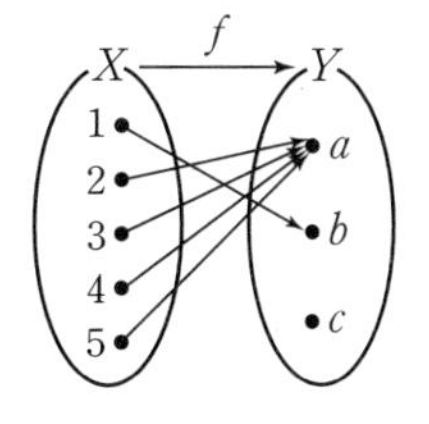

## 유형 03 함숫값 구하기

[009~011] 실수 전체의 집합에서 정의된 함수

$$f(x)=\begin{cases} x+2 & (x\text{는 유리수}) \\ -x & (x\text{는 무리수}) \end{cases}$$

에 대하여 다음을 구하여라.

**009** $f(2)$

**010** $f(\sqrt{2})$

**011** $f(6)+f(\sqrt{3})$

[012~015] 다음 함수 $f$에 대하여 $f(5)$를 구하여라.

**012** $f(x+1)=x^2-2$

> $x+1=5$라고 하면 $x=\square$
> $\therefore f(5)=\square$

**013** $f(x-4)=-x^2+5$

**014** $f(3x-1)=x+2$

**015** $f\left(\dfrac{x-1}{2}\right)=x-4$

## 04-2 함수의 그래프

(1) **함수의 그래프**

함수 $f : X \longrightarrow Y$에서 정의역 $X$의 원소 $x$와 이에 대응하는 함숫값 $f(x)$의 순서쌍 $(x, f(x))$ 전체의 집합 $\{(x, f(x)) | x \in X\}$를 함수 $f$의 **그래프**라고 한다.

(2) **함수의 그래프의 표현**

함수 $y=f(x)$의 정의역과 공역이 실수 전체의 집합이면 함수 $y=f(x)$의 그래프는 좌표평면 위에 점 또는 선으로 나타낼 수 있다.

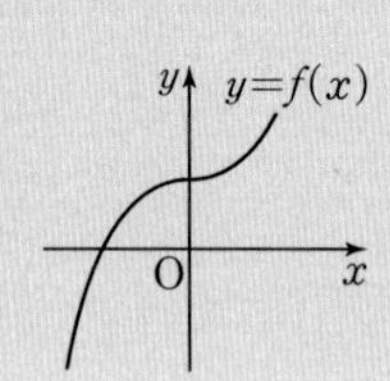


참고 함수의 그래프는 정의역의 각 원소 $a$에 대하여 직선 $x=a$와 오직 한 점에서 만난다.

연.산.유.형

정답과 해설 14쪽

### 유형 04 함수의 그래프

[016~021] 다음 그래프 중 함수의 그래프인 것은 ○표, 함수의 그래프가 아닌 것은 ×표를 ( ) 안에 써넣어라.

**016**

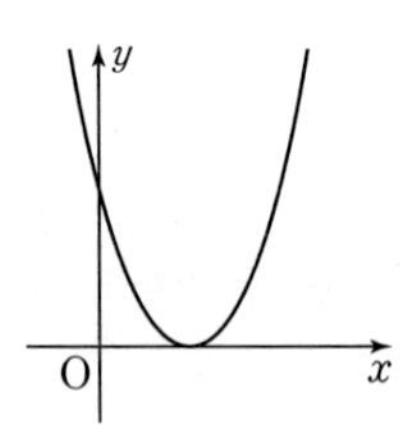


( )

**017**

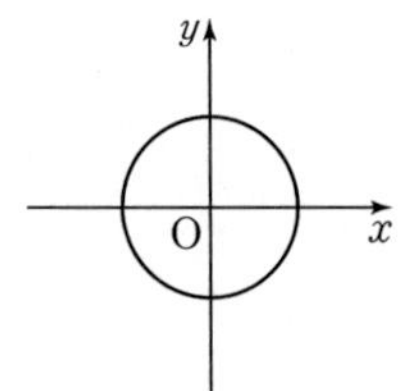


( )

**018**

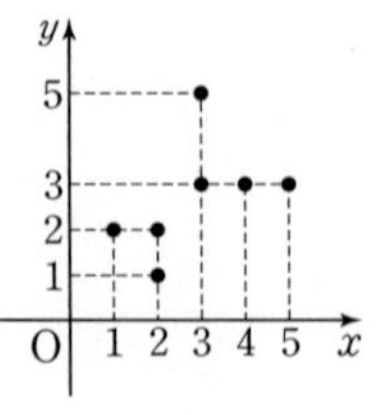


( )

**019**

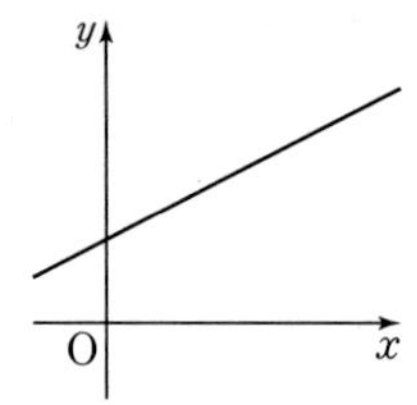


( )

**020**

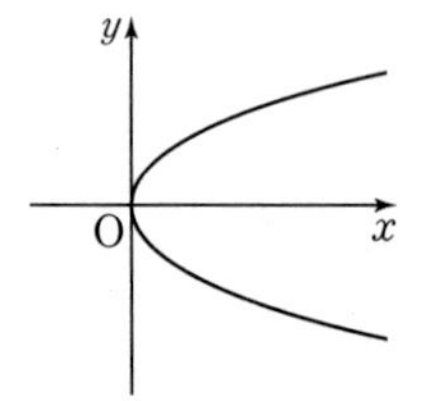


( )

**021**

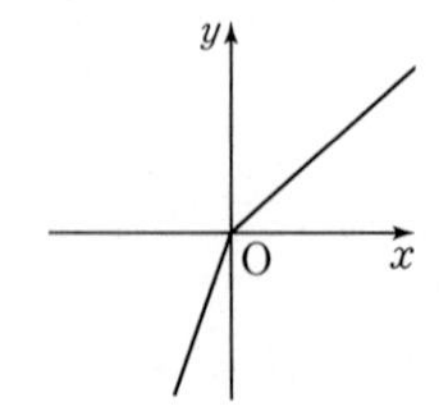


( )

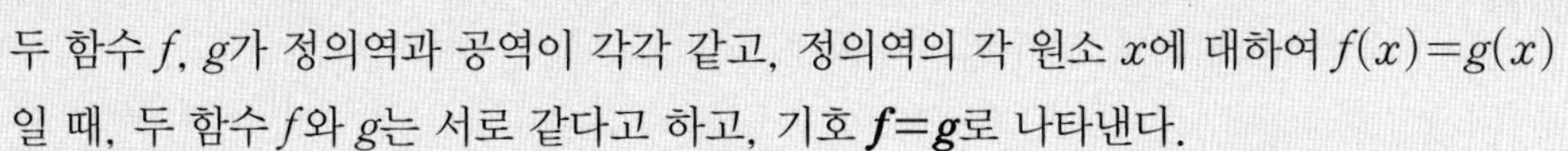

## 04-3 서로 같은 함수

두 함수 $f$, $g$가 정의역과 공역이 각각 같고, 정의역의 각 원소 $x$에 대하여 $f(x)=g(x)$일 때, 두 함수 $f$와 $g$는 서로 같다고 하고, 기호 $\boldsymbol{f=g}$로 나타낸다.

예 집합 $X=\{0, 1\}$을 정의역으로 하는 두 함수 $f(x)=x$, $g(x)=|x|$에 대하여 $f(0)=g(0)$, $f(1)=g(1)$이므로 두 함수 $f$, $g$는 서로 같은 함수이다.

● 두 함수 $f$, $g$가 서로 같지 않을 때는 기호 $f\neq g$로 나타낸다.

**연.산.유.형**

정답과 해설 14쪽

### 유형 05 서로 같은 함수

[022~025] 집합 $X=\{1, 2\}$를 정의역으로 하는 다음 두 함수 $f$, $g$가 서로 같은 함수인지 말하여라.

**022** $f(x)=-x+2$, $g(x)=2x-1$

**023** $f(x)=x^2$, $g(x)=3x-2$

**024** $f(x)=|x-3|$, $g(x)=-x+3$

**025** $f(x)=x$, $g(x)=\dfrac{1}{x}$

[026~027] 두 함수 $f(x)=x$, $g(x)=x^3$의 정의역이 다음과 같을 때, 두 함수 $f$, $g$가 서로 같은 함수인지 말하여라.

**026** $\{1, 2, 3\}$

**027** $\{-1, 0, 1\}$

[028~031] 집합 $X$를 정의역으로 하는 두 함수 $f$, $g$가 다음과 같을 때, $f=g$가 되도록 하는 상수 $a$, $b$의 값을 구하여라.

**028** $X=\{1, 2\}$, $f(x)=x^3$, $g(x)=ax+b$

**029** $X=\{0, 1\}$, $f(x)=x^2+ax$, $g(x)=-x+b$

**030** $X=\{-1, 1\}$, $f(x)=ax^3+3$, $g(x)=2x+b$

**031** $X=\{-2, 1\}$, $f(x)=ax^2+bx$, $g(x)=2x^3$

## 04-4 여러 가지 함수

(1) **일대일함수**: 함수 $f : X \longrightarrow Y$에서 정의역 $X$의 임의의 두 원소 $x_1$, $x_2$에 대하여 $x_1 \neq x_2$이면 $f(x_1) \neq f(x_2)$인 함수

(2) **일대일대응**: 일대일함수이고 치역과 공역이 같은 함수

(3) **항등함수**: 함수 $f : X \longrightarrow Y$에서 정의역 $X$의 임의의 원소 $x$에 대하여 $f(x)=x$인 함수

(4) **상수함수**: 함수 $f : X \longrightarrow Y$에서 정의역 $X$의 모든 원소 $x$에 대하여 $f(x)=c$ ($c$는 상수)인 함수

● 일대일대응이면 일대일함수이지만 일대일함수라고 해서 모두 일대일대응인 것은 아니다.

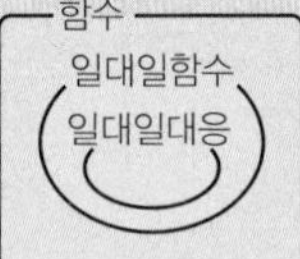


### 연.산.유.형

정답과 해설 15쪽

### 유형 06 여러 가지 함수

[032~037] 보기에서 다음 함수 $f : X \longrightarrow Y$에 해당하는 것만을 있는 대로 골라라.

보기

ㄱ. 일대일함수　　ㄴ. 일대일대응

ㄷ. 항등함수　　ㄹ. 상수함수

**032**

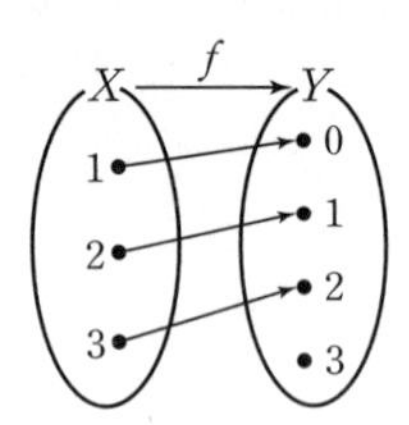

**033**

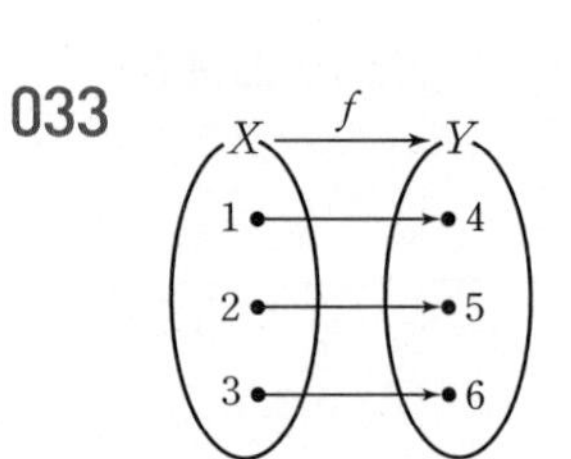

**034**

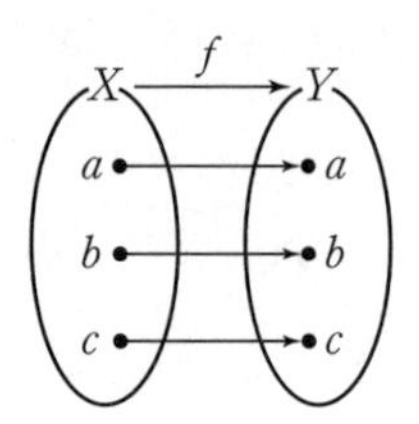

**035**

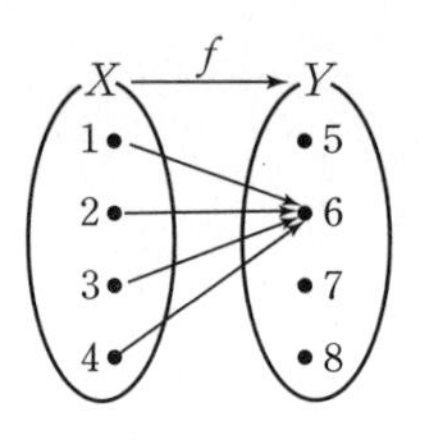

**036**

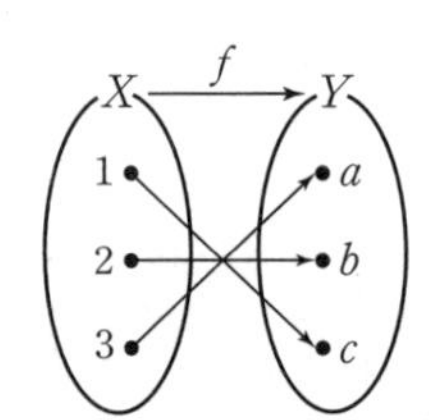

**037**

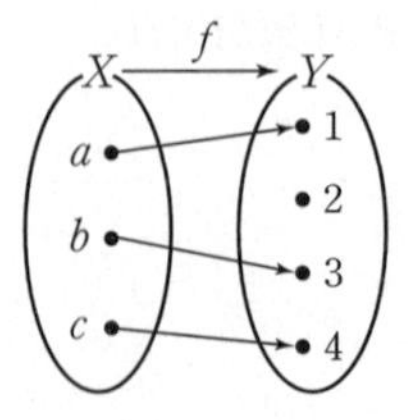

[038~041] 실수 전체의 집합에서 정의된 보기의 함수의 그래프에 대하여 다음을 있는 대로 골라라.

보기

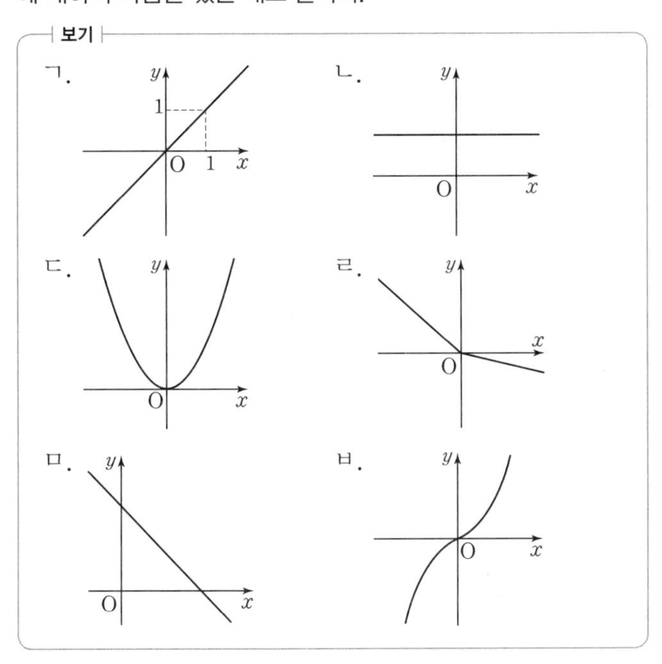


038 일대일함수

039 일대일대응

040 항등함수

041 상수함수

[042~045] 실수 전체의 집합에서 정의된 보기의 함수 중 다음을 있는 대로 골라라.

보기

ㄱ. $f(x)=x+1$
ㄴ. $f(x)=x$
ㄷ. $f(x)=|x+2|$
ㄹ. $f(x)=-x$
ㅁ. $f(x)=-1$
ㅂ. $f(x)=x^2-3$
ㅅ. $f(x)=-\frac{1}{2}x+5$
ㅇ. $f(x)=\begin{cases} -x+2 & (x\geq 1) \\ -2x+3 & (x<1) \end{cases}$
ㅈ. $f(x)=\begin{cases} 2x+1 & (x\geq 0) \\ -x+1 & (x<0) \end{cases}$

042 일대일함수

043 일대일대응

044 항등함수

045 상수함수

## 04-5 합성함수

**(1) 합성함수**

세 집합 $X$, $Y$, $Z$에 대하여 두 함수 $f$, $g$가

$$f: X \longrightarrow Y,\ g: Y \longrightarrow Z$$

일 때, $X$의 원소 $x$에 $f(x)$를 대응시키고, 다시 $f(x)$에 $g(f(x))$를 대응시키는 함수를 $f$와 $g$의 **합성함수**라 하고, 기호 $\boldsymbol{g \circ f}$로 나타낸다.

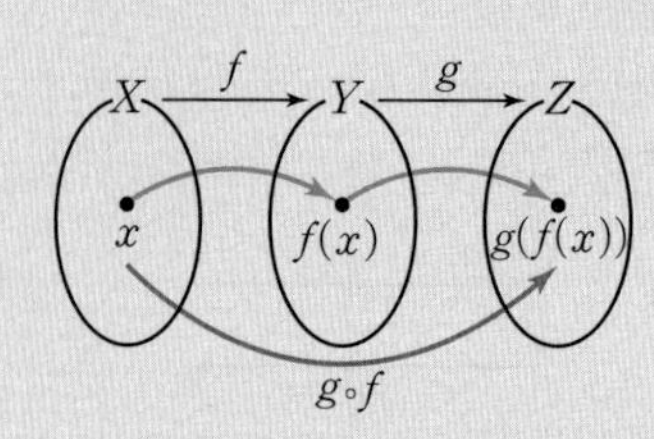


● 함수 $f$의 치역이 함수 $g$의 정의역의 부분집합일 때, 합성함수 $g \circ f$를 정의할 수 있다.

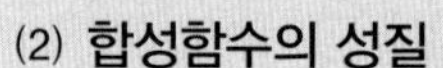

➡ $\boldsymbol{g \circ f : X \longrightarrow Z,\ (g \circ f)(x) = g(f(x))}$

**(2) 합성함수의 성질**

세 함수 $f$, $g$, $h$에 대하여

① $g \circ f \neq f \circ g$ ◀ 교환법칙이 성립하지 않는다.

② $h \circ (g \circ f) = (h \circ g) \circ f$ ◀ 결합법칙이 성립한다.

③ $f \circ I = I \circ f = f$ (단, $I$는 항등함수)

● 결합법칙이 성립하므로 괄호를 생략하여 $h \circ g \circ f$로 나타낼 수 있다.

### 연.산.유.형

정답과 해설 15쪽

### 유형 07 합성함수

[046~049] 두 함수 $f: X \longrightarrow Y$, $g: Y \longrightarrow X$가 다음 그림과 같을 때, □ 안에 알맞은 것을 써넣어라.

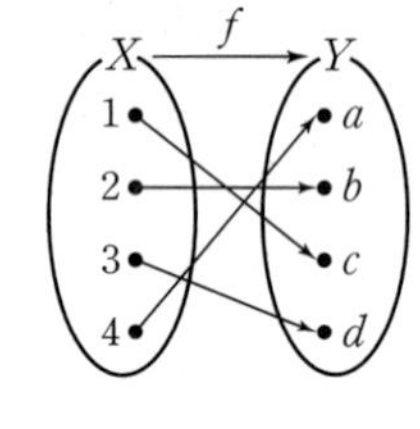


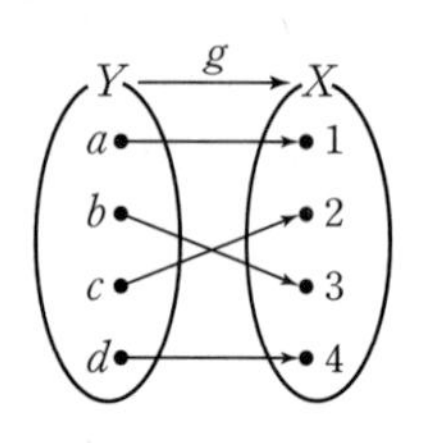


**046** $(g \circ f)(1) = g(f(1)) = g(\square) = \square$

**047** $(g \circ f)(4) = g(f(4)) = g(\square) = \square$

**048** $(f \circ g)(b) = f(g(b)) = f(\square) = \square$

**049** $(f \circ g)(c) = f(g(c)) = f(\square) = \square$

[050~055] 두 함수 $f(x) = -x+1$, $g(x) = x^2-1$에 대하여 다음을 구하여라.

**050** $(f \circ f)(1)$

**051** $(g \circ g)(-1)$

**052** $(f \circ g)(2)$

**053** $(g \circ f)(-3)$

**054** $(f \circ f \circ f)(2)$

**055** $(g \circ g \circ g)(-2)$

[056~058] 실수 전체의 집합에서 정의된 함수

$$f(x)=\begin{cases} x+1 & (x\text{는 유리수}) \\ x^2 & (x\text{는 무리수}) \end{cases}$$

에 대하여 다음을 구하여라.

056 $(f\circ f)(\sqrt{5})$

057 $(f\circ f)(2)$

058 $(f\circ f\circ f)(\sqrt{3})$

[059~061] 자연수 전체의 집합에서 정의된 함수

$$f(x)=\begin{cases} \dfrac{x}{2} & (x\text{는 짝수}) \\ x^2-1 & (x\text{는 홀수}) \end{cases}$$

에 대하여 다음을 구하여라.

059 $(f\circ f)(3)$

060 $(f\circ f\circ f)(7)$

061 $(f\circ f\circ f)(10)$

## 유형 08 합성함수 구하기

[062~063] 두 함수 $f(x)=3x$, $g(x)=x^2-5$에 대하여 다음을 구하여라.

062 $(g\circ f)(x)$

$(g\circ f)(x)=g(f(x))$

$=(\square)^2-5$

$=\square$

063 $(f\circ g)(x)$

$(f\circ g)(x)=f(g(x))$

$=3(\square)$

$=\square$

[064~067] 세 함수

$$f(x)=4x-1,\ g(x)=\frac{x-1}{2},\ h(x)=-2x+3$$

에 대하여 다음을 구하여라.

064 $(g\circ f)(x)$

065 $(f\circ g)(x)$

066 $(f\circ(g\circ h))(x)$

067 $((f\circ g)\circ h)(x)$

## 04-6 역함수

**(1) 역함수**

함수 $f: X \longrightarrow Y$가 일대일대응일 때, 집합 $Y$의 원소 $y$에 $y=f(x)$인 집합 $X$의 원소 $x$를 대응시키는 함수를 함수 $f$의 **역함수**라 하고, 기호 $\boldsymbol{f^{-1}}$로 나타낸다.

➡ $\boldsymbol{f^{-1}: Y \longrightarrow X,\ x=f^{-1}(y)}$

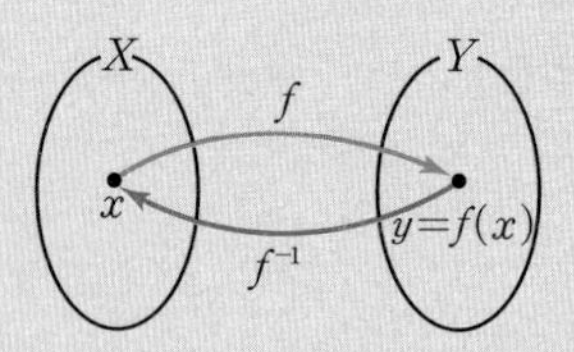


참고 함수 $f$의 역함수 $f^{-1}$에 대하여

$f(a)=b \Longleftrightarrow f^{-1}(b)=a$

● 어떤 함수의 역함수가 존재하려면 그 함수는 일대일대응이어야 한다.

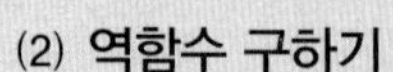

**(2) 역함수 구하기**

함수 $y=f(x)$의 역함수 $y=f^{-1}(x)$는 다음과 같은 순서로 구한다.

① 함수 $y=f(x)$가 일대일대응인지 확인한다.

② $y=f(x)$를 $x$에 대하여 푼다. ➡ $x=f^{-1}(y)$

③ $x$와 $y$를 서로 바꾼다. ➡ $y=f^{-1}(x)$

주의 역함수 $f^{-1}$의 정의역이 실수 전체의 집합이 아닌 경우에는 반드시 정의역을 표시한다.

● 함수 $f$의 치역이 역함수 $f^{-1}$의 정의역이고, 함수 $f$의 정의역이 역함수 $f^{-1}$의 치역이다.

# 연.산.유.형

정답과 해설 16쪽

### 유형 09 역함수

[068~071] 함수 $f: X \longrightarrow Y$가 오른쪽 그림과 같을 때, 다음 □ 안에 알맞은 것을 써넣어라.

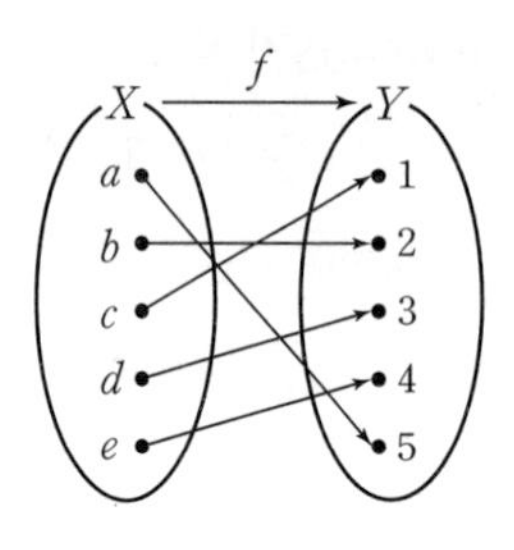


**068** $f(\square)=5$

**069** $f^{-1}(1)=\square$

**070** $f^{-1}(3)=\square$

**071** $f^{-1}(\square)=e$

[072~075] 함수 $f(x)=3x-2$에 대하여 다음을 만족하는 상수 $a$의 값을 구하여라.

**072** $f^{-1}(1)=a$

> $f(a)=\square$이므로
> $3a-2=\square \qquad \therefore\ a=\square$

**073** $f^{-1}(5)=a$

**074** $f^{-1}(a)=-7$

**075** $f^{-1}(a+1)=4$

[076~078] 함수 $f(x)=-x+a$에 대하여 다음을 만족하는 상수 $a$의 값을 구하여라.

**076** $f^{-1}(2)=4$

**077** $f^{-1}(-3)=-9$

**078** $f^{-1}\left(\frac{3}{4}\right)=-1$

[079~082] 함수 $f(x)=ax+b$에 대하여 다음을 만족하는 상수 $a$, $b$의 값을 구하여라.

**079** $f^{-1}(-3)=2$, $f^{-1}(7)=12$

> $f(2)=-3$, $f(12)=$ □이므로
> $2a+b=-3$, $12a+b=$ □
> 두 식을 연립하여 풀면
> $a=$ □, $b=$ □

**080** $f(5)=2$, $f^{-1}(1)=6$

**081** $f^{-1}(-1)=2$, $f^{-1}(3)=4$

**082** $f^{-1}(-2)=5$, $f^{-1}(8)=15$

## 유형 10 역함수 구하기

[083~087] 다음 함수의 역함수를 구하여라.

**083** $y=4x-1$

> 함수 $y=4x-1$은 일대일대응이므로 역함수가 존재한다.
> $y=4x-1$을 $x$에 대하여 풀면
> $x=\frac{1}{4}y+$ □
> $x$와 $y$를 서로 바꾸면 구하는 역함수는
> 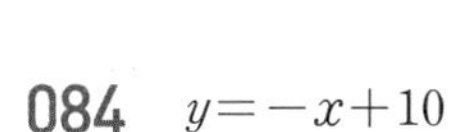

**084** $y=-x+10$

**085** $y=3x+5$

**086** $y=\frac{1}{2}x+3$

**087** $y=-\frac{1}{3}x-1$

## 04-7 역함수의 성질

두 함수 $f$, $g$의 역함수를 각각 $f^{-1}$, $g^{-1}$라고 할 때

(1) $(f^{-1})^{-1}=f$

(2) $f^{-1}\circ f=f\circ f^{-1}=I$ (단, $I$는 항등함수)

(3) $(g\circ f)^{-1}=f^{-1}\circ g^{-1}$

### 연.산.유.형

정답과 해설 17쪽

#### 유형 11 역함수의 성질

[088~093] 두 함수 $f(x)=2x$, $g(x)=x-1$에 대하여 다음을 구하여라.

**088** $(f^{-1}\circ f)(4)$

**089** $(f\circ f^{-1})(5)$

**090** $(f^{-1})^{-1}(1)$

**091** $(f\circ f^{-1}\circ g)(2)$

**092** $(f\circ (f\circ g)^{-1}\circ f)(8)$

**093** $(f\circ (g\circ f)^{-1}\circ f)(3)$

[094~098] 두 함수 $f(x)=-x+1$, $g(x)=3x-2$에 대하여 다음을 구하여라.

**094** $(f\circ g)^{-1}(-3)$

**095** $(f^{-1}\circ g)^{-1}(9)$

**096** $(f\circ g^{-1})^{-1}(-1)$

**097** $(g\circ (f\circ g)^{-1}\circ g)(7)$

**098** $(f\circ (f^{-1}\circ g)^{-1}\circ f^{-1})(-5)$

## 04-8 역함수의 그래프

함수 $y=f(x)$의 그래프와 그 역함수 $y=f^{-1}(x)$의 그래프는 직선 $y=x$에 대하여 대칭이다.

참고 함수 $y=f(x)$의 그래프가 점 $(a,\ b)$를 지나면 그 역함수 $y=f^{-1}(x)$의 그래프는 점 $(b,\ a)$를 지난다.

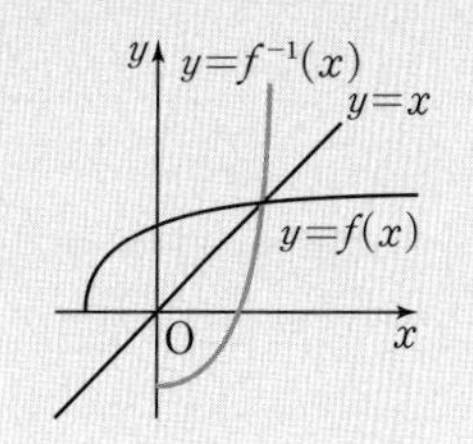


• 두 함수 $y=f(x)$, $y=f^{-1}(x)$의 그래프의 교점은 함수 $y=f(x)$의 그래프와 직선 $y=x$의 교점과 같다.

### 연.산.유.형

정답과 해설 17쪽

#### 유형 12 역함수의 그래프

[099~102] 함수 $y=f(x)$의 그래프와 직선 $y=x$가 오른쪽 그림과 같을 때, 다음을 구하여라. (단, 모든 점선은 $x$축 또는 $y$축에 평행하다.)

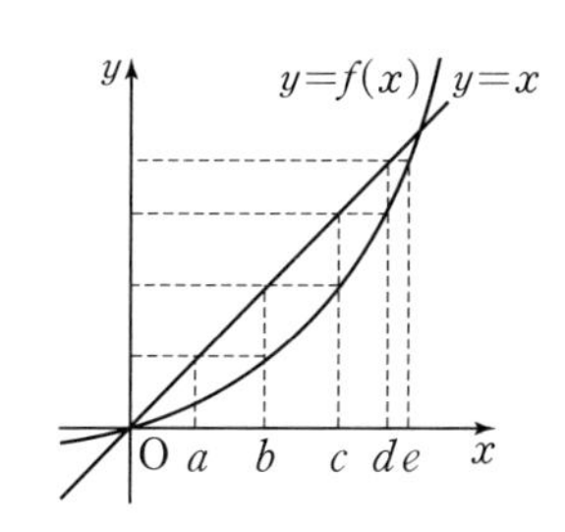


**099** $f(b)$

**100** $(f\circ f)(c)$

**101** $f^{-1}(b)$

**102** $(f^{-1}\circ f^{-1})(c)$

[103~106] 함수 $y=f(x)$의 그래프와 직선 $y=x$가 오른쪽 그림과 같을 때, 다음을 구하여라. (단, 모든 점선은 $x$축 또는 $y$축에 평행하다.)

**103** $(f\circ f)(a)$

**104** $f^{-1}(b)$

**105** $(f^{-1}\circ f^{-1})(c)$

**106** $(f\circ f)^{-1}(d)$

# 연산 유형 최종 점검하기

**1** 집합 $X=\{-1, 0, 1\}$에 대하여 다음 보기 중 $X$에서 $X$로의 함수인 것만을 있는 대로 고른 것은?

| 보기 |
|---|
| ㄱ. $f(x)=x$ |
| ㄴ. $g(x)=x+1$ |
| ㄷ. $h(x)=x^2$ |

① ㄱ ② ㄴ ③ ㄷ
④ ㄱ, ㄷ ⑤ ㄴ, ㄷ

**2** 집합 $X=\{0, 1, 2\}$를 정의역으로 하는 함수 $f(x)=x+2$의 치역은?

① $\{0, 1, 2\}$
② $\{1, 2, 3\}$
③ $\{2, 3, 4\}$
④ $\{3, 4, 5\}$
⑤ $\{0, 1, 2, 3, 4\}$

**3** 실수 전체의 집합에서 정의된 함수

$$f(x)=\begin{cases} 2x-3 & (x\geq 1) \\ -x & (x<1) \end{cases}$$

에 대하여 $f(-1)+f(3)$의 값은?

① 2 ② 4 ③ 5
④ 6 ⑤ 8

**4** 함수 $f\left(\frac{x+1}{2}\right)=2x-1$에 대하여 $f(-1)$은?

① $-10$ ② $-7$ ③ $-5$
④ 5 ⑤ 7

**5** 집합 $X=\{0, 1\}$을 정의역으로 하는 두 함수 $f$, $g$에 대하여 다음 보기 중 $f=g$인 것만을 있는 대로 고른 것은?

| 보기 |
|---|
| ㄱ. $f(x)=x$, $g(x)=-x$ |
| ㄴ. $f(x)=2x+1$, $g(x)=2x^2+1$ |
| ㄷ. $f(x)=2$, $g(x)=x^2-x+2$ |

① ㄱ ② ㄴ ③ ㄱ, ㄴ
④ ㄱ, ㄷ ⑤ ㄴ, ㄷ

**6** 실수 전체의 집합에서 정의된 다음 함수의 그래프 중 일대일대응인 것은?

①
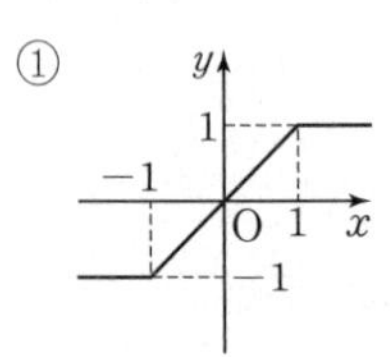


②
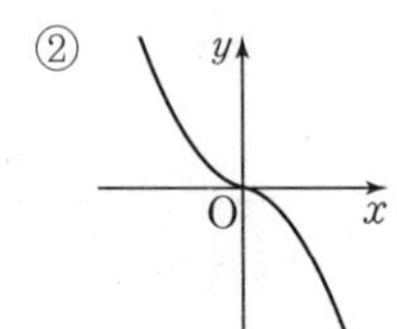


③
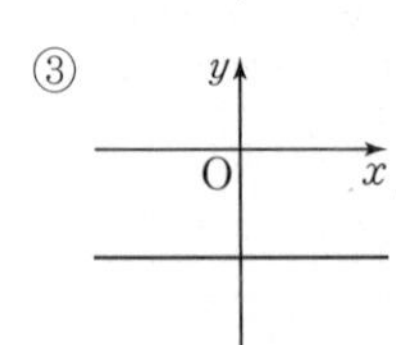


④
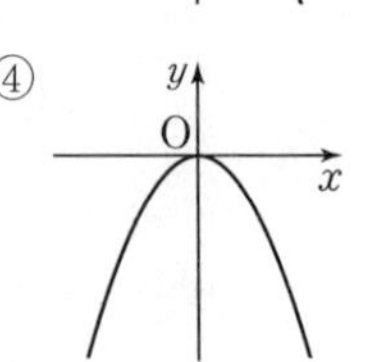


⑤
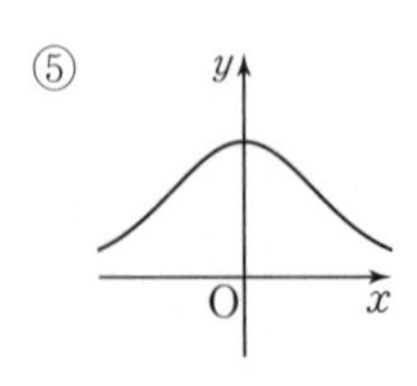

**7** 두 함수 $f: X \longrightarrow Y$, $g: Y \longrightarrow Z$가 다음 그림과 같을 때, $(g \circ f)(1)+(g \circ f)(3)$의 값을 구하여라.

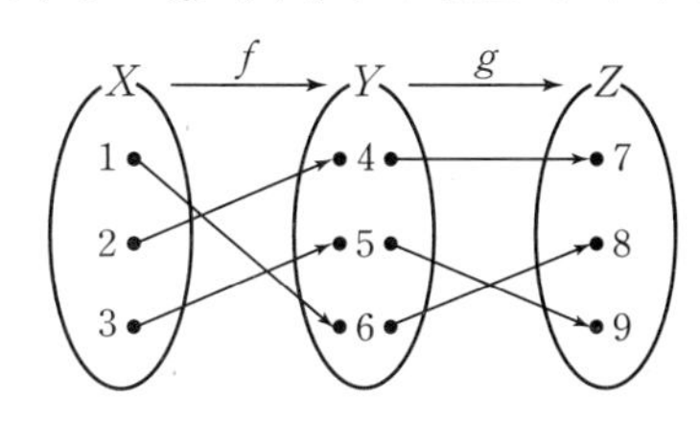


**8** 함수 $f(x)=ax+b$에 대하여 $(f \circ f)(x)=4x+3$일 때, 상수 $a$, $b$에 대하여 $a+b$의 값은? (단, $a>0$)

① 2　② 3　③ 4　④ 5　⑤ 6

**9** 일차함수 $f(x)=-ax+3$의 역함수가 $f^{-1}(x)=\frac{1}{2}x+b$일 때, 상수 $a$, $b$에 대하여 $a-b$의 값은?

① $-\frac{5}{2}$　② $-2$　③ $-\frac{3}{2}$　④ $-1$　⑤ $-\frac{1}{2}$

**10** 함수 $f(x)=-x+a$의 역함수의 그래프가 점 $(2, -3)$을 지날 때, 상수 $a$의 값은?

① $-4$　② $-3$　③ $-2$　④ $-1$　⑤ 0

**11** 실수 전체의 집합에서 정의된 두 함수

$$f(x)=3x-4,\ g(x)=\begin{cases} 2x & (x \geq 3) \\ x+3 & (x<3) \end{cases}$$

에 대하여 $(f \circ g)(2)+f^{-1}(2)$의 값을 구하여라.

**12** 두 함수 $f(x)=9x+1$, $g(x)=2x-5$에 대하여 다음을 구하여라.

$$(f \circ (g^{-1} \circ f)^{-1} \circ f)(1)$$

**13** 함수 $y=f(x)$의 그래프와 직선 $y=x$가 오른쪽 그림과 같을 때, 다음 중 옳지 않은 것은? (단, 모든 점선은 $x$축 또는 $y$축에 평행하다.)

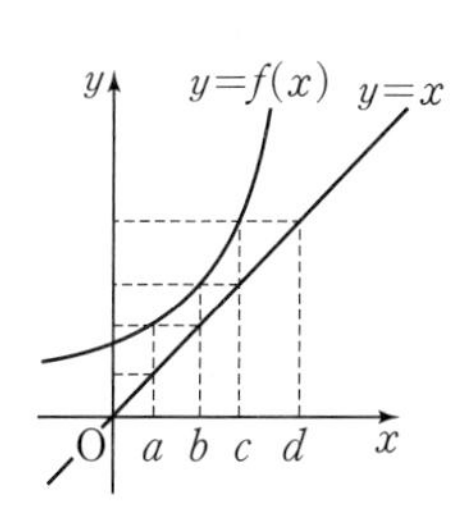


① $(f \circ f)(a)=c$
② $(f \circ f)(b)=d$
③ $f^{-1}(b)=a$
④ $f^{-1}(d)=b$
⑤ $f^{-1}(d)=f(b)$

V. 함수

# 05

# 유리함수

AM

# 05 유리함수

## 05-1 유리식

**(1) 유리식**

두 다항식 $A$, $B\,(B\neq0)$에 대하여 $\frac{A}{B}$ 꼴로 나타내어지는 식을 **유리식**이라고 한다.

특히 $B$가 상수이면 $\frac{A}{B}$는 다항식이다. ◀ 다항식도 유리식이다.

**(2) 유리식의 계산** ◀ 유리수의 계산과 같은 방법으로 한다.

다항식 $A$, $B$, $C$, $D$에 대하여

① $\frac{A}{C}+\frac{B}{C}=\frac{A+B}{C}$ (단, $C\neq0$)　② $\frac{A}{C}-\frac{B}{C}=\frac{A-B}{C}$ (단, $C\neq0$)

③ $\frac{A}{B}\times\frac{C}{D}=\frac{AC}{BD}$ (단, $BD\neq0$)　④ $\frac{A}{B}\div\frac{C}{D}=\frac{A}{B}\times\frac{D}{C}=\frac{AD}{BC}$ (단, $BCD\neq0$)

● 유리식 중에서 다항식이 아닌 유리식을 분수식이라고 한다.

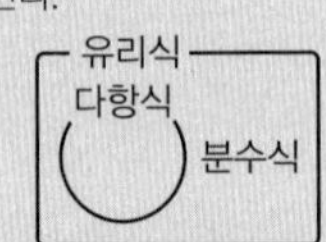


● 유리식의 덧셈과 뺄셈에서 분모가 서로 다를 때는 분모를 통분하여 계산한다.

**연·산·유·형**

정답과 해설 19쪽

### 유형 01 유리식

[001~005] 다음 유리식이 다항식이면 '다', 분수식이면 '분'을 ( ) 안에 써넣어라.

**001** $\frac{1}{x}$ ( )

**002** $3-7x$ ( )

**003** $\frac{2x-1}{2}$ ( )

**004** $\frac{-5x-2}{x}$ ( )

**005** $\frac{x+2}{x^2}$ ( )

### 유형 02 유리식의 계산

[006~009] 다음 식을 간단히 하여라.

**006** $\frac{1}{x+1}+\frac{1}{x-2}$

**007** $\frac{3}{x+1}-\frac{3}{x-1}$

**008** $\frac{x}{2x+1}+\frac{5}{x-3}$

**009** $\frac{1}{(x+1)(x+2)}+\frac{2}{(x+2)(x+3)}$

정답과 해설 19쪽

[010~012] 다음 식을 간단히 하여라.

**010** $\frac{x^2-4}{x+4}\times\frac{x+4}{x+2}$

**011** $\frac{3x-2}{x^2+x}\times\frac{x+1}{x}$

**012** $\frac{x^2+3x+2}{x^2}\times\frac{x}{x+2}$

[013~015] 다음 식을 간단히 하여라.

**013** $\frac{2x+1}{x^2-2x}\div\frac{1}{x}$

**014** $\frac{x^2-1}{x^2}\div\frac{x+1}{x^2+3x}$

**015** $\frac{x^2-16}{x^2+1}\div\frac{x+4}{x^3+x}$

[016~020] 다음 식을 간단히 하여라.

**016** $\frac{1}{x-1}-\frac{2x}{x^2+x+1}+\frac{x^2-2x-3}{x^3-1}$

**017** $\frac{x-1}{x+2}\times\frac{x^2+4x+4}{x^2+2x-3}\div\frac{x+2}{x+3}$

**018** $\frac{x^2-3x}{x+2}\times\left(1-\frac{1}{x}\right)\div\frac{x^2-4x+3}{x^2+2}$

**019** $\frac{y}{x^2-xy}\div\frac{2x^2+xy}{x^2-y^2}\times\frac{x}{xy+y^2}$

**020** $\frac{x^2-xy+2x-2y}{x^2-xy-2y^2}\times\frac{2x^2+xy-y^2}{x^2-xy}\div\frac{2x-y}{x}$

## 05-2 분모가 두 인수의 곱인 유리식

분모가 두 개 이상의 인수의 곱일 때는 다음과 같은 방법으로 계산한다.

$$\frac{1}{AB}=\frac{1}{B-A}\left(\frac{1}{A}-\frac{1}{B}\right) \text{ (단, } AB\neq0,\ A\neq B\text{)}$$

예 $\frac{1}{(x+1)(x+3)}=\frac{1}{(x+3)-(x+1)}\left(\frac{1}{x+1}-\frac{1}{x+3}\right)=\frac{1}{2}\left(\frac{1}{x+1}-\frac{1}{x+3}\right)$

연.산.유.형

정답과 해설 20쪽

### 유형 03 분모가 두 인수의 곱인 유리식

[021~026] 다음 식을 간단히 하여라.

**021** $\frac{1}{(x+1)(x+2)}+\frac{1}{(x+2)(x+3)}+\frac{1}{(x+3)(x+4)}$

$\frac{1}{(x+1)(x+2)}+\frac{1}{(x+2)(x+3)}+\frac{1}{(x+3)(x+4)}$

$=\frac{1}{(\square)-(x+1)}\left(\frac{1}{x+1}-\frac{1}{\square}\right)$

$+\frac{1}{(x+3)-(\square)}\left(\frac{1}{x+2}-\frac{1}{x+3}\right)$

$+\frac{1}{(x+4)-(x+3)}\left(\frac{1}{\square}-\frac{1}{x+4}\right)$

$=\frac{1}{x+1}-\frac{1}{\square}$

$=\frac{3}{(x+1)(\square)}$

**022** $\frac{2}{(x+1)(x+3)}+\frac{2}{(x+3)(x+5)}+\frac{2}{(x+5)(x+7)}$

**023** $\frac{1}{x(x+1)}+\frac{2}{(x+1)(x+3)}+\frac{3}{(x+3)(x+6)}$

**024** $\frac{2}{(x-4)(x-2)}+\frac{4}{(x-2)(x+2)}+\frac{2}{(x+2)(x+4)}$

**025** $\frac{1}{x^2-5x+6}+\frac{1}{x^2-3x+2}+\frac{1}{x^2-x}$

**026** $\frac{1}{x^2+2x}+\frac{1}{x^2+6x+8}+\frac{1}{x^2+10x+24}$

## 05-3 유리함수

**(1) 유리함수**

함수 $y=f(x)$에서 $f(x)$가 $x$에 대한 유리식일 때, 이 함수를 **유리함수**라고 한다.
특히 $f(x)$가 $x$에 대한 다항식일 때, 이 함수를 **다항함수**라고 한다.
다항식도 유리식이므로 다항함수도 유리함수이다.

**(2) 유리함수의 정의역**

특별한 말이 없는 경우에 유리함수의 정의역은 분모가 0이 되지 않도록 하는 실수 전체의 집합으로 생각한다.

예 유리함수 $y=\frac{2x}{(x+1)(x-1)}$의 정의역은 $\{x|x\neq-1,\ x\neq1$인 실수$\}$

● 유리함수 중에서 다항함수가 아닌 유리함수를 분수함수라고 한다.

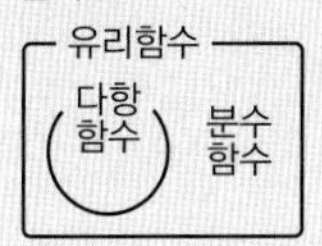


연.산.유.형

정답과 해설 21쪽

### 유형 04 유리함수

[027~031] 다음 유리함수가 다항함수이면 '다', 분수함수이면 '분'을 ( ) 안에 써넣어라.

**027** $y=\frac{1}{x+2}$ ( )

**028** $y=\frac{x-1}{4}$ ( )

**029** $y=5x+\frac{3}{4}$ ( )

**030** $y=\frac{3}{x}-2$ ( )

**031** $y=\frac{x+3}{x^2+2x}$ ( )

### 유형 05 유리함수의 정의역

[032~036] 다음 유리함수의 정의역을 구하여라.

**032** $y=-\frac{1}{x}$

**033** $y=\frac{3}{x+4}$

**034** $y=\frac{x+1}{x-6}$

**035** $y=-\frac{2}{x^2-4}$

**036** $y=\frac{3x}{x^2+7}$

## 05-4 유리함수 $y=\frac{k}{x}$의 그래프

유리함수 $y=\frac{k}{x}$ $(k=0)$의 그래프는 상수 $k$의 부호에 따라 다음과 같이 그려진다.

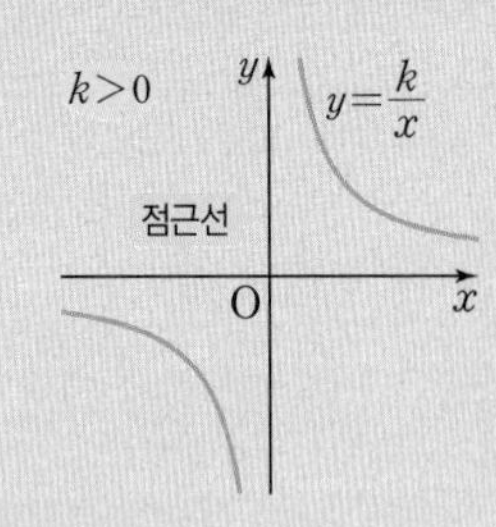


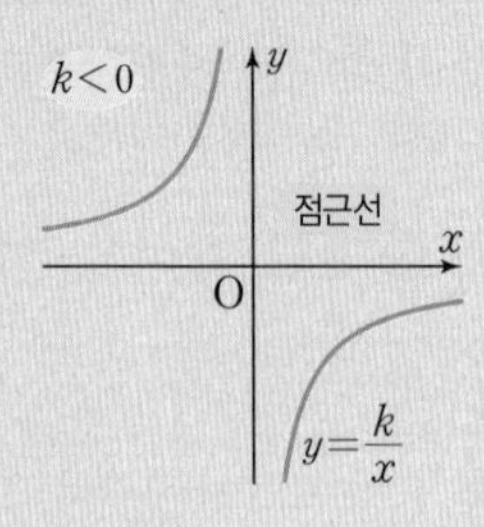


(1) 정의역, 치역은 모두 0이 아닌 실수 전체의 집합이다.

(2) $k>0$이면 그래프는 제1사분면, 제3사분면에 있고, $k<0$이면 그래프는 제2사분면, 제4사분면에 있다.

(3) 점근선은 $x$축과 $y$축이다.

(4) 원점에 대하여 대칭이다.

참고 원점에 대하여 대칭이므로 원점을 지나는 두 직선 $y=x$와 $y=-x$에 대하여 대칭이다.

● 곡선이 어떤 직선에 한없이 가까워질 때, 이 직선을 그 곡선의 점근선이라고 한다.

### 연.산.유.형

정답과 해설 21쪽

#### 유형 06 유리함수 $y=\frac{k}{x}$의 그래프

[037~040] 다음 유리함수의 그래프를 그려라.

**037** $y=\frac{2}{x}$

**038** $y=-\frac{4}{x}$

**039** $y=\frac{1}{2x}$

**040** $y=-\frac{1}{3x}$

## 05-5 유리함수 $y=\frac{k}{x-p}+q$의 그래프

유리함수 $y=\frac{k}{x-p}+q\,(k\neq0)$의 그래프는 유리함수 $y=\frac{k}{x}$의 그래프를 $x$축의 방향으로 $p$만큼, $y$축의 방향으로 $q$만큼 평행이동한 것과 같다.

(1) 정의역은 $\{x|x\neq p$인 실수$\}$, 치역은 $\{y|y\neq q$인 실수$\}$이다.

(2) 점근선의 방정식은 $x=p$, $y=q$이다.

(3) 점 $(p,\ q)$에 대하여 대칭이다.

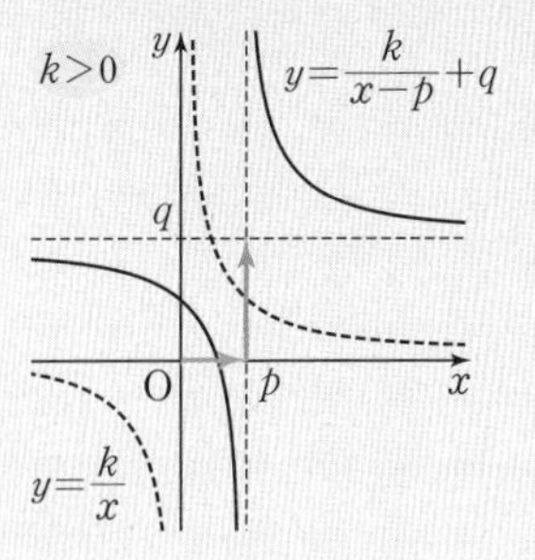


**참고** 점 $(p,\ q)$에 대하여 대칭이므로 점 $(p,\ q)$를 지나고 기울기가 $\pm1$인 두 직선에 대하여 대칭이다.

### 연.산.유.형

정답과 해설 21쪽

#### 유형 07 유리함수 $y=\frac{k}{x-p}+q$의 그래프

**[041~047]** 다음 유리함수의 그래프를 $x$축의 방향으로 $p$만큼, $y$축의 방향으로 $q$만큼 평행이동한 그래프의 식을 구하여라.

**041** $y=\frac{1}{x}$ $[p=2,\ q=3]$

> 함수 $y=\frac{1}{x}$의 그래프를 $x$축의 방향으로 2만큼, $y$축의 방향으로 3만큼 평행이동하면
>
> $y-\square=\frac{1}{x-\square}$ $\quad\therefore\ y=\frac{1}{\square}+3$

**042** $y=\frac{3}{x}$ $[p=1,\ q=-2]$

**043** $y=\frac{2}{x}$ $[p=-8,\ q=7]$

**044** $y=-\frac{4}{x}$ $[p=-3,\ q=-1]$

**045** $y=-\frac{2}{x}$ $[p=-4,\ q=5]$

**046** $y=-\frac{9}{x}$ $[p=1,\ q=2]$

**047** $y=-\frac{12}{x}$ $[p=2,\ q=-6]$

[048~055] 다음 유리함수의 그래프를 그리고, 점근선의 방정식, 정의역, 치역을 구하여라.

**048** $y=\frac{1}{x-1}+2$

**049** $y=\frac{1}{x+2}+3$

**050** $y=\frac{2}{x-7}-5$

**051** $y=\frac{3}{x+1}-2$

**052** $y=-\frac{2}{x-3}+1$

**053** $y=-\frac{1}{x+1}-1$

**054** $y=-\frac{5}{2x+4}-3$

**055** $y=-\frac{7}{3x+5}+2$

## 05-6 유리함수 $y=\frac{ax+b}{cx+d}$의 그래프

유리함수 $y=\frac{ax+b}{cx+d}$ $(ad-bc\neq0,\ c\neq0)$의 그래프는 $y=\frac{k}{x-p}+q$ $(k\neq0)$ 꼴로 변형하여 그린다.

예 $y=\frac{3x+4}{x+1}=\frac{3(x+1)+1}{x+1}=\frac{1}{x+1}+3$

➡ 함수 $y=\frac{3x+4}{x+1}$의 그래프는 함수 $y=\frac{1}{x}$의 그래프를 $x$축의 방향으로 $-1$만큼, $y$축의 방향으로 3만큼 평행이동한 것이다.

• 함수 $y=\frac{ax+b}{cx+d}$에서 $c=0$, $d\neq0$이면 일차함수, $ad-bc=0$, $c\neq0$이면 상수함수가 된다.

### 연.산.유.형

정답과 해설 22쪽

### 유형 08 유리함수 $y=\frac{ax+b}{cx+d}$의 그래프

[056~061] 다음 유리함수의 그래프를 그리고, 점근선의 방정식과 정의역, 치역을 구하여라.

**056** $y=\frac{2x+1}{x-2}$

**057** $y=\frac{x}{x-4}$

**058** $y=\frac{3x+5}{x+2}$

**059** $y=\frac{3x+6}{x+3}$

**060** $y=-\frac{4x+11}{2x+5}$

**061** $y=-\frac{6x-23}{3x-8}$

## 유형 09 유리함수의 그래프의 평행이동

[062~064] 다음 유리함수 중 그래프를 평행이동하여 유리함수 $y=\frac{x+1}{x-1}$의 그래프와 겹쳐지는 것은 ○표, 겹쳐지지 않는 것은 ×표를 ( ) 안에 써넣어라.

**062** $y=\frac{2}{x-1}$ ( )

**063** $y=\frac{x-1}{x+1}$ ( )

**064** $y=\frac{2x}{x-3}$ ( )

[065~067] 다음 유리함수 중 그래프를 평행이동하여 유리함수 $y=\frac{-2x-1}{x+2}$의 그래프와 겹쳐지는 것은 ○표, 겹쳐지지 않는 것은 ×표를 ( ) 안에 써넣어라.

**065** $y=\frac{x+2}{x-1}$ ( )

**066** $y=\frac{-2x-4}{x+1}$ ( )

**067** $y=\frac{3x+16}{x+5}$ ( )

## 유형 10 유리함수의 그래프의 대칭성

[068~072] 다음 유리함수의 그래프가 주어진 직선에 대하여 대칭일 때, 상수 $k$의 값을 구하여라.

**068** $y=\frac{2x-7}{x-4}$, $y=x+k$

$y=\frac{2x-7}{x-4}=\frac{2(x-4)+1}{x-4}=\frac{1}{x-4}+2$

이므로 함수 $y=\frac{2x-7}{x-4}$의 그래프의 점근선의 방정식은

$x=\square$, $y=\square$

따라서 함수 $y=\frac{2x-7}{x-4}$의 그래프가 직선 $y=x+k$에 대하여 대칭이려면 직선 $y=x+k$는 두 점근선의 교점

$(\square, \square)$를 지나야 하므로

$2=4+k$ $\therefore k=\square$

**069** $y=\frac{4x+9}{x+2}$, $y=x+k$

**070** $y=\frac{3x-2}{x-1}$, $y=x+k$

**071** $y=-\frac{2x-1}{x-1}$, $y=-x+k$

**072** $y=-\frac{3x+16}{x+5}$, $y=-x+k$

# 05-7 유리함수의 최대, 최소

정의역이 주어진 유리함수 $y=\frac{ax+b}{cx+d}$ $(ad-bc\neq0,\ c\neq0)$의 최대, 최소는 다음과 같은 순서로 구한다.

(1) $y=\frac{k}{x-p}+q$ $(k\neq0)$ 꼴로 변형한다.

(2) 주어진 정의역에서 그래프를 그린 다음 최댓값과 최솟값을 구한다.

➡ 유리함수 $y=f(x)$의 정의역이 $\{x|m\leq x\leq n\}$이면 $f(m)$, $f(n)$ 중 큰 값이 최댓값, 작은 값이 최솟값이다.

연·산·유·형

정답과 해설 24쪽

## 유형 11 유리함수의 최대, 최소

**[073~077]** 다음 유리함수에 대하여 주어진 정의역에서의 최댓값과 최솟값을 구하여라.

**073** $y=\frac{x}{x-3}$, $\{x|0\leq x\leq2\}$

$y=\frac{x}{x-3}=\frac{(x-3)+3}{x-3}=\frac{3}{x-3}+1$

이므로 주어진 함수의 그래프는 $y=\frac{\square}{x}$의 그래프를 $x$축의 방향으로 □만큼, $y$축의 방향으로 □만큼 평행이동한 것이다.

즉, 정의역 $\{x|0\leq x\leq2\}$에서 $y=\frac{x}{x-3}$의 그래프는 다음 그림과 같다.

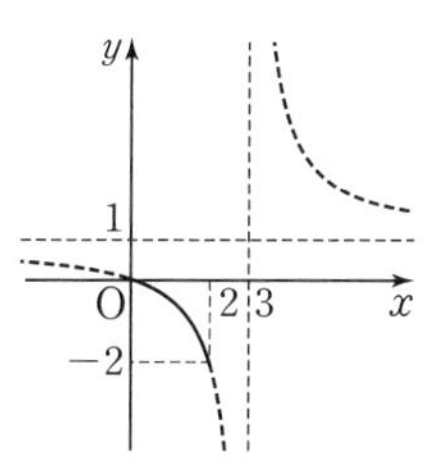


따라서 $x=0$일 때 최댓값은 0, $x=2$일 때 최솟값은 □이다.

**074** $y=\frac{x+1}{x-1}$, $\{x|-3\leq x\leq0\}$

**075** $y=\frac{4x+17}{x+2}$, $\{x|1\leq x\leq7\}$

**076** $y=-\frac{x+8}{x-4}$, $\{x|5\leq x\leq8\}$

**077** $y=-\frac{5x-7}{x+1}$, $\{x|-5\leq x\leq-3\}$

## 05-8 유리함수의 식 구하기

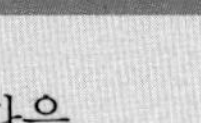

점근선의 방정식이 $x=p$, $y=q$이고 그래프가 점 $(a,\ b)$를 지나는 유리함수의 식은 다음과 같은 순서로 구한다.

(1) 구하는 유리함수의 식을 $y=\dfrac{k}{x-p}+q\ (k\neq 0)$로 놓는다.

(2) $x=a$, $y=b$를 대입하여 $k$의 값을 구한다.

(3) $k$의 값을 (1)의 식에 대입하여 유리함수의 식을 구한다.

**연·산·유·형**

정답과 해설 24쪽

### 유형 12 유리함수의 식 구하기

[078~081] 유리함수 $y=\dfrac{ax+b}{x+c}$의 그래프가 다음 그림과 같을 때, 상수 $a$, $b$, $c$의 값을 구하여라.

**078**

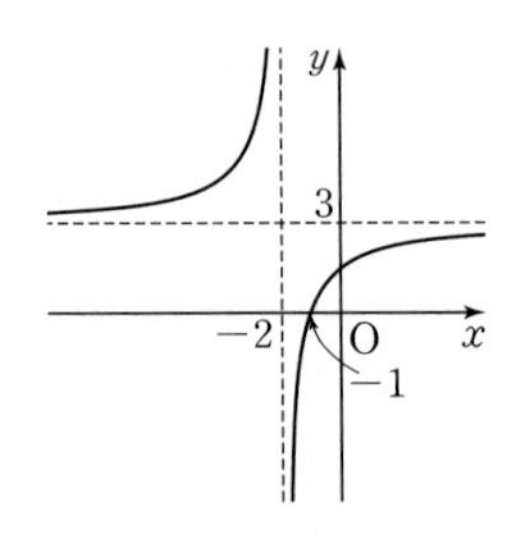


주어진 그래프에서 점근선의 방정식이 $x=-2$, $y=3$이므로 구하는 유리함수의 식을

$y=\dfrac{k}{x+\square}+3\ (k<0)$ ...... ㉠

이라고 하자.

㉠의 그래프가 점 $(-1,\ 0)$을 지나므로

$0=\dfrac{k}{-1+\square}+3$ $\quad\therefore k=\square$

따라서 $k=\square$을 ㉠에 대입하면

$y=-\dfrac{3}{x+\square}+3=\dfrac{\square(x+2)-3}{x+2}=\dfrac{\square x+3}{x+2}$

$\therefore a=\square$, $b=3$, $c=\square$

**079**

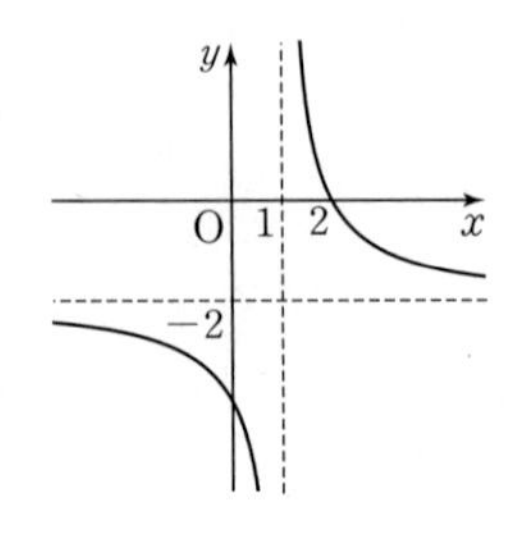


**080**

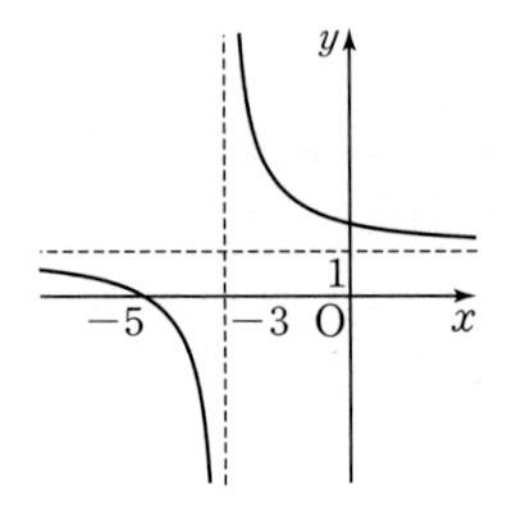


**081**

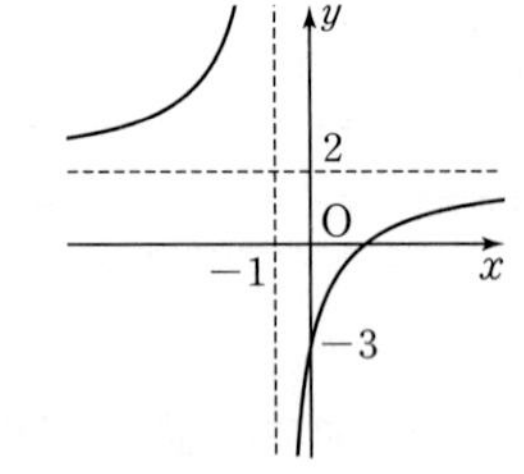

## 05-9 유리함수의 역함수

유리함수 $y=\frac{ax+b}{cx+d}$ $(ad-bc\neq0,\ c\neq0)$의 역함수는 다음과 같은 순서로 구한다.

(1) $x$에 대하여 푼다. ➡ $x=\frac{-dy+b}{cy-a}$

(2) $x$와 $y$를 서로 바꾸어 역함수를 구한다. ➡ $y=\frac{-dx+b}{cx-a}$

연.산.유.형

정답과 해설 24쪽

### 유형 13 유리함수의 역함수

[082~089] 다음 유리함수의 역함수를 구하여라.

082 $y=\frac{x+4}{x+1}$

함수 $y=\frac{x+4}{x+1}$를 $x$에 대하여 정리하면

$y(x+1)=x+4,\ xy-\square=-y+4$

$x(\square)=-y+4 \qquad \therefore\ x=\frac{-y+4}{\square}$

$x$와 $y$를 서로 바꾸어 역함수를 구하면

$y=\frac{-x+\square}{x-\square}$

083 $y=\frac{3x-1}{x+8}$

084 $y=\frac{5x+3}{2x-1}$

085 $y=\frac{x-6}{2x-6}$

086 $y=\frac{2x+4}{x+3}$

087 $y=-\frac{4x-4}{x+13}$

088 $y=-\frac{x-7}{2x+1}$

089 $y=-\frac{2x+10}{3x-5}$

# 연산 유형 최종 점검하기

**1** 다음 보기의 유리식 중 분수식인 것만을 있는 대로 고른 것은?

보기

ㄱ. $\frac{x}{4}$ ㄴ. $\frac{1}{x+1}$

ㄷ. $\frac{2x}{x^2+4}$ ㄹ. $x^2-\frac{1}{3}$

① ㄱ, ㄴ ② ㄱ, ㄷ ③ ㄴ, ㄷ
④ ㄷ, ㄹ ⑤ ㄴ, ㄷ, ㄹ

**2** 다음 식을 간단히 하여라.

$$\frac{x^2+4}{x^3-1}-\frac{2}{x-1}+\frac{x+1}{x^2+x+1}$$

**3** $\frac{a^2}{a^2+3a+2}\times\frac{a+2}{a^2-9a+20}\div\frac{a}{a^2-3a-4}$를 간단히 하면?

① $\frac{a}{a-5}$ ② $\frac{a}{a-4}$ ③ $\frac{a+2}{a+1}$
④ $\frac{a^2}{a+1}$ ⑤ $\frac{a^2+a}{a-4}$

**4** 다음 식의 분모를 0으로 하지 않는 모든 실수 $x$에 대하여

$$\frac{1}{x^2+4x+3}+\frac{1}{x^2+8x+15}+\frac{1}{x^2+12x+35}=\frac{a}{(x+b)(x+7)}$$

가 성립할 때, $a+b$의 값을 구하여라. (단, $a$, $b$는 상수)

**5** 유리함수 $y=-\frac{5x}{x+2}$의 정의역이 $\{x|x\neq a$인 실수$\}$이고 치역이 $\{y|y\neq b$인 실수$\}$일 때, 상수 $a$, $b$의 값을 구하여라.

**6** 유리함수 $y=\frac{ax+11}{x+b}$의 그래프의 점근선의 방정식이 $x=-6$, $y=1$일 때, $ab$의 값을 구하여라. (단, $a$, $b$는 상수)

**7** 함수 $y=\frac{2x+5}{x+3}$의 그래프는 함수 $y=\frac{k}{x}$의 그래프를 $x$축의 방향으로 $a$만큼, $y$축의 방향으로 $b$만큼 평행이동한 것이다. 상수 $k$, $a$, $b$에 대하여 $k+a+b$의 값은?

① $-4$ ② $-2$ ③ 0
④ 2 ⑤ 4

**8** 유리함수 $y=\frac{5x-7}{x-3}$의 그래프가 $y=x+k$에 대하여 대칭일 때, 상수 $k$의 값은?

① 2　② 4　③ 5　③ 7　⑤ 8

**9** 유리함수 $y=\frac{-2x-4}{x+1}$의 그래프에 대한 다음 설명 중 옳지 않은 것은?

① 정의역은 $\{x|x\neq-1$인 실수$\}$이다.
② 점 $(-1,\ -2)$에 대하여 대칭이다.
③ 점근선의 방정식은 $x=1$, $y=2$이다.
④ 함수 $y=-\frac{2}{x}$의 그래프를 평행이동한 것이다.
⑤ 제1사분면을 지나지 않는다.

**10** 정의역이 $\{x|2\leq x\leq 5\}$인 유리함수 $y=\frac{3x+1}{x-1}$의 최댓값과 최솟값의 합은?

① 7　② 9　③ 11　④ 13　⑤ 15

**11** 유리함수 $y=\frac{ax+b}{x+c}$의 그래프가 다음 그림과 같을 때, 상수 $a$, $b$, $c$에 대하여 $abc$의 값을 구하여라.

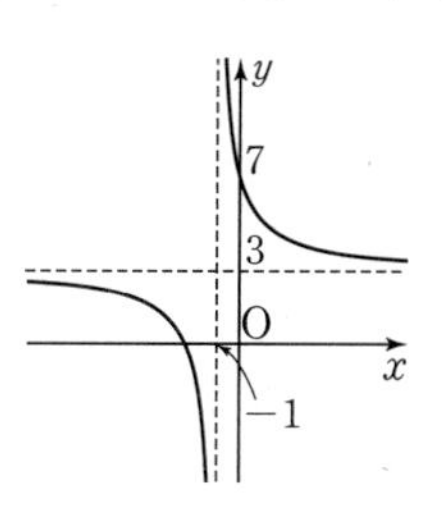


**12** 유리함수 $f(x)=\frac{ax-3}{x-4}$의 역함수가 $f^{-1}(x)=\frac{bx-c}{x-2}$일 때, 상수 $a$, $b$, $c$에 대하여 $a+b+c$의 값은? $\left(단,\ a\neq\frac{3}{4}\right)$

① 2　② 3　③ 5　④ 7　⑤ 9

**13** 유리함수 $f(x)=\frac{2x+1}{x-4}$의 역함수 $f^{-1}(x)$에 대하여 $y=f^{-1}(x)$의 그래프의 점근선의 방정식이 $x=p$, $y=q$일 때, $pq$의 값은?

① 2　② 4　③ 6　④ 8　⑤ 10

V. 함수

# 06

# 무리함수

AM

유형 01 무리식

유형 02 무리식이 실수가 될 조건

유형 03 무리식의 계산

유형 04 무리함수

유형 05 무리함수의 정의역

유형 06 무리함수 $y=\sqrt{ax}$, $y=-\sqrt{ax}$의 그래프

유형 07 무리함수의 그래프의 대칭이동

유형 08 무리함수의 그래프의 평행이동

유형 09 무리함수 $y=\sqrt{a(x-p)}+q$의 그래프

유형 10 무리함수 $y=\sqrt{ax+b}+c$의 그래프

유형 11 무리함수의 최대, 최소

유형 12 무리함수의 식 구하기

유형 13 무리함수의 그래프와 직선의 위치 관계

유형 14 무리함수의 역함수

# 06 무리함수

## 06-1 무리식

**(1) 무리식**

근호 안에 문자가 포함된 식 중에서 유리식으로 나타낼 수 없는 식을 **무리식**이라고 한다.

예 $\sqrt{x+3}$, $\dfrac{1}{\sqrt{2x-1}}$ ➡ 무리식

**(2) 무리식의 값이 실수가 될 조건**

무리식의 값이 실수이려면 근호 안의 식의 값이 0 이상이어야 한다.

➡ (근호 안의 식의 값)$\geq 0$, (분모의 값)$\neq 0$

**(3) 무리식의 계산**

무리식의 계산은 무리수의 계산과 마찬가지로 제곱근의 성질을 이용한다.

특히 분모가 무리식인 경우에는 분모를 유리화하여 계산한다.

$a>0$, $b>0$일 때
(1) $\sqrt{a}\sqrt{b}=\sqrt{ab}$ (2) $\dfrac{\sqrt{a}}{\sqrt{b}}=\sqrt{\dfrac{a}{b}}$

● 분모의 유리화

$a>0$, $b>0$, $a\neq b$일 때

(1) $\dfrac{\sqrt{a}}{\sqrt{b}}=\dfrac{\sqrt{a}\sqrt{b}}{\sqrt{b}\sqrt{b}}=\dfrac{\sqrt{ab}}{b}$

(2) $\dfrac{c}{\sqrt{a}+\sqrt{b}}$
$=\dfrac{c(\sqrt{a}-\sqrt{b})}{(\sqrt{a}+\sqrt{b})(\sqrt{a}-\sqrt{b})}$
$=\dfrac{c(\sqrt{a}-\sqrt{b})}{a-b}$

### 연.산.유.형

정답과 해설 27쪽

#### 유형 01 무리식

[001~005] 다음 식이 유리식이면 '유', 무리식이면 '무'를 ( ) 안에 써넣어라.

**001** $\sqrt{x}-1$ ( )

**002** $\dfrac{1}{2x-\sqrt{3}}$ ( )

**003** $\dfrac{x-3}{\sqrt{2}}$ ( )

**004** $\sqrt{x+2}-\sqrt{x}$ ( )

**005** $\dfrac{\sqrt{x-1}}{\sqrt{x+1}}$ ( )

#### 유형 02 무리식이 실수가 될 조건

[006~010] 다음 무리식의 값이 실수가 되도록 하는 $x$의 값의 범위를 구하여라.

**006** $\sqrt{3x+2}$

**007** $\dfrac{1}{\sqrt{2x-1}}$

**008** $\sqrt{2x+1}-\sqrt{x}$

**009** $\sqrt{x-2}+\sqrt{3-x}$

**010** $\dfrac{\sqrt{3-x}}{\sqrt{x-1}}$

## 유형 03 무리식의 계산

[011~016] 다음 식을 간단히 하여라.

**011** $(\sqrt{x+1}+1)(\sqrt{x+1}-1)$

**012** $(\sqrt{x+2}-\sqrt{x+3})(\sqrt{x+2}+\sqrt{x+3})$

**013** $\frac{\sqrt{3x}+1}{\sqrt{3x}-1}-\frac{\sqrt{3x}-1}{\sqrt{3x}+1}$

**014** $\frac{1}{\sqrt{x-1}+\sqrt{x}}+\frac{1}{\sqrt{x-1}-\sqrt{x}}$

**015** $\frac{1}{\sqrt{x}+\sqrt{y}}-\frac{1}{\sqrt{x}-\sqrt{y}}$

**016** $\frac{\sqrt{x+2}-\sqrt{x}}{\sqrt{x+2}+\sqrt{x}}-\frac{\sqrt{x+2}+\sqrt{x}}{\sqrt{x+2}-\sqrt{x}}$

[017~022] 다음 식의 값을 구하여라.

**017** $x=\sqrt{5}$일 때, $\frac{\sqrt{x+1}-\sqrt{x-1}}{\sqrt{x+1}+\sqrt{x-1}}$

**018** $x=\sqrt{3}$일 때, $\frac{1}{\sqrt{x}-1}-\frac{1}{\sqrt{x}+1}$

**019** $x=\sqrt{2}$일 때, $\frac{1}{4-2\sqrt{x}}+\frac{1}{4+2\sqrt{x}}$

**020** $x=\frac{\sqrt{5}}{2}$일 때, $\frac{1}{\sqrt{1+x^2}+x}+\frac{1}{\sqrt{1+x^2}-x}$

**021** $x=2\sqrt{2}$일 때, $\frac{\sqrt{x+1}-1}{\sqrt{x+1}+1}+\frac{\sqrt{x+1}+1}{\sqrt{x+1}-1}$

**022** $x=\frac{1}{\sqrt{2}-1}$일 때, $\frac{\sqrt{x}-1}{\sqrt{x}+1}+\frac{\sqrt{x}+1}{\sqrt{x}-1}$

## 06-2 무리함수

(1) **무리함수**

함수 $y=f(x)$에서 $f(x)$가 $x$에 대한 무리식일 때, 이 함수를 **무리함수**라고 한다.

(2) **무리함수의 정의역**

특별한 말이 없는 경우에 무리함수의 정의역은 근호 안의 식의 값이 0 이상이 되도록 하는 실수 전체의 집합으로 생각한다.

예 무리함수 $y=\sqrt{x-1}$의 정의역은 $\{x|x\geq1\}$

연.산.유.형

정답과 해설 28쪽

### 유형 04 무리함수

[023~027] 다음 함수가 무리함수이면 ○표, 무리함수가 아니면 ×표를 ( ) 안에 써넣어라.

**023** $y=\sqrt{3x}$ ( )

**024** $y=(\sqrt{3}+1)x$ ( )

**025** $y=\sqrt{5-2x}$ ( )

**026** $y=\sqrt{(x-1)^2}$ ( )

**027** $y=\sqrt{x^2+2}$ ( )

### 유형 05 무리함수의 정의역

[028~032] 다음 무리함수의 정의역을 구하여라.

**028** $y=\sqrt{x+2}$

**029** $y=\sqrt{x-5}$

**030** $y=\sqrt{2x-3}$

**031** $y=\sqrt{-x+4}+7$

**032** $y=\sqrt{6-3x}-1$

## 06-3 무리함수 $y=\sqrt{ax}$, $y=-\sqrt{ax}$의 그래프

**(1) 무리함수 $y=\sqrt{x}$의 그래프**

무리함수 $y=\sqrt{x}$의 역함수는 함수 $y=x^2\,(x\ge0)$이므로 두 함수의 그래프는 직선 $y=x$에 대하여 서로 대칭이다.
따라서 무리함수 $y=\sqrt{x}$의 그래프는 오른쪽 그림과 같다.

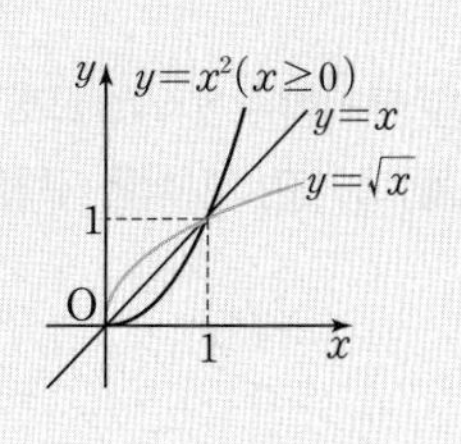


● 무리함수 $y=-\sqrt{x}$, $y=\sqrt{-x}$, $y=-\sqrt{-x}$의 그래프는 $y=\sqrt{x}$의 그래프를 각각 $x$축, $y$축, 원점에 대하여 대칭이동한 것이다.

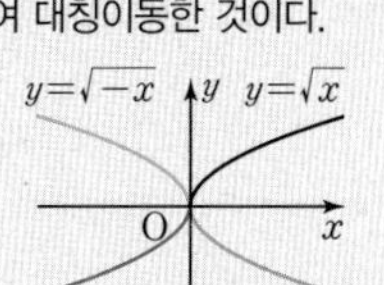


**(2) 무리함수 $y=\sqrt{ax}$, $y=-\sqrt{ax}\,(a\ne0)$의 그래프**

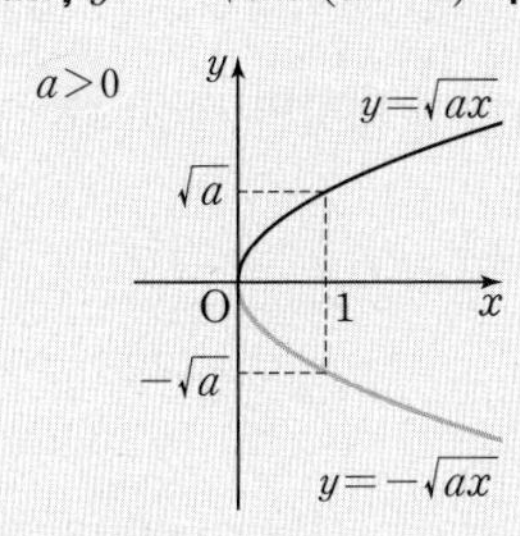


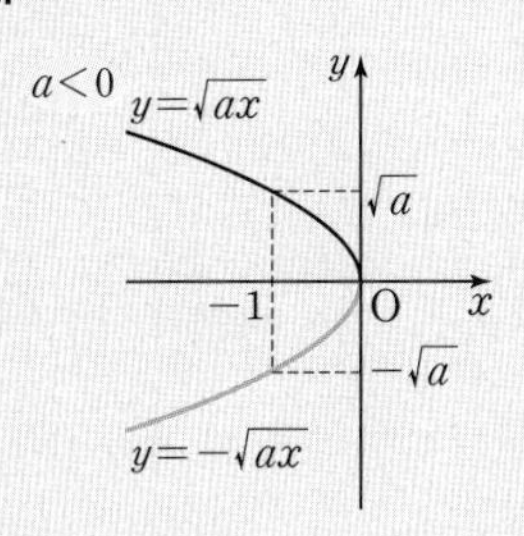


① $a>0$일 때 정의역은 $\{x\,|\,x\ge0\}$, $a<0$일 때 정의역은 $\{x\,|\,x\le0\}$이다.
② $y=\sqrt{ax}$의 치역은 $\{y\,|\,y\ge0\}$, $y=-\sqrt{ax}$의 치역은 $\{y\,|\,y\le0\}$이다.

## 연.산.유.형

정답과 해설 28쪽

### 유형 06 무리함수 $y=\sqrt{ax}$, $y=-\sqrt{ax}$의 그래프

[033~036] 다음 무리함수의 그래프를 그리고, 정의역과 치역을 구하여라.

**033** $y=\sqrt{2x}$

**034** $y=-\sqrt{2x}$

**035** $y=\sqrt{-2x}$

**036** $y=-\sqrt{-2x}$

## 유형 07 무리함수의 그래프의 대칭이동

[037~039] 아래 그림과 같은 무리함수 $y=\sqrt{3x}$의 그래프를 다음과 같이 대칭이동한 그래프를 그리고, 그 식을 구하여라.

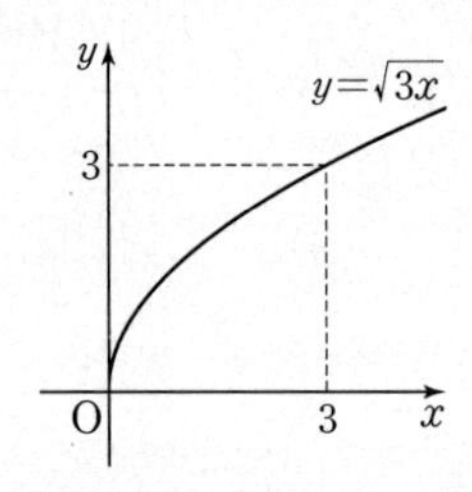


**037** $x$축에 대하여 대칭이동

**038** $y$축에 대하여 대칭이동

**039** 원점에 대하여 대칭이동

[040~042] 아래 그림과 같은 무리함수 $y=\sqrt{-x}$의 그래프를 다음과 같이 대칭이동한 그래프를 그리고, 그 식을 구하여라.

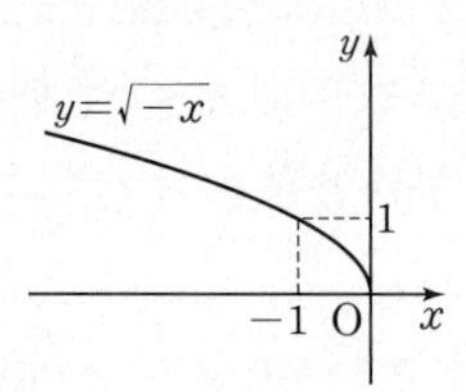


**040** $x$축에 대하여 대칭이동

**041** $y$축에 대하여 대칭이동

**042** 원점에 대하여 대칭이동

## 06-4 무리함수 $y=\sqrt{a(x-p)}+q$, $y=\sqrt{ax+b}+c$의 그래프

**(1) 무리함수 $y=\sqrt{a(x-p)}+q\ (a\neq0)$의 그래프**

무리함수 $y=\sqrt{a(x-p)}+q\ (a\neq0)$의 그래프는 무리함수 $y=\sqrt{ax}$의 그래프를 $x$축의 방향으로 $p$만큼, $y$축의 방향으로 $q$만큼 평행이동한 것이다.

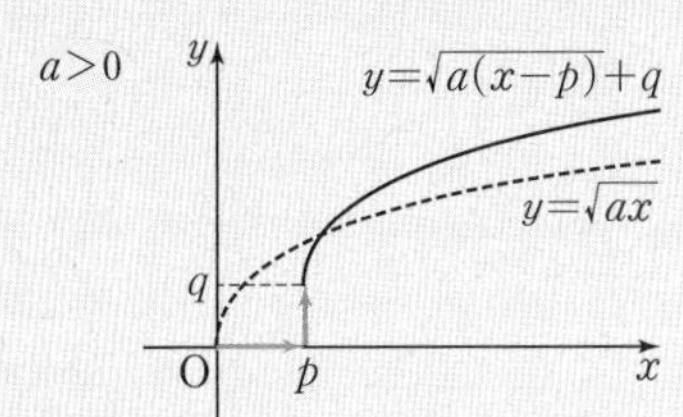


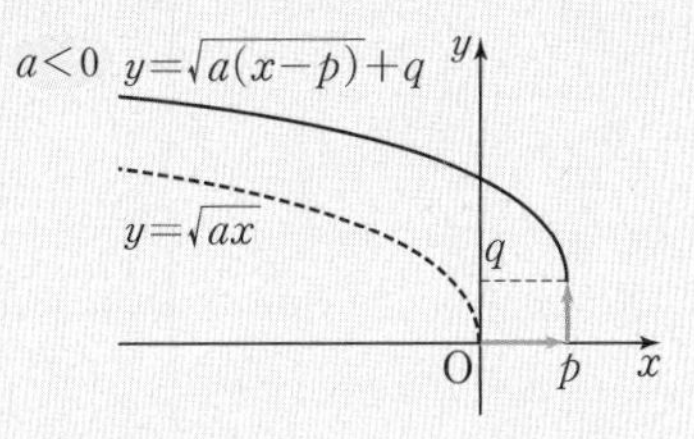


① $a>0$일 때 정의역은 $\{x|x\geq p\}$, $a<0$일 때 정의역은 $\{x|x\leq p\}$이다.

② 치역은 $\{y|y\geq q\}$이다.

**(2) 무리함수 $y=\sqrt{ax+b}+c\ (a\neq0)$의 그래프**

무리함수 $y=\sqrt{ax+b}+c\ (a\neq0)$의 그래프는 $y=\sqrt{a(x-p)}+q$ 꼴로 변형하여 그린다.

## 연.산.유.형

정답과 해설 29쪽

### 유형 08 무리함수의 그래프의 평행이동

**[043~049]** 다음 무리함수의 그래프를 $x$축의 방향으로 $p$만큼, $y$축의 방향으로 $q$만큼 평행이동한 그래프의 식을 구하여라.

**043** $y=\sqrt{2x}$ $[p=-1,\ q=2]$

> $y=\sqrt{2x}$의 그래프를 $x$축의 방향으로 $-1$만큼, $y$축의 방향으로 2만큼 평행이동한 그래프의 식은
> $y-\square=\sqrt{2\{x-(\square)\}}$ $\quad\therefore y=\sqrt{2x+\square}+\square$

**044** $y=\sqrt{x}$ $[p=-3,\ q=-4]$

**045** $y=-\sqrt{3x}$ $[p=2,\ q=3]$

**046** $y=\sqrt{3x}+1$ $[p=-2,\ q=-1]$

**047** $y=\sqrt{2x}-1$ $[p=1,\ q=2]$

**048** $y=\sqrt{-4x+8}+5$ $[p=1,\ q=-3]$

**049** $y=-\sqrt{-2x-6}+3$ $[p=2,\ q=3]$

## 유형 09 무리함수 $y=\sqrt{a(x-p)}+q$의 그래프

[050~055] 다음 무리함수의 그래프를 그리고, 정의역과 치역을 구하여라.

**050** $y=\sqrt{x+1}$

**051** $y=\sqrt{x}+1$

**052** $y=\sqrt{x-1}+2$

**053** $y=-\sqrt{2(x+2)}-3$

**054** $y=\sqrt{-(x-4)}+2$

**055** $y=-\sqrt{-3(x+2)}-1$

## 유형 10 무리함수 $y=\sqrt{ax+b}+c$의 그래프

[056~061] 다음 무리함수의 그래프를 그리고, 정의역과 치역을 구하여라.

**056** $y=\sqrt{2x-4}$

**057** $y=\sqrt{-x-1}-2$

**058** $y=\sqrt{3x+9}-1$

**059** $y=-\sqrt{4x-16}+3$

**060** $y=\sqrt{4-2x}-3$

**061** $y=-\sqrt{9-x}+3$

# 06-5 무리함수의 최대, 최소

정의역이 주어진 무리함수 $y=\sqrt{ax+b}+c\,(a\neq0)$의 최대, 최소는 다음과 같은 순서로 구한다.

(1) $y=\sqrt{a(x-p)}+q\,(a\neq0)$ 꼴로 변형한다.

(2) 주어진 정의역에서 그래프를 그린 다음 최댓값과 최솟값을 구한다.

➡ 무리함수 $y=f(x)$의 정의역이 $\{x|m\le x\le n\}$이면 $f(m)$, $f(n)$ 중 큰 값이 최댓값, 작은 값이 최솟값이다.

## 연.산.유.형

정답과 해설 30쪽

### 유형 11 무리함수의 최대, 최소

**[062~066]** 주어진 정의역에서 다음 함수의 최댓값과 최솟값을 구하여라.

**062** $y=\sqrt{x+2}-3$, $\{x|-1\le x\le 2\}$

주어진 함수의 그래프는 $y=\sqrt{x}$의 그래프를 $x$축의 방향으로 □만큼, $y$축의 방향으로 □만큼 평행이동한 것이다.

$x=-1$일 때 $y=$□이고, $x=2$일 때 $y=$□이므로 정의역 $\{x|-1\le x\le 2\}$에서 $y=\sqrt{x+2}-3$의 그래프는 다음 그림과 같다.

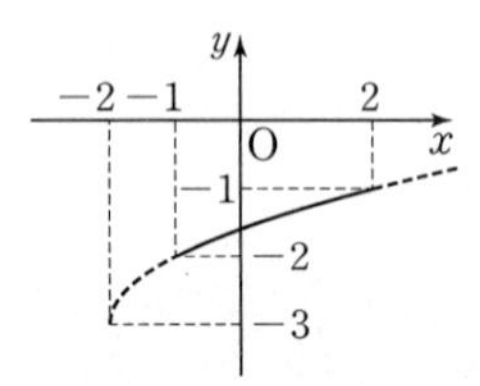


따라서 $x=$□일 때 최댓값은 □, $x=$□일 때 최솟값은 □이다.

**063** $y=\sqrt{2x-6}+1$, $\{x|5\le x\le 11\}$

**064** $y=\sqrt{-x-1}-2$, $\{x|-5\le x\le -2\}$

**065** $y=-\sqrt{3x+9}+2$, $\{x|0\le x\le 9\}$

**066** $y=-\sqrt{-2x+8}-1$, $\{x|-4\le x\le 2\}$

## 06-6 무리함수의 식 구하기

그래프가 시작하는 점의 좌표가 $(p,\ q)$이고 점 $(x_1,\ y_1)$을 지나는 무리함수의 식은 다음과 같은 순서로 구한다.

(1) 구하는 함수의 식을 $y=\pm\sqrt{a(x-p)}+q\ (a\neq0)$로 놓는다.

(2) $x=x_1,\ y=y_1$을 대입하여 $a$의 값을 구한다.

(3) $a$의 값을 (1)의 식에 대입하여 무리함수의 식을 구한다.

**연.산.유.형**

정답과 해설 31쪽

### 유형 12 무리함수의 식 구하기

[067~068] 무리함수 $y=\sqrt{ax+b}+c$의 그래프가 다음 그림과 같을 때, 상수 $a,\ b,\ c$의 값을 구하여라.

**067**

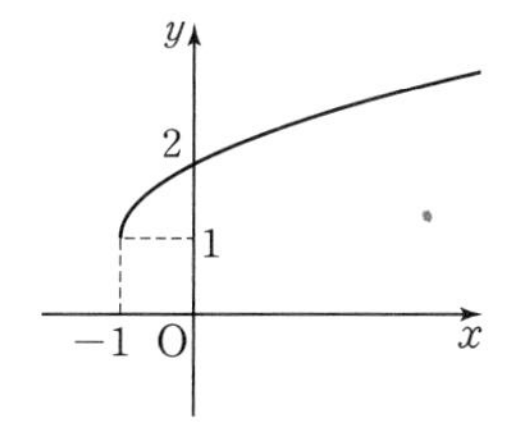


주어진 무리함수의 그래프는 $y=\sqrt{ax}\ (a>0)$의 그래프를 $x$축의 방향으로 $-1$만큼, $y$축의 방향으로 1만큼 평행이동한 것이므로 무리함수의 식을

$y=\sqrt{a\{x-(\square)\}}+\square$ …… ㉠

이라고 하자.

㉠의 그래프가 점 $(0,\ 2)$를 지나므로 $a=\square$

$a=\square$을 ㉠에 대입하면 $b=\square$, $c=\square$

**068**

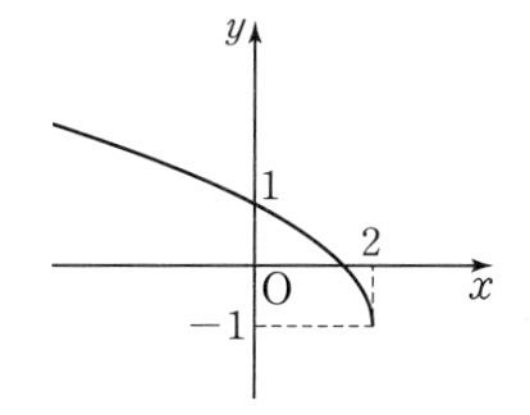


[069~070] 무리함수 $y=-\sqrt{ax+b}+c$의 그래프가 다음 그림과 같을 때, 상수 $a,\ b,\ c$의 값을 구하여라.

**069**

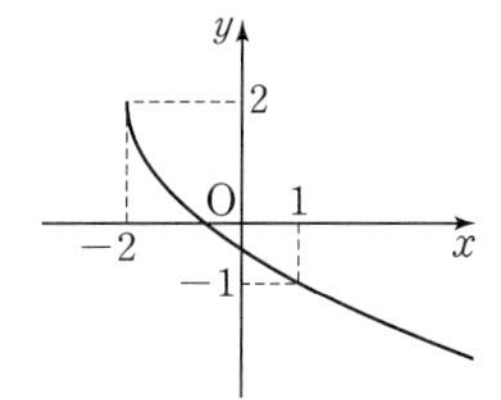


**070**

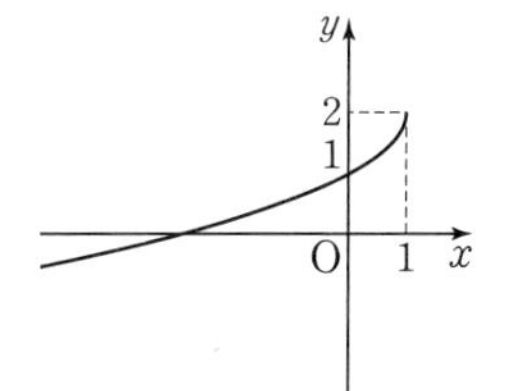

## 06-7 무리함수의 그래프와 직선의 위치 관계

(1) 무리함수 $y=f(x)$의 그래프와 직선 $y=g(x)$의 위치 관계는 그래프를 그려서 파악한다.

(2) 무리함수 $y=f(x)$의 그래프와 직선 $y=g(x)$가 접하면

➡ 이차방정식 $\{f(x)\}^2=\{g(x)\}^2$의 판별식 $D$에 대하여 $D=0$임을 이용한다.

연.산.유.형

정답과 해설 31쪽

### 유형 13 무리함수의 그래프와 직선의 위치 관계

[071~073] 주어진 무리함수의 그래프와 직선의 위치 관계가 다음과 같을 때, 상수 $k$의 값 또는 범위를 구하여라.

**071** $y=\sqrt{x+1}$, $y=x+k$

(1) 서로 다른 두 점에서 만난다.

(2) 한 점에서 만난다.

(3) 만나지 않는다.

$y=\sqrt{x+1}$의 그래프는 $y=\sqrt{x}$의 그래프를 $x$축의 방향으로 $-1$만큼 평행이동한 것이므로 오른쪽 그림과 같다.

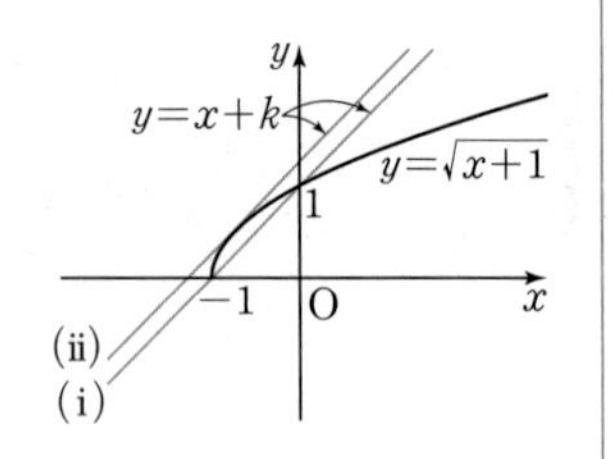


(i) 직선 $y=x+k$가 점 $(-1,\ 0)$을 지날 때

$0=-1+k \qquad \therefore k=\square$

(ii) 함수 $y=\sqrt{x+1}$의 그래프와 직선 $y=x+k$가 접할 때

$\sqrt{x+1}=x+k$의 양변을 제곱하여 정리하면

$x^2+(\square)x+k^2-1=0$

이 이차방정식의 판별식을 $D$라고 하면 $D=0$이어야 하므로 $k=\square$

(1) 함수의 그래프와 직선이 서로 다른 두 점에서 만날 때

$\square\le k<\square$

(2) 함수의 그래프와 직선이 한 점에서 만날 때

$k<\square$ 또는 $k=\square$

(3) 함수의 그래프와 직선이 만나지 않을 때

$k>\square$

**072** $y=\sqrt{2-x}$, $y=-x+k$

(1) 서로 다른 두 점에서 만난다.

(2) 한 점에서 만난다.

(3) 만나지 않는다.

**073** $y=-\sqrt{2x-4}$, $y=-\frac{1}{2}x+k$

(1) 서로 다른 두 점에서 만난다.

(2) 한 점에서 만난다.

(3) 만나지 않는다.

## 06-8 무리함수의 역함수

무리함수 $y=\sqrt{ax+b}+c\,(a\neq0)$의 역함수는 다음과 같은 순서로 구한다.

(1) 역함수의 정의역을 구한다.

➡ 주어진 무리함수의 치역이 구하는 역함수의 정의역이 된다.

(2) $y=\sqrt{ax+b}+c$를 $x$에 대하여 푼다. ➡ $x=\frac{1}{a}\{(y-c)^2-b\}$

(3) $x$와 $y$를 서로 바꾸어 역함수를 구한다. ➡ $y=\frac{1}{a}\{(x-c)^2-b\}$

이때 역함수의 정의역을 반드시 표시해 준다.

### 연.산.유.형

정답과 해설 32쪽

### 유형 14 무리함수의 역함수

[074~080] 다음 무리함수의 역함수를 구하여라.

**074** $y=\sqrt{x-1}+2$

무리함수 $y=\sqrt{x-1}+2$의 치역이 $\{y\,|\,y\geq2\}$이므로 역함수의 정의역은 $\{x\,|\,x\geq\square\}$이다.

$y=\sqrt{x-1}+2$에서 $y-\square=\sqrt{x-1}$

양변을 제곱한 후 $x$에 대하여 풀면

$x=(y-\square)^2+1$

$x$와 $y$를 서로 바꾸어 역함수를 구하면

$y=(\square)^2+1\ (x\geq\square)$

**075** $y=\sqrt{x+2}-3$

**076** $y=\sqrt{2x-3}+1$

**077** $y=\sqrt{3x+6}-1$

**078** $y=\sqrt{3-x}-5$

**079** $y=-\sqrt{2x-1}+4$

**080** $y=-\sqrt{-x+2}-3$

# 연산 유형 최종 점검하기

**1** 다음 보기 중 무리식인 것만을 있는 대로 고른 것은?

보기
ㄱ. $\sqrt{4x^2}+1$　　ㄴ. $\sqrt{x+2}-\sqrt{3x}$
ㄷ. $\dfrac{\sqrt{2}}{2x-3}$　　ㄹ. $\sqrt{x^2-1}+x$

① ㄱ, ㄴ　② ㄱ, ㄹ　③ ㄴ, ㄷ
④ ㄴ, ㄹ　⑤ ㄴ, ㄷ, ㄹ

**2** 무리식 $\dfrac{\sqrt{x-1}}{\sqrt{6-2x}}$의 값이 실수가 되도록 하는 $x$의 값의 범위는?

① $x<1$　② $x>3$　③ $1<x\le 3$
④ $1\le x<3$　⑤ $1\le x\le 3$

**3** $x=\dfrac{2}{\sqrt{3}-1}$, $y=\dfrac{2}{\sqrt{3}+1}$일 때, $\dfrac{\sqrt{x}+\sqrt{y}}{\sqrt{x}-\sqrt{y}}$의 값은?

① $2\sqrt{2}$　② $2\sqrt{3}$　③ $\sqrt{3}-\sqrt{2}$
④ $\sqrt{3}+\sqrt{2}$　⑤ $5$

**4** 무리함수 $y=\sqrt{3x}$의 그래프를 $x$축의 방향으로 $p$만큼, $y$축의 방향으로 $q$만큼 평행이동한 그래프의 식이 $y=\sqrt{3x-9}-2$일 때, $p+q$의 값은? (단, $p$, $q$는 상수)

① $-5$　② $-1$　③ $0$
④ $1$　⑤ $5$

**5** 다음 무리함수 중 그래프를 대칭이동 또는 평행이동하였을 때, 함수 $y=\sqrt{-x}$의 그래프와 겹쳐지지 않는 것은?

① $y=\sqrt{-x+6}$　② $y=\sqrt{-x}+1$
③ $y=-\sqrt{x+3}$　④ $y=-\sqrt{4-x}$
⑤ $y=\sqrt{1-2x}-1$

**6** 무리함수 $y=-\sqrt{1-x}+3$의 그래프가 지나지 않는 사분면은?

① 제2사분면
② 제3사분면
③ 제4사분면
④ 제1사분면, 제2사분면
⑤ 제3사분면, 제4사분면

**7** 무리함수 $y=-\sqrt{2x-4}-1$의 그래프에 대한 다음 설명 중 옳지 않은 것은?

① 정의역은 $\{x|x\geq 2\}$이다.
② 치역은 $\{y|y\leq -1\}$이다.
③ 점 $(4, -3)$을 지난다.
④ $y$축과 점 $(0, -1)$에서 만난다.
⑤ 무리함수 $y=-\sqrt{2x}$의 그래프를 평행이동한 것이다.

**8** 정의역이 $\{x|-6\leq x\leq 2\}$인 무리함수 $y=\sqrt{3-x}+4$의 최댓값을 $M$, 최솟값을 $m$이라고 할 때, $M-m$의 값은?

① 2 ② 4 ③ 5
④ 6 ⑤ 7

**9** 정의역이 $\{x|1\leq x\leq 6\}$인 무리함수 $y=\sqrt{3x-2}+k$의 최댓값이 5일 때, 최솟값은? (단, $k$는 상수)

① $-5$ ② $-3$ ③ $-2$
④ 1 ⑤ 2

**10** 무리함수 $y=\sqrt{ax+b}+c$의 그래프가 오른쪽 그림과 같을 때, $a+b+c$의 값을 구하여라. (단, $a$, $b$, $c$는 상수)

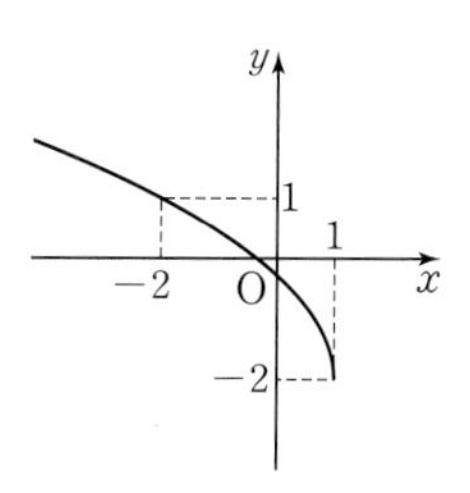


**11** 무리함수 $y=\sqrt{2x-3}$의 그래프와 직선 $y=x+k$가 서로 다른 두 점에서 만나도록 하는 상수 $k$의 값의 범위가 $a\leq k<b$일 때, $ab$의 값은?

① $\frac{3}{2}$ ② 2 ③ $\frac{5}{2}$
④ 3 ⑤ $\frac{7}{2}$

**12** 무리함수 $y=\sqrt{1-8x}+4$의 역함수는?

① $y=-\frac{1}{8}x^2-\frac{3}{8}x-15$ $(x\geq 4)$
② $y=-\frac{1}{8}x^2+x-\frac{15}{8}$ $(x\geq 4)$
③ $y=\frac{1}{4}x^2+x+\frac{3}{4}$ $(x\leq 8)$
④ $y=4x^2+2x-\frac{8}{5}$ $(x\geq 8)$
⑤ $y=8x^2+\frac{1}{2}x+5$ $(x\geq 4)$

# 07

# 순열

AM

유형 01 경우의 수
유형 02 합의 법칙
유형 03 곱의 법칙
유형 04 부등식의 해의 개수
유형 05 약수의 개수

유형 06 색칠하는 경우의 수
유형 07 도로망에서의 경우의 수
유형 08 순열의 수
유형 09 계승
유형 10 순열의 수를 만족하는 값 구하기

유형 11 순열을 이용한 경우의 수
유형 12 제한 조건이 있는 순열의 수
유형 13 자연수의 개수
유형 14 이웃하는 순열의 수

# 07 순열

## 07-1 경우의 수

(1) **경우의 수**

① 사건: 같은 조건에서 반복할 수 있는 실험이나 관찰에 의해 나타나는 결과

② 경우의 수: 사건이 일어나는 가짓수

예 주사위 한 개를 던질 때, 나오는 눈의 수가 2의 배수인 경우의 수는 2, 4, 6의 3이다.
(눈의 수가 2의 배수: 사건 / 2, 4, 6: 경우 / 3: 경우의 수)

(2) **합의 법칙**

두 사건 $A$, $B$가 동시에 일어나지 않을 때, 사건 $A$와 사건 $B$가 일어나는 경우의 수가 각각 $m$, $n$이면

**(사건 $A$ 또는 사건 $B$가 일어나는 경우의 수)$=m+n$**

참고 합의 법칙은 어느 두 사건도 동시에 일어나지 않는 세 가지 이상의 사건에 대해서도 성립한다.

(3) **곱의 법칙**

두 사건 $A$, $B$에 대하여 사건 $A$가 일어나는 경우의 수가 $m$이고, 그 각각에 대하여 사건 $B$가 일어나는 경우의 수가 $n$이면

**(두 사건 $A$, $B$가 동시에 일어나는 경우의 수)$=m\times n$**

참고 곱의 법칙은 동시에 일어나는 세 가지 이상의 사건에 대해서도 성립한다.

## 연·산·유·형

정답과 해설 34쪽

### 유형 01 경우의 수

[001~004] 다음을 구하여라.

**001** 어느 학급 학생 27명 중에서 한 명을 뽑는 경우의 수

**002** 두 사람이 가위바위보를 할 때, 비기는 경우의 수

**003** 1부터 20까지의 자연수가 각각 하나씩 적힌 20장의 카드에서 한 장을 뽑을 때, 뽑은 카드에 적힌 수가 6의 배수인 경우의 수

**004** 서로 다른 주사위 두 개를 동시에 던질 때, 나오는 눈의 수의 합이 3이 되는 경우의 수

## 유형 02 합의 법칙

[005~009] 다음을 구하여라.

**005** 서로 다른 운동화 3켤레와 구두 5켤레 중에서 한 켤레를 택하는 경우의 수

**006** A지점에서 B지점까지 가는 버스 노선이 3개, 지하철 노선이 4개 있을 때, A지점에서 B지점까지 버스 또는 지하철을 타고 가는 경우의 수

**007** 서로 다른 동화책 3권, 소설책 2권, 만화책 3권 중에서 한 권을 택할 때, 동화책 또는 소설책을 택하는 경우의 수

**008** 1부터 10까지의 자연수가 각각 하나씩 적힌 10장의 카드에서 한 장을 뽑을 때, 카드에 적힌 수가 3의 배수 또는 5의 배수인 경우의 수

**009** 서로 다른 주사위 두 개를 동시에 던질 때, 나오는 눈의 수의 합이 4 또는 5가 되는 경우의 수

## 유형 03 곱의 법칙

[010~014] 다음을 구하여라.

**010** 서로 다른 셔츠 7종류와 바지 3종류에서 셔츠와 바지를 각각 하나씩 고르는 경우의 수

**011** 남학생 3명과 여학생 4명으로 구성된 모둠에서 남학생과 여학생을 각각 한 명씩 뽑는 경우의 수

**012** 주사위 한 개를 두 번 던질 때, 나오는 눈의 수가 첫 번째는 2의 배수이고 두 번째는 3의 배수인 경우의 수

**013** 서로 다른 주사위 두 개와 서로 다른 동전 두 개를 동시에 던질 때, 일어나는 모든 경우의 수

**014** $(x+y)(a+b+c)$의 전개식에서 항의 개수

## 07-2 여러 가지 경우의 수

**(1) 부등식의 해의 개수**

부등식 $ax+by\le c$($a$, $b$, $c$는 상수)를 만족하는 순서쌍 $(x, y)$의 개수는 $x$, $y$ 중 계수의 절댓값이 큰 것을 기준으로 수를 대입하여 구한다.

**(2) 약수의 개수**

$x^a y^b z^c$ 꼴로 소인수분해되는 자연수의 양의 약수의 개수는

➡ $(a+1)(b+1)(c+1)$

**(3) 색칠하는 경우의 수**

각 영역을 칠할 수 있는 경우의 수를 구한 후 곱의 법칙을 이용한다.

**(4) 도로망에서의 경우의 수**

동시에 갈 수 없는 길이면 합의 법칙을 이용하고, 이어지는 길이면 곱의 법칙을 이용한다.

### 연.산.유.형

정답과 해설 34쪽

### 유형 04 부등식의 해의 개수

**[015~017]** 다음 부등식을 만족하는 자연수 $x$, $y$의 순서쌍 $(x, y)$의 개수를 구하여라.

**015** $2x+y\le 6$

(i) $x=1$일 때
$(1, 1)$, $(1, 2)$, $(1, 3)$, $(1, 4)$의 □개
(ii) $x=2$일 때
$(2, 1)$, $(2, 2)$의 □개
(i), (ii)에서 구하는 순서쌍 $(x, y)$의 개수는 □이다.

**016** $x+y\le 5$

**017** $x+3y\le 10$

### 유형 05 약수의 개수

**[018~021]** 다음 자연수의 양의 약수의 개수를 구하여라.

**018** 18

$18=2\times 3^2$이므로 18의 양의 약수의 개수는
$(1+1)(□+1)=□$

**019** 48

**020** 72

**021** 180

## 유형 06 색칠하는 경우의 수

**[022~025]** 다음 그림의 A, B, C, D 4개의 영역을 서로 다른 4가지의 색으로 칠하려고 한다. 같은 색을 여러 번 사용해도 좋으나 인접하는 영역은 서로 다른 색으로 칠할 때, 칠하는 경우의 수를 구하여라.

**022**

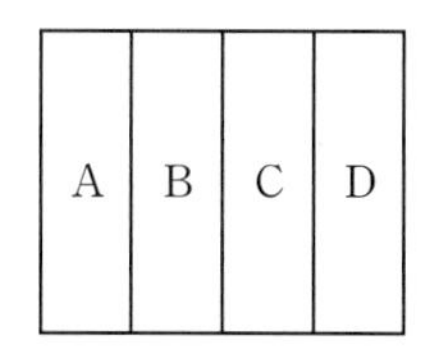


**023**

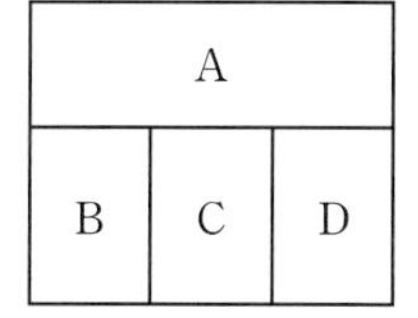


**024**

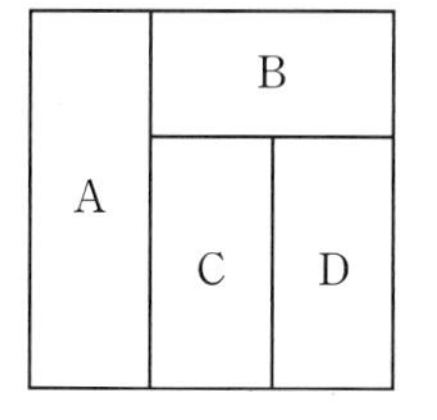


**025**

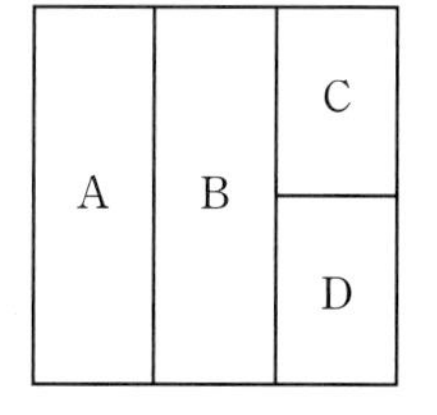


## 유형 07 도로망에서의 경우의 수

**026** 오른쪽 그림과 같이 세 지점을 연결하는 도로가 있다. 한 번 지나간 지점은 다시 지나가지 않는다고 할 때, 집에서 출발하여 서점으로 가는 경우의 수를 구하여라.

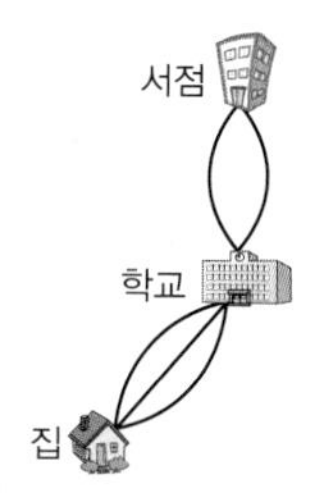


**[027~029]** 오른쪽 그림과 같이 세 지점 A, B, C를 연결하는 도로가 있다. 한 번 지나간 지점은 다시 지나가지 않는다고 할 때, 다음을 구하여라.

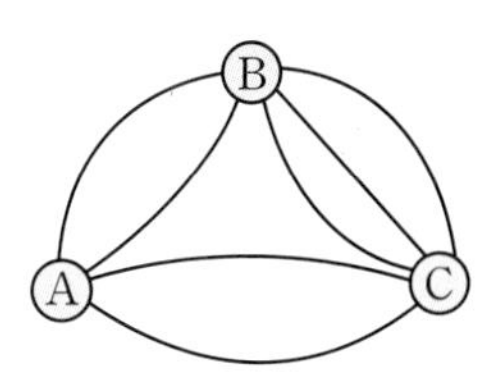


**027** A지점에서 출발하여 B지점을 거쳐 C지점으로 가는 경우의 수

**028** A지점에서 출발하여 B지점을 거치지 않고 C지점으로 가는 경우의 수

**029** A지점에서 출발하여 C지점으로 가는 경우의 수

## 07-3 순열

**(1) 순열**

서로 다른 $n$개에서 $r(r\le n)$개를 택하여 일렬로 나열하는 것을 $n$개에서 $r$개를 택하는 **순열**이라 하고, 기호 $_n\mathrm{P}_r$로 나타낸다.

$_n\mathrm{P}_r$
$n$: 서로 다른 것의 개수
$r$: 순서를 생각하여 택하는 것의 개수

예 학생 5명 중에서 3명을 뽑아 한 줄로 세우는 경우의 수는 $_5\mathrm{P}_3$이다.

**(2) 순열의 수**

서로 다른 $n$개에서 $r$개를 택하는 순열의 수는

$$_n\mathrm{P}_r=n(n-1)(n-2)\cdots(n-r+1) \text{ (단, } 0<r\le n)$$

예 서로 다른 4개에서 2개를 택하는 순열의 수는 $_4\mathrm{P}_2=4\times3=12$

**(3) 계승**

1부터 $n$까지의 자연수를 곱한 것을 $n$의 **계승**이라 하고, 기호 $n!$로 나타낸다. 즉,

$$n!=n(n-1)(n-2)\cdots3\times2\times1$$

● $n!$은 '$n$팩토리얼'이라고 읽는다.

**(4) 계승을 이용한 순열의 수**

① $_n\mathrm{P}_r=\dfrac{n!}{(n-r)!}$ (단, $0\le r\le n$)

② $_n\mathrm{P}_n=n!$, $_n\mathrm{P}_0=1$, $0!=1$

### 연.산.유.형

정답과 해설 35쪽

#### 유형 08 순열의 수

[030~033] 다음 순열의 수를 구하여라.

**030** $_5\mathrm{P}_2$

**031** $_8\mathrm{P}_1$

**032** $_3\mathrm{P}_3$

**033** $_6\mathrm{P}_0$

#### 유형 09 계승

[034~037] 다음 값을 구하여라.

**034** $4!$

**035** $5!$

**036** $1!$

**037** $0!$

## 유형 10 순열의 수를 만족하는 값 구하기

[038~041] 다음을 만족하는 자연수 $n$의 값을 구하여라.

**038** ${}_{n}\mathrm{P}_{2}=56$

**039** ${}_{n}\mathrm{P}_{3}=60$

**040** ${}_{n}\mathrm{P}_{n}=24$

**041** ${}_{n}\mathrm{P}_{3}=2{}_{n}\mathrm{P}_{2}$

[042~044] 다음을 만족하는 자연수 $r$의 값을 구하여라.

**042** ${}_{9}\mathrm{P}_{r}=72$

**043** ${}_{6}\mathrm{P}_{r}=120$

**044** ${}_{7}\mathrm{P}_{r}=1$

## 유형 11 순열을 이용한 경우의 수

[045~049] 다음을 구하여라.

**045** 6명의 학생 중에서 3명을 뽑아 일렬로 세우는 경우의 수

**046** 4명의 학생을 일렬로 세우는 경우의 수

**047** 7명의 후보 중에서 회장 1명, 부회장 1명을 뽑는 경우의 수

**048** 5개의 문자 $a$, $b$, $c$, $d$, $e$ 중에서 3개를 택하여 일렬로 나열하는 경우의 수

**049** 8명의 후보 중에서 회장 1명, 부회장 1명, 총무 1명을 뽑는 경우의 수

## 유형 12 제한 조건이 있는 순열의 수

[050~053] 다음을 구하여라.

**050** 6명의 후보 A, B, C, D, E, F 중에서 회장 1명, 부회장 1명, 총무 1명을 뽑을 때, D가 회장으로 뽑히는 경우의 수

회장으로 D를 뽑고 나머지 후보 5명 중에서 부회장 1명, 총무 1명을 뽑으면 되므로 구하는 경우의 수는
$_{\square}P_{\square}=\square$

**051** 7명의 후보 A, B, C, D, E, F, G 중에서 회장 1명, 부회장 1명을 뽑을 때, A가 부회장으로 뽑히는 경우의 수

**052** 5개의 문자 $a$, $b$, $c$, $d$, $e$ 중에서 3개를 택하여 일렬로 나열할 때, $b$가 맨 앞에 오는 경우의 수

**053** 6개의 문자 $a$, $b$, $c$, $d$, $e$, $f$ 중에서 5개를 택하여 일렬로 나열할 때, $c$가 맨 앞에 오고 $e$가 맨 뒤에 오는 경우의 수

## 유형 13 자연수의 개수

[054~057] 0, 1, 2, 3, 4의 숫자가 각각 하나씩 적힌 5장의 카드가 있을 때, 다음을 구하여라.

**054** 서로 다른 3장의 카드를 뽑아 만들 수 있는 세 자리 자연수의 개수

백의 자리에 올 수 있는 숫자는 $\square$을 제외한 $\square$개
십의 자리와 일의 자리에는 백의 자리에 오는 숫자를 제외한 $\square$개의 숫자 중에서 2개를 뽑아 일렬로 나열하면 되므로 그 경우의 수는
$_{\square}P_{\square}=\square$
따라서 구하는 세 자리 자연수의 개수는
$\square\times12=\square$

**055** 서로 다른 4장의 카드를 뽑아 만들 수 있는 네 자리 자연수의 개수

**056** 서로 다른 4장의 카드를 뽑아 만들 수 있는 네 자리 자연수 중 홀수의 개수

**057** 서로 다른 3장의 카드를 뽑아 만들 수 있는 세 자리 자연수 중 짝수의 개수

## 07-4 이웃하는 순열의 수

이웃하는 것이 있는 순열의 수는 다음과 같은 순서로 구한다.

(1) 이웃하는 것을 한 묶음으로 생각하여 일렬로 나열하는 경우의 수를 구한다.

(2) 묶음 안에서 이웃하는 것끼리 자리를 바꾸는 경우의 수를 구한다.

(3) (1), (2)에서 구한 경우의 수를 곱한다.

### 연.산.유.형

정답과 해설 36쪽

### 유형 14 이웃하는 순열의 수

[058~063] 다음을 구하여라.

**058** 부모님을 포함한 5명의 가족을 일렬로 세울 때, 부모님이 이웃하는 경우의 수

부모님을 한 묶음으로 생각하여 4명을 일렬로 세우는 경우의 수는 ☐

부모님이 자리를 바꾸는 경우의 수는 ☐

따라서 구하는 경우의 수는 ☐

**059** 찬호와 준형이를 포함한 4명의 학생을 일렬로 세울 때, 찬호와 준형이가 이웃하는 경우의 수

**060** 남학생 4명과 여학생 3명을 일렬로 세울 때, 여학생끼리 이웃하는 경우의 수

**061** 1학년 학생 3명과 2학년 학생 2명을 일렬로 세울 때, 1학년 학생은 1학년 학생끼리, 2학년 학생은 2학년 학생끼리 이웃하는 경우의 수

**062** 5개의 문자 $a$, $b$, $c$, $d$, $e$를 일렬로 나열할 때, 모음끼리 이웃하는 경우의 수

**063** 6개의 문자 $a$, $b$, $c$, $d$, $e$, $f$를 일렬로 나열할 때, $a$가 맨 앞에 오고 $c$와 $f$가 이웃하는 경우의 수

# 연산 유형 최종 점검하기

**1** 서로 다른 주사위 두 개를 동시에 던질 때, 나오는 눈의 수의 합이 6의 배수가 되는 경우의 수는?

① 4 ② 5 ③ 6
④ 7 ⑤ 8

**2** 십의 자리의 숫자는 짝수이고 일의 자리의 숫자는 홀수인 두 자리 자연수의 개수는?

① 14 ② 16 ③ 18
④ 20 ⑤ 22

**3** $(x+y+z)(a+b+c+d)$의 전개식에서 항의 개수는?

① 8 ② 9 ③ 10
④ 11 ⑤ 12

**4** 부등식 $x+2y\le7$을 만족하는 자연수 $x$, $y$의 순서쌍 $(x, y)$의 개수는?

① 7 ② 9 ③ 11
④ 13 ⑤ 15

**5** 60의 양의 약수의 개수를 $a$, 100의 양의 약수의 개수를 $b$라고 할 때, $a+b$의 값은?

① 13 ② 15 ③ 17
④ 19 ⑤ 21

**6** 오른쪽 그림의 A, B, C, D, E 5개의 영역을 서로 다른 5가지의 색으로 칠하려고 한다. 같은 색을 여러 번 사용해도 좋으나 인접하는 영역은 서로 다른 색으로 칠할 때, 칠하는 경우의 수를 구하여라.

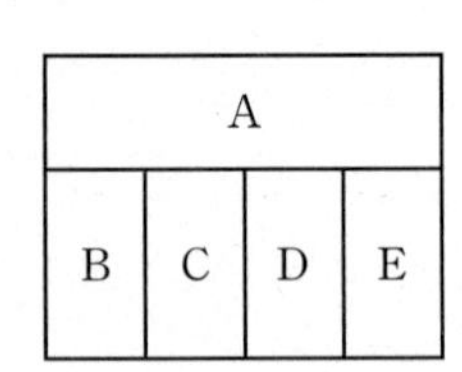

정답과 해설 37쪽

**7** 오른쪽 그림과 같이 네 지점 A, B, C, D를 연결하는 도로가 있다. 한 번 지나간 지점은 다시 지나가지 않는다고 할 때, A 지점에서 출발하여 C지점으로 가는 경우의 수를 구하여라.

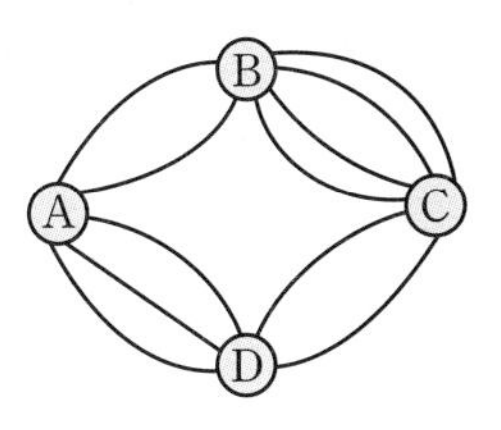


**8** ${}_{n}P_{4}=12{}_{n}P_{2}$를 만족하는 자연수 $n$의 값을 구하여라.

**9** 6개의 문자 $a$, $b$, $c$, $d$, $e$, $f$ 중에서 3개를 택하여 일렬로 나열하는 경우의 수는?

① 30 ② 40 ③ 60
④ 100 ⑤ 120

**10** 7명의 후보 A, B, C, D, E, F, G 중에서 회장 1명, 부회장 1명, 서기 1명을 뽑을 때, D가 서기로 뽑히는 경우의 수를 구하여라.

**11** 부모님을 포함한 5명의 가족이 일렬로 서서 가족 사진을 찍으려고 한다. 양 끝에 부모님이 서는 경우의 수는?

① 8 ② 10 ③ 12
④ 14 ⑤ 16

**12** 1, 2, 3, 4, 5의 숫자가 각각 하나씩 적힌 5장의 카드에서 서로 다른 3장을 뽑아 만들 수 있는 세 자리 자연수의 개수는?

① 20 ② 24 ③ 48
④ 60 ⑤ 120

**13** 1학년 학생 3명과 2학년 학생 3명을 일렬로 세울 때, 1학년 학생끼리 이웃하는 경우의 수는?

① 144 ② 146 ③ 148
④ 160 ⑤ 168

# 08

# 조합

AM

유형 01 조합의 수

유형 02 조합을 이용한 경우의 수

유형 03 특정한 것을 포함하거나 포함하지 않는 조합의 수

유형 04 뽑아서 나열하는 경우의 수

유형 05 직선의 개수

유형 06 삼각형의 개수

유형 07 사각형의 개수

# 08 조합



## 08-1 조합

**(1) 조합**

서로 다른 $n$개에서 순서를 생각하지 않고 $r(r \le n)$개를 택하는 것을 $n$개에서 $r$개를 택하는 **조합**이라 하고, 기호 $_{n}\mathrm{C}_{r}$로 나타낸다.

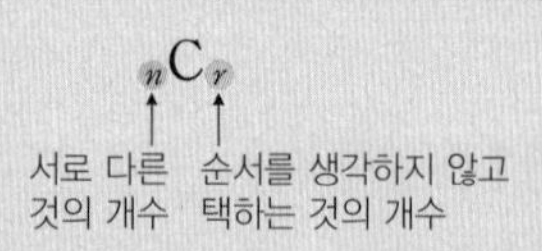


• AB, BA처럼 순서가 다를 때, 순열은 다른 경우로 생각하고 조합은 같은 경우로 생각한다.

예 학생 5명 중에서 대표 2명을 뽑는 경우의 수는 $_{5}\mathrm{C}_{2}$이다.

**(2) 조합의 수**

① 서로 다른 $n$개에서 $r$개를 택하는 조합의 수는

$$_{n}\mathrm{C}_{r}=\frac{_{n}\mathrm{P}_{r}}{r!}=\frac{n!}{r!(n-r)!} \text{ (단, } 0 \le r \le n)$$

② $_{n}\mathrm{C}_{n}=1$, $_{n}\mathrm{C}_{0}=1$

예 서로 다른 4개에서 2개를 택하는 조합의 수는 $_{4}\mathrm{C}_{2}=\frac{_{4}\mathrm{P}_{2}}{2!}=\frac{4\times3}{2\times1}=6$

• 조합의 수 $_{n}\mathrm{C}_{r}$ 각각에 대하여 $r$개를 일렬로 나열하는 경우의 수는 $r!$이다.
즉, $_{n}\mathrm{C}_{r}\times r!={}_{n}\mathrm{P}_{r}$이므로 $_{n}\mathrm{C}_{r}=\frac{_{n}\mathrm{P}_{r}}{r!}$이다.

**(3) 조합의 수의 성질**

① $_{n}\mathrm{C}_{r}={}_{n}\mathrm{C}_{n-r}$ (단, $0 \le r \le n$)

② $_{n}\mathrm{C}_{r}={}_{n-1}\mathrm{C}_{r-1}+{}_{n-1}\mathrm{C}_{r}$ (단, $1 \le r \le n-1$)

## 연·산·유·형

정답과 해설 38쪽

### 유형 01 조합의 수

[001~004] 다음 조합의 수를 구하여라.

**001** $_{8}\mathrm{C}_{3}$

**002** $_{9}\mathrm{C}_{1}$

**003** $_{5}\mathrm{C}_{5}$

**004** $_{8}\mathrm{C}_{0}$

[005~008] 다음 □ 안에 알맞은 것을 써넣어라.

**005** $_{6}\mathrm{C}_{2}=\frac{_{6}\mathrm{P}_{2}}{\square!}$

**006** $_{7}\mathrm{C}_{3}=\frac{_{7}\mathrm{P}_{\square}}{3!}$

**007** $_{9}\mathrm{C}_{3}=\frac{9!}{3!\square!}$

**008** $_{\square}\mathrm{C}_{2}=\frac{7!}{2!5!}$

[009~011] 다음을 만족하는 자연수 $n$의 값을 구하여라.

**009** ${}_{n}C_{2}=15$

**010** ${}_{n}C_{3}=35$

**011** ${}_{n}C_{10}=1$

[012~014] 다음을 만족하는 자연수 $r$의 값을 구하여라.

**012** ${}_{6}C_{r}=20$

**013** ${}_{7}C_{r}=21$

**014** ${}_{10}C_{r}=1$

[015~016] 다음을 만족하는 자연수 $n$의 값을 구하여라.

**015** ${}_{n}C_{2}={}_{n}C_{11}$

**016** ${}_{n}C_{7}={}_{n}C_{8}$

## 유형 02 조합을 이용한 경우의 수

[017~021] 다음을 구하여라.

**017** 학생 7명 중에서 대표 3명을 뽑는 경우의 수

**018** 8종류의 메뉴 중에서 2가지를 고르는 경우의 수

**019** 5개의 문자 $a$, $b$, $c$, $d$, $e$ 중에서 2개를 택하는 경우의 수

**020** 1부터 10까지의 자연수 중에서 3개의 수를 택하는 경우의 수

**021** 야구 선수 5명과 축구 선수 7명 중에서 3명을 뽑을 때, 3명 모두 야구 선수인 경우의 수

## 유형 03 특정한 것을 포함하거나 포함하지 않는 조합의 수

[022~026] 다음을 구하여라.

**022** 5개의 문자 $a$, $b$, $c$, $d$, $e$ 중에서 3개를 택할 때, $b$를 포함하는 경우의 수

$b$를 제외한 4개의 문자 중에서 2개를 택하면 되므로 구하는 경우의 수는

$_{\square}C_{\square}=\square$

**023** 1학년 학생 6명과 2학년 학생 2명 중에서 5명을 뽑을 때, 2학년 학생 모두를 포함하는 경우의 수

**024** 남학생 4명과 여학생 5명 중에서 4명을 뽑을 때, 특정 남학생 1명과 특정 여학생 1명을 포함하는 경우의 수

**025** 1부터 10까지의 자연수 중에서 3개의 수를 택할 때, 4는 포함하지 않는 경우의 수

**026** 6개의 문자 $a$, $b$, $c$, $d$, $e$, $f$ 중에서 4개를 택할 때, $a$는 포함하고 $e$는 포함하지 않는 경우의 수

## 유형 04 뽑아서 나열하는 경우의 수

[027~030] 다음을 구하여라.

**027** 남학생 5명과 여학생 4명 중에서 남학생 2명과 여학생 2명을 뽑아 일렬로 세우는 경우의 수

남학생 5명 중에서 2명을 뽑는 경우의 수는

$_{\square}C_{\square}=\square$

여학생 4명 중에서 2명을 뽑는 경우의 수는

$_{\square}C_{\square}=\square$

뽑힌 4명을 일렬로 세우는 경우의 수는 $\square$

따라서 구하는 경우의 수는 $\square$

**028** 1반 학생 6명과 2반 학생 5명 중에서 1반 학생 3명과 2반 학생 2명을 뽑아 일렬로 세우는 경우의 수

**029** A동아리 회원 4명, B동아리 회원 6명, C동아리 회원 3명 중에서 A동아리 회원 2명, B동아리 회원 2명, C동아리 회원 1명을 뽑아 일렬로 세우는 경우의 수

**030** 6명의 학생 A, B, C, D, E, F 중에서 A, B를 포함한 4명의 학생을 뽑아 일렬로 세울 때, A와 B가 이웃하는 경우의 수

## 08-2 도형의 개수

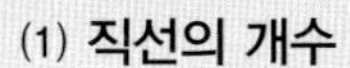

**(1) 직선의 개수**

어느 세 점도 한 직선 위에 있지 않은 서로 다른 $n$개의 점으로 만들 수 있는 직선의 개수는 ${}_{n}\mathrm{C}_{2}$이다.

- 한 직선 위에 있는 서로 다른 $n$개의 점으로 만들 수 있는 직선은 1개이다.

**(2) 삼각형의 개수**

어느 세 점도 한 직선 위에 있지 않은 서로 다른 $n$개의 점으로 만들 수 있는 삼각형의 개수는 ${}_{n}\mathrm{C}_{3}$이다.

- 한 직선 위에 있는 서로 다른 3개의 점으로는 삼각형을 만들 수 없다.

**(3) 사각형의 개수**

① 어느 세 점도 한 직선 위에 있지 않은 서로 다른 $n$개의 점으로 만들 수 있는 사각형의 개수는 ${}_{n}\mathrm{C}_{4}$이다.

② $m$개의 평행한 직선과 $n$개의 평행한 직선이 만날 때, $m$개의 직선 중에서 2개를 택하고 $n$개의 직선 중에서 2개를 택하면 평행사변형이 되므로 주어진 직선으로 만들 수 있는 평행사변형의 개수는 ${}_{m}\mathrm{C}_{2}\times{}_{n}\mathrm{C}_{2}$이다.

### 연.산.유.형

정답과 해설 39쪽

### 유형 05 직선의 개수

[031~034] 다음을 구하여라.

**031** 한 평면 위에 있는 서로 다른 4개의 점 중에서 어느 세 점도 한 직선 위에 있지 않을 때, 주어진 점을 이어서 만들 수 있는 서로 다른 직선의 개수

**032** 오른쪽 그림과 같이 원 위에 5개의 점이 있을 때, 주어진 점을 이어서 만들 수 있는 서로 다른 직선의 개수

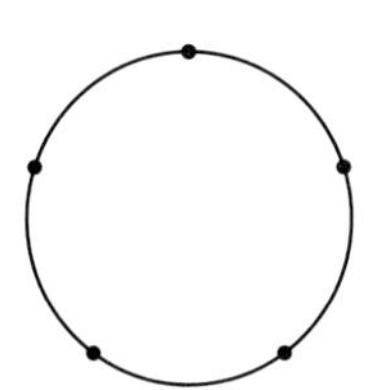

**033** 오른쪽 그림과 같이 직사각형의 변 위에 8개의 점이 있을 때, 주어진 점을 이어서 만들 수 있는 서로 다른 직선의 개수

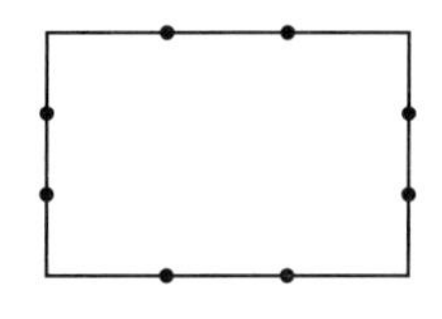

**034** 다음 그림과 같이 평행한 두 직선 $l$, $m$ 위에 7개의 점이 있을 때, 주어진 점을 이어서 만들 수 있는 서로 다른 직선의 개수

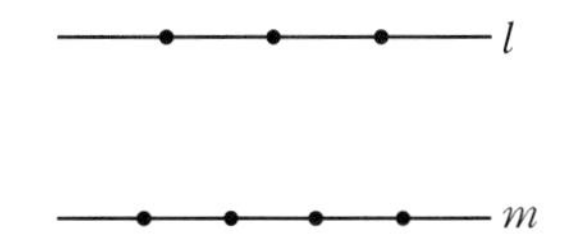

## 유형 06 삼각형의 개수

[035~037] 다음을 구하여라.

**035** 오른쪽 그림과 같이 반원 위에 있는 8개의 점 중에서 3개를 꼭짓점으로 하는 삼각형의 개수

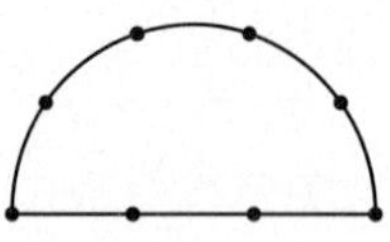

8개의 점 중에서 3개를 택하는 경우의 수는

$_{\square}C_{\square}=\square$

한 직선 위에 있는 4개의 점 중에서 3개를 택하는 경우의 수는

$_{\square}C_{\square}=\square$

그런데 한 직선 위에 있는 3개의 점으로는 삼각형을 만들 수 없으므로 구하는 삼각형의 개수는 $\square$

**036** 다음 그림과 같이 평행한 두 직선 $l$, $m$ 위에 있는 7개의 점 중에서 3개를 꼭짓점으로 하는 삼각형의 개수

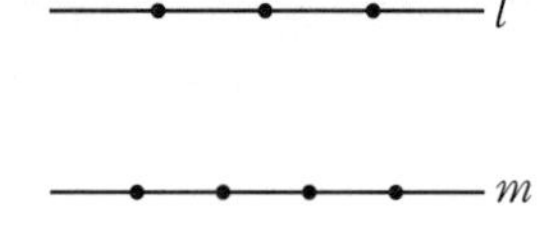


**037** 오른쪽 그림과 같이 정삼각형 위에 같은 간격으로 놓인 9개의 점 중에서 3개를 꼭짓점으로 하는 삼각형의 개수

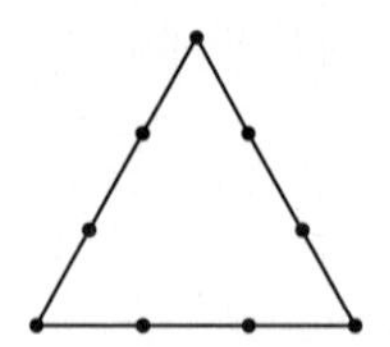

## 유형 07 사각형의 개수

[038~040] 다음을 구하여라.

**038** 오른쪽 그림과 같이 원 위에 같은 간격으로 놓인 8개의 점 중에서 4개를 꼭짓점으로 하는 사각형의 개수

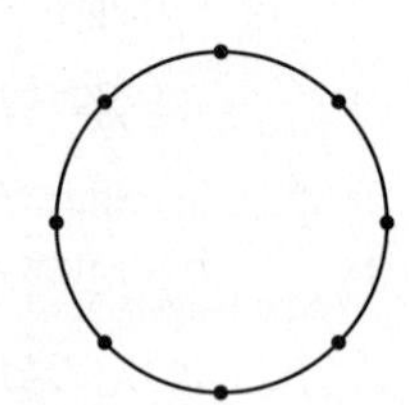

**039** 다음 그림과 같이 평행한 두 직선 $l$, $m$ 위에 있는 9개의 점 중에서 4개를 꼭짓점으로 하는 사각형의 개수

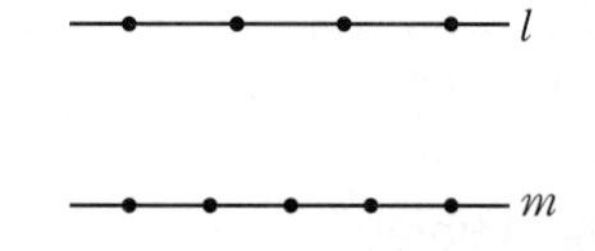


**040** 다음 그림과 같이 가로 방향의 평행한 직선 5개와 세로 방향의 평행한 직선 6개가 서로 만날 때, 이 평행한 직선으로 만들 수 있는 평행사변형의 개수

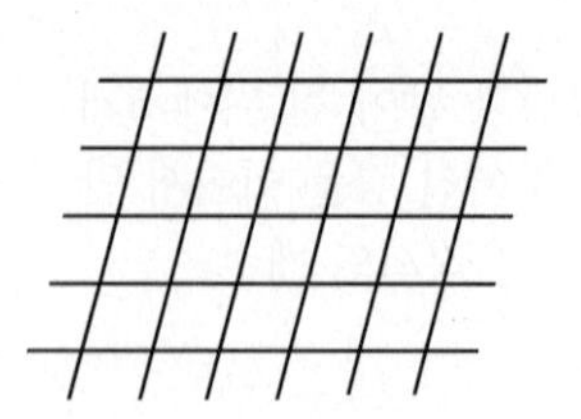

연산 유형

# 최종 점검하기

정답과 해설 40쪽

**1** ${}_{m}\mathrm{C}_{2}=28$을 만족하는 자연수 $m$과 ${}_{n+3}\mathrm{C}_{n}=10$을 만족하는 자연수 $n$에 대하여 $m+n$의 값은?

① 6 ② 7 ③ 8
④ 9 ⑤ 10

**2** ${}_{n}\mathrm{C}_{2}+{}_{n}\mathrm{C}_{3}=2{}_{2n}\mathrm{C}_{1}$을 만족하는 자연수 $n$의 값은?

① 3 ② 4 ③ 5
④ 6 ⑤ 7

**3** 10종류의 아이스크림 중에서 2가지를 고르는 경우의 수는?

① 2 ② 20 ③ 36
④ 45 ⑤ 90

**4** 1부터 10까지의 자연수가 각각 하나씩 적힌 10장의 카드 중에서 3장을 뽑을 때, 3장 모두 홀수가 적힌 카드인 경우의 수는?

① 10 ② 14 ③ 20
④ 26 ⑤ 30

**5** 1반 학생 4명과 2반 학생 5명 중에서 1반 학생과 2반 학생을 각각 2명씩 뽑는 경우의 수는?

① 16 ② 48 ③ 60
④ 126 ⑤ 240

**6** 야구 선수 6명과 농구 선수 4명 중에서 4명을 뽑을 때, 특정 야구 선수 2명을 포함하는 경우의 수는?

① 20 ② 24 ③ 28
④ 32 ⑤ 36

**7** 7개의 문자 $a$, $b$, $c$, $d$, $e$, $f$, $g$ 중에서 4개를 택할 때, 모음은 모두 포함하고 $f$는 포함하지 않는 경우의 수를 구하여라.

**8** 남학생 5명과 여학생 6명 중에서 남학생 2명과 여학생 3명을 뽑아 일렬로 세우는 경우의 수는?

① 350 ② 1600 ③ 2000 ④ 21000 ⑤ 24000

**9** 7명의 학생 A, B, C, D, E, F, G 중에서 A, B, C를 포함한 5명의 학생을 뽑아 일렬로 세울 때, A, B, C가 이웃하는 경우의 수는?

① 72 ② 144 ③ 180 ④ 216 ⑤ 432

**10** 오른쪽 그림과 같이 원 위에 6개의 점이 있을 때, 주어진 점을 이어서 만들 수 있는 서로 다른 직선의 개수를 구하여라.

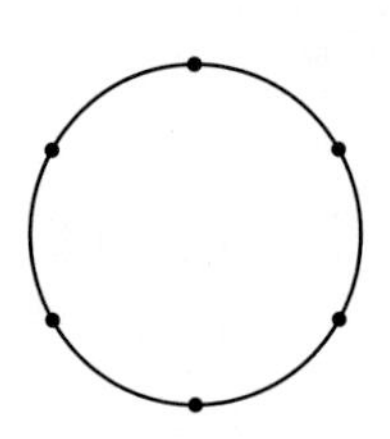

**11** 오른쪽 그림과 같이 반원 위에 있는 9개의 점 중에서 3개를 꼭짓점으로 하는 삼각형의 개수는?

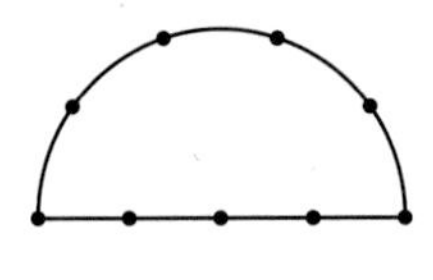

① 64 ② 74 ③ 84 ④ 94 ⑤ 104

**12** 다음 그림과 같이 평행한 두 직선 $l$, $m$ 위에 있는 7개의 점 중에서 4개를 꼭짓점으로 하는 사각형의 개수를 구하여라.

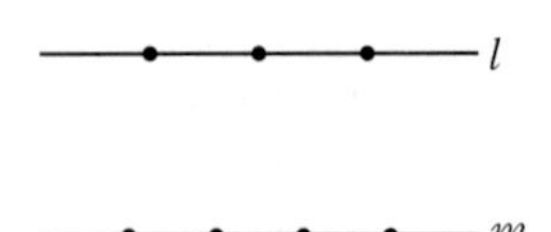

· MEMO ·

· MEMO ·

15개정 교육과정

# 정답과 해설

## 고등 수학(하)

책 속의 가접 별책 (특허 제 0557442호)
'정답과 해설'은 본책에서 쉽게 분리할 수 있도록 제작되었으므로
유통 과정에서 분리될 수 있으나 파본이 아닌 정상제품입니다.

우리는 남다른 상상과 혁신으로
교육 문화의 새로운 전형을 만들어
모든 이의 행복한 경험과 성장에 기여한다

# 정답과 해설

## 고등 수학 (하)

# 01 집합의 뜻과 집합 사이의 포함 관계

8~15쪽

**001** 답 ○

**002** 답 ×

'잘하는'은 기준이 명확하지 않아 그 대상을 분명히 정할 수 없다.

**003** 답 ×

'작은'은 기준이 명확하지 않아 그 대상을 분명히 정할 수 없다.

**004** 답 ×

'큰'은 기준이 명확하지 않아 그 대상을 분명히 정할 수 없다.

**005** 답 ○

**006** 답 $\in$

**007** 답 $\in$

**008** 답 $\notin$

**009** 답 $\notin$

**010** 답 $\in$

**011** 답 $A=\{2, 4, 6, 8, 10\}$

**012** 답 $B=\{1, 2, 4, 5, 10, 20\}$

**013** 답 $C=\{1, 3, 5, 7, 9\}$

**014** 답 $D=\{3, 6, 9\}$

**015** 답 $E=\{\text{c, h, l, o, s}\}$

**016** 답 예 $A=\{x|x$는 모음인 알파벳 소문자$\}$

**017** 답 예 $B=\{x|x$는 100 이하의 자연수$\}$

**018** 답 예 $C=\{x|x$는 일주일을 나타내는 요일$\}$

**019** 답 예 $D=\{x|x$는 100 이하의 9의 배수$\}$

**020** 답 예 $E=\{x|x$는 20 이하의 소수$\}$

**021** 답

$A$: $a$ $b$ $c$ $d$ $e$

**022** 답

$B$: 1 2 4 8

**023** 답

$C$: 10 12 14 16 18

**024** 답

$D$: d e n s t u

**025** 답 유

**026** 답 무

**027** 답 유

$\{11, 13, 15, 17, 19, \cdots, 99\}$이므로 유한집합이다.

**028** 답 무

$\{16, 18, 20, 22, 24, \cdots\}$이므로 무한집합이다.

**029** 답 유

$\varnothing$이므로 유한집합이다.

**030** 답 $n(A)=50$

**031** 답 $n(B)=6$

$B=\{1, 2, 3, 6, 9, 18\}$이므로 $n(B)=6$

**032** 답 $n(C)=30$

$C=\{12, 15, 18, 21, 24, \cdots, 99\}$

이때 100 미만의 3의 배수는 33개, 10 미만의 3의 배수는 3개이므로

$n(C)=33-3=30$

**033** 답 $n(D)=0$

$D=\varnothing$이므로 $n(D)=0$

**034** 답 $n(E)=7$

$E=\{-3, -2, -1, 0, 1, 2, 3\}$이므로 $n(E)=7$

**035** 답 $\subset$

**036** 답 $\not\subset$

**037** 답 $\subset$

**038** 답 $\not\subset$

**039** 답 $\subset$

**040** 답 $A\subset B$

**041** 답 $B\subset A$

$B=\{1, 2\}$이므로 $B\subset A$

**042** 답 $A\subset B$

**043** 답 $A \subset B$

$A=\{1, 2, 3, 6\}$, $B=\{1, 2, 3, 4, 6, 12\}$이므로 $A \subset B$

**044** 답 $B \subset A$

$A=\{2, 4, 6, 8, 10, \cdots\}$, $B=\{4, 8, 12, 16, 20, \cdots\}$이므로 $B \subset A$

**045** 답 $A \subset B$

$A=\{-1, 1\}$이므로 $A \subset B$

**046** 답 $B \subset A$

$B=\{0\}$이므로 $B \subset A$

**047** 답 $A \subset B$

$A=\{3, 4, 5, 6, 7, \cdots\}$, $B=\{0, 1, 2, 3, 4, \cdots\}$이므로 $A \subset B$

**048** 답 $\varnothing$, $\{a\}$

**049** 답 $\varnothing$, $\{-1\}$, $\{1\}$, $\{-1, 1\}$

**050** 답 $\varnothing$, $\{2\}$, $\{4\}$, $\{6\}$, $\{2, 4\}$, $\{2, 6\}$, $\{4, 6\}$, $\{2, 4, 6\}$

**051** 답 $\varnothing$, $\{1\}$, $\{2\}$, $\{4\}$, $\{1, 2\}$, $\{1, 4\}$, $\{2, 4\}$, $\{1, 2, 4\}$

**052** 답 ○

**053** 답 ○

집합 $A$는 1을 원소로 가지므로 $\{1\}$은 집합 $A$의 부분집합이다.

$\therefore \{1\} \subset A$

**054** 답 ○

**055** 답 ×

집합 $A$는 0, 1을 원소로 가지므로 $\{0, 1\}$은 집합 $A$의 부분집합이다.

$\therefore \{0, 1\} \subset A$

**056** 답 ○

**057** 답 ×

**058** 답 ○

집합 $A$는 $a$, $c$를 원소로 가지므로 $\{a, c\}$는 집합 $A$의 부분집합이다.

$\therefore \{a, c\} \subset A$

**059** 답 ○

**060** 답 $A=B$

$B=\{\mathrm{a, h, m, t}\}$이므로 $A=B$

**061** 답 $A \neq B$

$B=\{1, 2, 4\}$이므로 $A \neq B$

**062** 답 $A=B$

$A=\{-3, 3\}$이므로 $A=B$

**063** 답 $a=2$, $b=1$

$A=B$이므로 $a \neq b$

이때 $a \in B$, $b \in A$이므로 $a=2$, $b=1$

**064** 답 $a=4$, $b=7$

$A=B$이므로 $a \neq b$

이때 $a \in B$, $b \in A$이므로 $a=4$, $b=7$

**065** 답 $a=7$, $b=6$

$A=B$이므로 $a+1 \neq b-1$

이때 $a+1 \in B$이므로 $a+1=8$ $\quad \therefore a=7$

또 $b-1 \in A$이므로 $b-1=5$ $\quad \therefore b=6$

**066** 답 $a=-4$, $b=-2$

$A=B$이므로 $-2a+1 \neq 3b+5$

이때 $-2a+1 \in B$이므로 $-2a+1=9$ $\quad \therefore a=-4$

또 $3b+5 \in A$이므로 $3b+5=-1$ $\quad \therefore b=-2$

**067** 답 $\varnothing$, $\{a\}$, $\{b\}$

**068** 답 $\varnothing$, $\{1\}$, $\{2\}$, $\{3\}$, $\{1, 2\}$, $\{1, 3\}$, $\{2, 3\}$

**069** 답 풀이 참고

$\{2, 3, 5, 7\}$이므로 진부분집합을 구하면

$\varnothing$, $\{2\}$, $\{3\}$, $\{5\}$, $\{7\}$, $\{2, 3\}$, $\{2, 5\}$, $\{2, 7\}$, $\{3, 5\}$, $\{3, 7\}$, $\{5, 7\}$, $\{2, 3, 5\}$, $\{2, 3, 7\}$, $\{2, 5, 7\}$, $\{3, 5, 7\}$

**070** 답 8

$2^3=8$

**071** 답 16

$\{1, 2, 3, 6\}$이므로 부분집합의 개수는 $2^4=16$

**072** 답 32

$\{4, 5, 6, 7, 8\}$이므로 부분집합의 개수는 $2^5=32$

**073** 답 64

$\{\mathrm{a, c, e, h, r, t}\}$이므로 부분집합의 개수는 $2^6=64$

**074** 답 15

$2^4-1=15$

**075** 답 31

$\{1, 3, 5, 7, 9\}$이므로 진부분집합의 개수는 $2^5-1=31$

**076** 답 127

$\{-3, -2, -1, 0, 1, 2, 3\}$이므로 진부분집합의 개수는

$2^7-1=127$

**077** 답 255

$\{12, 24, 36, 48, 60, 72, 84, 96\}$이므로 진부분집합의 개수는

$2^8-1=255$

**078** 답 **16**

$2^{5-1}=2^4=16$

**079** 답 **8**

$2^{5-2}=2^3=8$

**080** 답 **3**

4, 8, 10을 포함하는 부분집합의 개수는 $2^{5-3}=2^2=4$이므로 구하는 진부분집합의 개수는 $4-1=3$

**081** 답 **128**

$A=\{1, 2, 3, 4, 5, \cdots, 9\}$이므로 구하는 부분집합의 개수는
$2^{9-2}=2^7=128$

**082** 답 **64**

$2^{9-3}=2^6=64$

**083** 답 **32**

집합 $A$의 원소 중 짝수는 2, 4, 6, 8의 4개이므로 구하는 부분집합의 개수는 $2^{9-4}=2^5=32$

**084** 답 **2, 2, 4**

**085** 답 **4**

집합 $X$는 집합 $\{2, 4, 6, 8, 10\}$의 부분집합 중 원소 4, 6, 8을 포함하는 부분집합이므로 집합 $X$의 개수는 $2^{5-3}=2^2=4$

**086** 답 **8**

집합 $X$는 집합 $\{a, b, c, d, e\}$의 부분집합 중 원소 $a$, $c$를 포함하는 부분집합이므로 집합 $X$의 개수는 $2^{5-2}=2^3=8$

**087** 답 **64**

집합 $X$는 집합 $\{1, 2, 3, 4, 5, \cdots, 9\}$의 부분집합 중 원소 1, 5, 7을 포함하는 부분집합이므로 집합 $X$의 개수는 $2^{9-3}=2^6=64$

**088** 답 **8**

$\{1, 2, 4\}\subset X\subset\{1, 2, 4, 5, 10, 20\}$이므로 집합 $X$는 집합 $\{1, 2, 4, 5, 10, 20\}$의 부분집합 중 원소 1, 2, 4를 포함하는 부분집합이다.
따라서 집합 $X$의 개수는 $2^{6-3}=2^3=8$

## 연산 유형 최종 점검하기

16~17쪽

| | | | | | |
|---|---|---|---|---|---|
| **1** ① | **2** ⑤ | **3** ④ | **4** ① | **5** ⑤ | **6** ② |
| **7** ⑤ | **8** ④ | **9** ② | **10** ③ | **11** ③ | **12** 64 |

**1** ②, ③, ④, ⑤ '가까운', '잘하는', '좋아하는', '가벼운'은 기준이 명확하지 않아 그 대상을 분명히 정할 수 없으므로 집합이 아니다.

**2** ①, ②, ③, ④ $\{2, 4, 6, 8\}$
⑤ $\{2, 4, 6, 8, 10, \cdots\}$

**3** ② $\{1, 3, 5, 7, 9, \cdots\}$
③ $\{4, 8, 12, 16, 20, \cdots\}$
④ $\{0\}$
⑤ $\{1, 2, 4, 5, 7, \cdots\}$
따라서 유한집합인 것은 ④이다.

**4** $A=\{16, 24, 32, 40, 48, \cdots, 96\}$이므로 $n(A)=11$
$B=\{1, 2, 3, 4, 6, 8, 12, 24\}$이므로 $n(B)=8$
$\therefore n(A)-n(B)=3$

**5** ⑤ $n(\{4\})-n(\{2\})=1-1=0$

**6** $A=\{2, 3, 5, 7\}$이므로
② $9\notin A$

**7** ② $B\subset A$
③ $A=\{2, 4, 6, 8, 10, \cdots\}$, $B=\{4, 8, 12, 16, 20, \cdots\}$이므로 $B\subset A$
④ $B\subset A$
⑤ $A=\{1, 2, 3, 6\}$, $B=\{1, 2, 3, 4, 6, 12\}$이므로 $A\subset B$
따라서 $A\subset B$인 것은 ⑤이다.

**8** ㄹ. 1은 집합 $A$의 원소이지만 2는 집합 $A$의 원소가 아니므로 $\{1, 2\}\not\subset A$
따라서 보기 중 옳은 것은 ㄱ, ㄴ, ㄷ이다.

**9** $A=B$이므로 $a-b\neq a+b$
이때 $a-b\in B$이므로 $a-b=3$ ······ ㉠
또 $a+b\in A$이므로 $a+b=5$ ······ ㉡
㉠, ㉡을 연립하여 풀면 $a=4$, $b=1$
$\therefore ab=4$

**10** ① $\{a, e, i, o, u\}$이므로 부분집합의 개수는 $2^5=32$
② $\{1, 3, 5, 7, 9\}$이므로 부분집합의 개수는 $2^5=32$
③ $\{2, 4, 6, 8\}$이므로 부분집합의 개수는 $2^4=16$
④ $\{1, 2, 4, 8, 16\}$이므로 부분집합의 개수는 $2^5=32$
⑤ $\{-2, -1, 0, 1, 2\}$이므로 부분집합의 개수는 $2^5=32$
따라서 부분집합의 개수가 32가 아닌 것은 ③이다.

**11** $\{2, 3, 5, 7, 11, 13, 17, 19\}$이므로 구하는 부분집합의 개수는 $2^{8-2-1}=2^5=32$

**12** $\{2, 4, 6, 8\}\subset X\subset\{1, 2, 3, 4, 5, \cdots, 10\}$이므로 집합 $X$는 집합 $\{1, 2, 3, 4, 5, \cdots, 10\}$의 부분집합 중 원소 2, 4, 6, 8을 포함하는 부분집합이다.
따라서 집합 $X$의 개수는 $2^{10-4}=2^6=64$

# 02 집합의 연산

20~31쪽

**001** 답 $\{a, b, c, d, e\}$

**002** 답 $\{1, 2, 3, 4\}$

**003** 답 $\{a, b, c, d, e\}$

**004** 답 $\{1, 2, 3, 4, 5, 6\}$

**005** 답 $\{1, 2, 3, 5, 7, 9\}$
$A=\{1, 3, 5, 7, 9\}$, $B=\{2, 3, 5, 7\}$이므로
$A\cup B=\{1, 2, 3, 5, 7, 9\}$

**006** 답 $\{1, 2, 3, 4, 6\}$
$A=\{1, 2, 4\}$, $B=\{1, 2, 3, 6\}$이므로
$A\cup B=\{1, 2, 3, 4, 6\}$

**007** 답 $\{2, 4, 6, 8, 10, \cdots, 20\}$
$A=\{2, 4, 6, 8, 10, \cdots, 20\}$, $B=\{4, 8, 12, 16, 20\}$이므로
$A\cup B=\{2, 4, 6, 8, 10, \cdots, 20\}$

**008** 답 $\{2, 3, 4, 5, 6\}$
$A=\{2, 3, 4\}$, $B=\{3, 4, 5, 6\}$이므로
$A\cup B=\{2, 3, 4, 5, 6\}$

**009** 답 $\{2\}$

**010** 답 $\{c, d\}$

**011** 답 $\{2, 4, 5\}$

**012** 답 $\{b, e\}$

**013** 답 $\{3, 5, 7\}$
$A=\{1, 3, 5, 7, 9\}$, $B=\{2, 3, 5, 7\}$이므로
$A\cap B=\{3, 5, 7\}$

**014** 답 $\{1, 2, 4\}$
$A=\{1, 2, 4, 8\}$, $B=\{1, 2, 3, 4, 6, 12\}$이므로
$A\cap B=\{1, 2, 4\}$

**015** 답 $\{10, 20\}$
$A=\{5, 10, 15, 20, 25\}$, $B=\{10, 20, 30\}$이므로
$A\cap B=\{10, 20\}$

**016** 답 $\{2, 3\}$
$A=\{2, 3, 4, 5, 6\}$, $B=\{-3, -2, -1, 0, 1, 2, 3\}$이므로
$A\cap B=\{2, 3\}$

**017** 답 ○
$A\cap B=\varnothing$이므로 $A$, $B$는 서로소이다.

**018** 답 ×
$A\cap B=\{f\}$이므로 $A$, $B$는 서로소가 아니다.

**019** 답 ×
$A\cap B=\{3\}$이므로 $A$, $B$는 서로소가 아니다.

**020** 답 ○
$A\cap B=\varnothing$이므로 $A$, $B$는 서로소이다.

**021** 답 ○
$A\cap B=\varnothing$이므로 $A$, $B$는 서로소이다.

**022** 답 ○
$A\cap B=\varnothing$이므로 $A$, $B$는 서로소이다.

**023** 답 ×
$A=\{1, 5\}$, $B=\{1, 3, 9\}$이므로 $A\cap B=\{1\}$
따라서 $A$, $B$는 서로소가 아니다.

**024** 답 ×
$A=\{4, 5, 6\}$, $B=\{6, 7, 8\}$이므로 $A\cap B=\{6\}$
따라서 $A$, $B$는 서로소가 아니다.

**025** 답 $\{1, 3, 5, 7, 9, 10\}$
$U=\{1, 2, 3, 4, 5, \cdots, 10\}$이므로
$A^C=\{1, 3, 5, 7, 9, 10\}$

**026** 답 $\varnothing$
$B=U$이므로 $B^C=\varnothing$

**027** 답 $\{2, 4, 6, 8, 10\}$
$C=\{1, 3, 5, 7, 9\}$이므로
$C^C=\{2, 4, 6, 8, 10\}$

**028** 답 $\{3, 5, 6, 7, 9, 10\}$
$D=\{1, 2, 4, 8\}$이므로
$D^C=\{3, 5, 6, 7, 9, 10\}$

**029** 답 $\{1, 2, 3, 4, 5, \cdots, 10\}$
$E=\varnothing$이므로
$E^C=\{1, 2, 3, 4, 5, \cdots, 10\}$

**030** 답 $A-B=\{a, b\}$, $B-A=\{e\}$

**031** 답 $A-B=\{1, 4\}$, $B-A=\{3, 6\}$

**032** 답 $A-B=\varnothing$, $B-A=\{4, 20\}$
$A=\{1, 2, 5, 10\}$, $B=\{1, 2, 4, 5, 10, 20\}$이므로
$A-B=\varnothing$, $B-A=\{4, 20\}$

**033** 답 $A-B=\{3, 6, 9, 15, 18\}$, $B-A=\{4, 8, 16, 20\}$

$A=\{3, 6, 9, 12, 15, 18\}$, $B=\{4, 8, 12, 16, 20\}$이므로
$A-B=\{3, 6, 9, 15, 18\}$
$B-A=\{4, 8, 16, 20\}$

**034** 답 $A-B=\{2, 3, 4, 5, 6\}$, $B-A=\{10, 11, 12\}$

$A=\{2, 3, 4, 5, 6, 7, 8, 9\}$, $B=\{7, 8, 9, 10, 11, 12\}$이므로
$A-B=\{2, 3, 4, 5, 6\}$
$B-A=\{10, 11, 12\}$

**035** 답 $\{a, b, c, d, e, f, g, h, i\}$

**036** 답 $\{c, g, h\}$

**037** 답 $\{d, e, i, j, k\}$

**038** 답 $\{a, b, f, j, k\}$

**039** 답 $\{a, b, f\}$

**040** 답 $\{d, e, i\}$

**041** 답 $\{c, g, h\}$

$A=\{a, b, c, f, g, h\}$, $B^C=\{a, b, f, j, k\}$이므로
$A-B^C=\{c, g, h\}$

**042** 답 $\{1, 2, 3, 4, 6, 9, 12, 18\}$

$A=\{1, 2, 3, 4, 6, 12\}$, $B=\{1, 2, 3, 6, 9, 18\}$이므로
$A\cup B=\{1, 2, 3, 4, 6, 9, 12, 18\}$

**043** 답 $\{1, 2, 3, 6\}$

**044** 답 $\{9, 18, 36\}$

$U=\{1, 2, 3, 4, 6, 9, 12, 18, 36\}$이므로
$A^C=\{9, 18, 36\}$

**045** 답 $\{4, 12, 36\}$

**046** 답 $\{4, 12\}$

**047** 답 $\{9, 18\}$

**048** 답 $\{36\}$

$B^C=\{4, 12, 36\}$, $A=\{1, 2, 3, 4, 6, 12\}$이므로
$B^C-A=\{36\}$

**049** 답 $A\cup A^C$  $U$

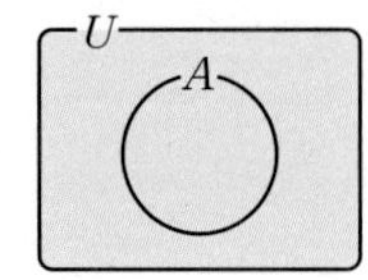


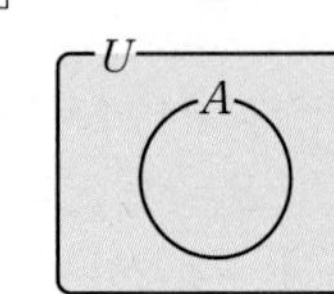


**050** 답 $A\cap A^C$ = $\varnothing$

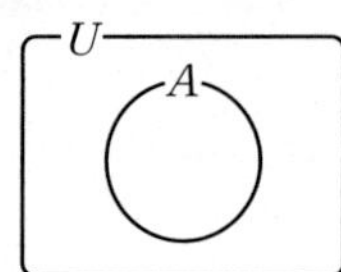


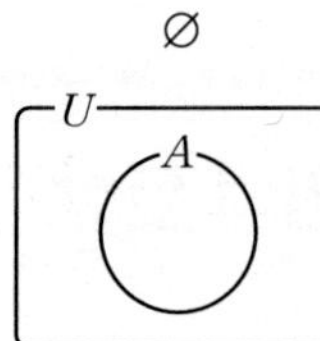


**051** 답 $(A^C)^C$ = $A$

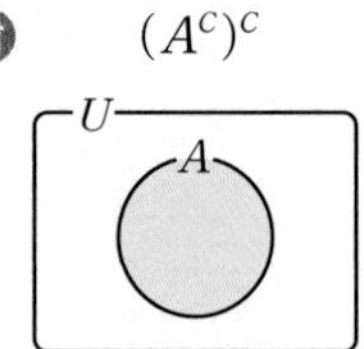


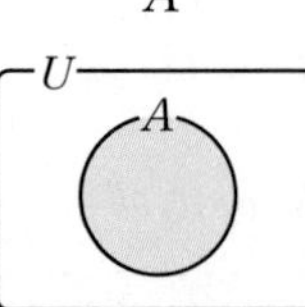


**052** 답 $A-B$ = $A\cap B^C$

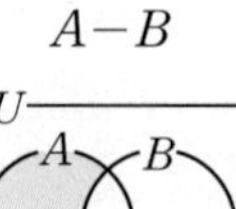
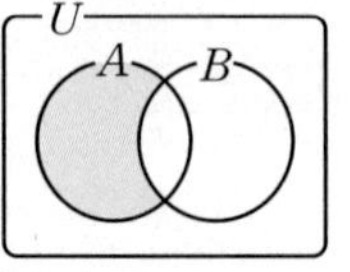


**053** 답 $B-A$ = $B\cap A^C$

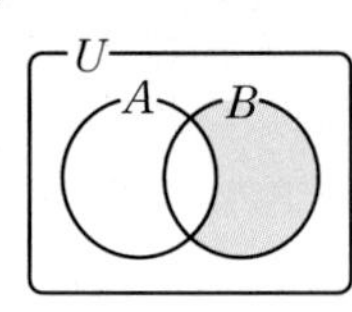


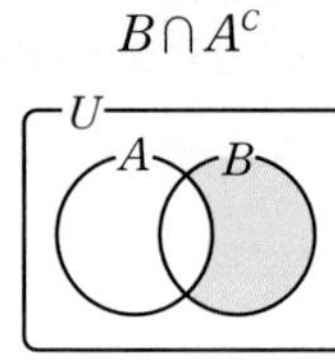


**054** 답 $A$

**055** 답 $A$

**056** 답 $A$

**057** 답 $\varnothing$

**058** 답 $U$

**059** 답 $A$

**060** 답 $U$

**061** 답 $\varnothing$

**062** 답 $\varnothing$

**063** 답 $U$

**064** 답 $B$

**065** 답 $B^C$

**066** 답 $A$

**067** 답 $B$

$A-B^C=A\cap(B^C)^C=A\cap B$

**068** 답 $A^C$

$A^C-B^C=A^C\cap(B^C)^C=A^C\cap B$

**069** 답

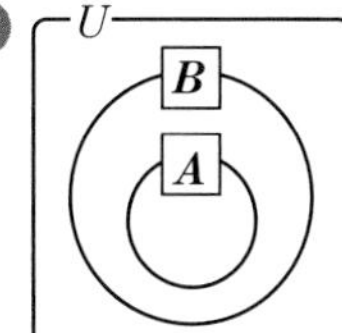


**070** 답 $A$

**071** 답 $B$

**072** 답 $\varnothing$

**073** 답 $\varnothing$

**074** 답 $\varnothing$

$A \subset B$이면 $B^C \subset A^C$이므로

$B^C - A^C = \varnothing$

**075** 답 ○

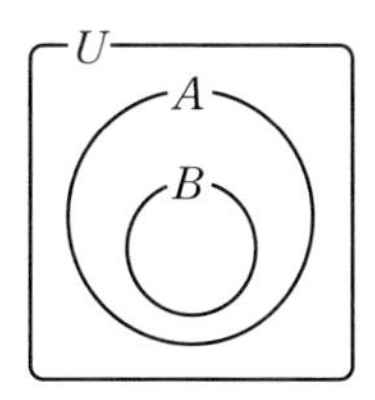


**076** 답 ○

**077** 답 ○

**078** 답 ×

$B \subset A$이므로 $A^C \subset B^C$

**079** 답 ×

**080** 답 ○

$A^C \subset B^C$이므로 $A^C - B^C = \varnothing$

**081** 답 ×

$A \cap B = B$이므로

$A - (A \cap B) = A - B \neq \varnothing$

**082** 답 ○

$A \cup B = A$이므로

$(A \cup B) - A = A - A = \varnothing$

**083** 답 $(A \cap B) \cap C$  $A \cap (B \cap C)$

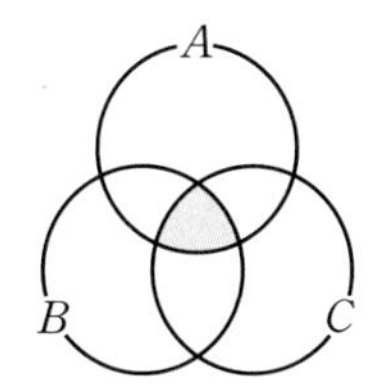


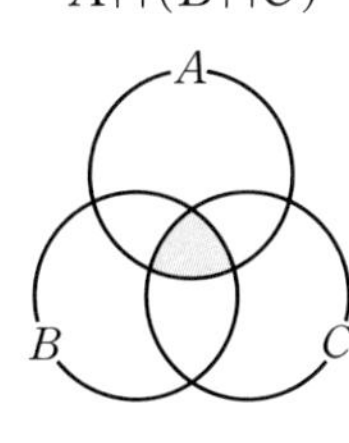


**084** 답

$A \cup (B \cap C)$ = $(A \cup B) \cap (A \cup C)$

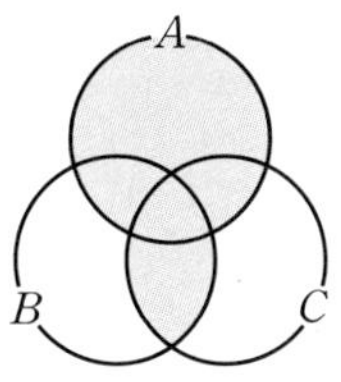


**085** 답 $A \cap (B \cup C)$ = $(A \cap B) \cup (A \cap C)$

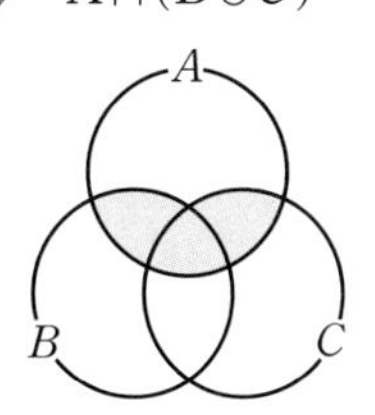


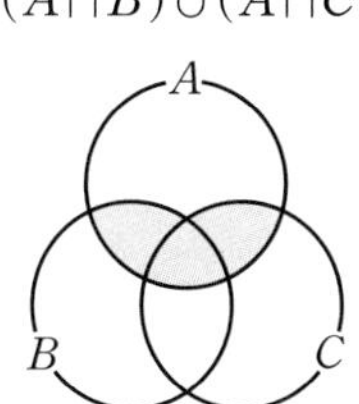


**086** 답 $A$

**087** 답 $\cap$

**088** 답 $C$

**089** 답 $\cap$, $\cap$

**090** 답 $B$, $A$

**091** 답 $\cap$, $\cup$

**092** 답 $(A \cup B)^C$ = $A^C \cap B^C$

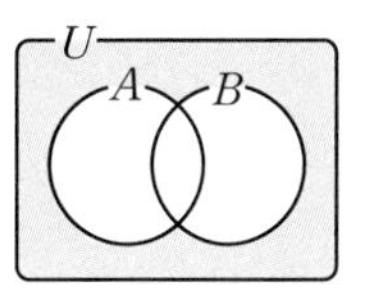


**093** 답 $(A \cap B)^C$ = $A^C \cup B^C$

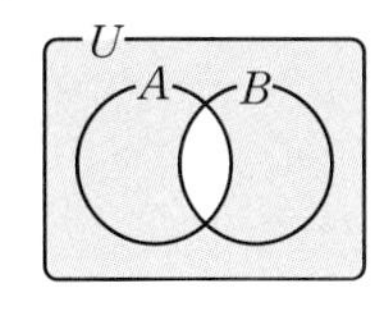


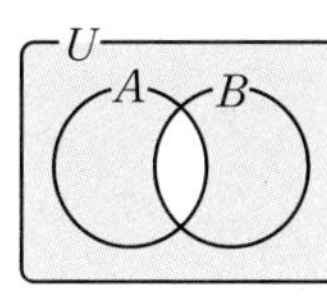


**094** 답 $(A^C \cap B)^C$ = $A \cup B^C$

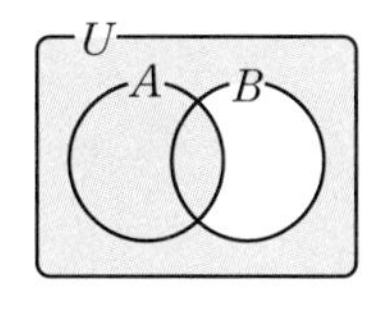


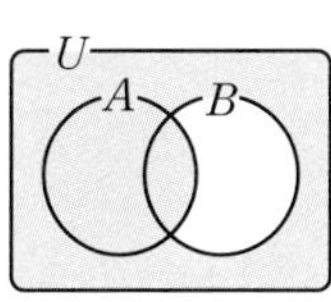


**095** 답 $B^C$

**096** 답 $A^C$

$(A \cup B^C)^C = A^C \cap (B^C)^C = A^C \cap B$

**097** 답 $\cap$

$(A^C \cup B)^C = (A^C)^C \cap B^C = A \cap B^C$

**098** 답 $\cup$

$(A \cap B^C)^C = A^C \cup (B^C)^C = A^C \cup B$

**099** 답 $B$

$(A^C \cup B^C)^C = (A^C)^C \cap (B^C)^C = A \cap B$

**100** 답 $A$

$(A^C \cap B^C)^C = (A^C)^C \cup (B^C)^C = A \cup B$

**101** 답 ㄷ

**102** 답 ㄹ, ㄱ, ㄴ

**103** 답 ㄹ, ㄷ, ㄱ

**104** 답 $A^C$, $A^C$, $\varnothing$, $A^C$, $A^C$, $A$

**105** 답 $A$, $A$, $A$, $A$, $A$

**106** 답 $\cap$, $\cap$, $\cap$, $\cap$, $\cap$, $\varnothing$

**107** 답 $A^C$, $A$, $A$, $\cap$, $\varnothing$, $A$

**108** 답 17

$n(A \cup B) = n(A) + n(B) - n(A \cap B)$
$= 9 + 10 - 2 = 17$

**109** 답 11

$n(A \cup B) = n(A) + n(B) - n(A \cap B)$
$= 5 + 9 - 3 = 11$

**110** 답 6

$n(A \cup B) = n(A) + n(B) - n(A \cap B)$에서
$n(A \cap B) = n(A) + n(B) - n(A \cup B)$
$= 14 + 12 - 20 = 6$

**111** 답 5

$n(A \cup B) = n(A) + n(B) - n(A \cap B)$에서
$n(A \cap B) = n(A) + n(B) - n(A \cup B)$
$= 8 + 11 - 14 = 5$

**112** 답 13

$n(A \cup B) = n(A) + n(B) - n(A \cap B)$에서
$n(A) = n(A \cup B) - n(B) + n(A \cap B)$
$= 15 - 6 + 4 = 13$

**113** 답 15

$n(A \cup B) = n(A) + n(B) - n(A \cap B)$에서
$n(B) = n(A \cup B) - n(A) + n(A \cap B)$
$= 17 - 10 + 8 = 15$

**114** 답 14

$A \cap B = \varnothing$이면 $n(A \cup B) = n(A) + n(B)$이므로
$n(A \cup B) = 9 + 5 = 14$

**115** 답 6

$A \cap B = \varnothing$이면 $n(A \cup B) = n(A) + n(B)$이므로
$n(B) = n(A \cup B) - n(A) = 13 - 7 = 6$

**116** 답 7

$n(A^C) = n(U) - n(A) = 14 - 7 = 7$

**117** 답 3

$n(A - B) = n(A) - n(A \cap B) = 7 - 4 = 3$

**118** 답 10

$n(A^C \cup B^C) = n((A \cap B)^C)$
$= n(U) - n(A \cap B)$
$= 14 - 4 = 10$

**119** 답 9

$n(B^C) = n(U) - n(B) = 24 - 15 = 9$

**120** 답 8

$n(B - A) = n(B) - n(A \cap B) = 15 - 7 = 8$

**121** 답 3

$n(A \cup B) = n(A) + n(B) - n(A \cap B)$
$= 13 + 15 - 7 = 21$
$\therefore n((A \cup B)^C) = n(U) - n(A \cup B)$
$= 24 - 21 = 3$

**122** 답 10

$n(B^C) = n(U) - n(B) = 22 - 12 = 10$

**123** 답 7

$n(A - B) = n(A \cup B) - n(B)$
$= 19 - 12 = 7$

**124** 답 3

$n(A^C \cap B^C) = n((A \cup B)^C)$
$= n(U) - n(A \cup B)$
$= 22 - 19 = 3$

**125** 답 11

$n(A^C) = n(U) - n(A) = 25 - 14 = 11$

**126** 답 6

$n(B - A) = n(A \cup B) - n(A)$
$= 20 - 14 = 6$

**127** 답 20

$n(A \cup B) = n(A) + n(B) - n(A \cap B)$에서
$n(A \cap B) = n(A) + n(B) - n(A \cup B)$
$= 14 + 11 - 20 = 5$
$\therefore n((A \cap B)^C) = n(U) - n(A \cap B)$
$= 25 - 5 = 20$

## 최종 점검하기

32~33쪽

| | | | | | |
|---|---|---|---|---|---|
| **1** $\{b, d\}$ | **2** ④ | **3** ⑤ | **4** ⑤ | **5** $\{a, c, e\}$ | **6** ③ |
| **7** ④ | **8** ③ | **9** ② | **10** ④ | **11** ③ | **12** ① |

**1** 주어진 벤다이어그램에서 색칠한 부분이 나타내는 집합은 $A\cap B$이므로 $A\cap B=\{b, d\}$

**2** $B\cup C=\{3, 4, 5, 6, 7, 8\}$이므로 $A\cap(B\cup C)=\{3, 4, 5\}$

**3** ③ $\{1, 5\}$ ④ $\{1, 3, 5, 7, 9\}$ ⑤ $\{2, 3, 5, 7\}$
따라서 집합 $\{2, 4, 6\}$과 서로소가 아닌 집합은 ⑤이다.

**4** $U=\{1, 2, 3, 4, 5, 6, 7, 8\}$, $A=\{2, 4, 6, 8\}$, $B=\{3, 6\}$이므로 ⑤ $B-A=\{3\}$

**5** $A-B=(A\cup B)-B$이므로 $A-B=\{a, c, e\}$

**6** 

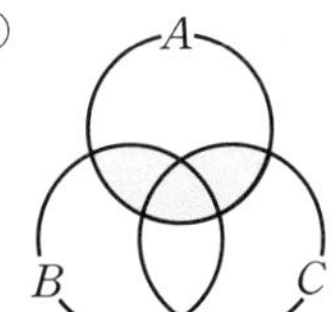

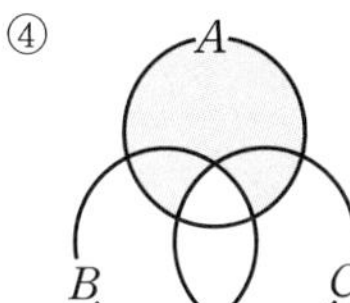

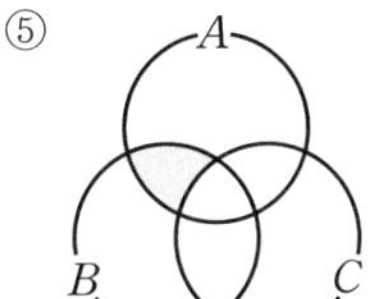


**7** ④ $B-A=B\cap A^C$

**8** ③ $A\subset B$이므로 $A-B=\varnothing$

**9** $U=\{1, 2, 3, 4, 5, 6, 7, 8, 9, 10\}$이므로 주어진 집합을 벤다이어그램으로 나타내면 오른쪽 그림과 같다.

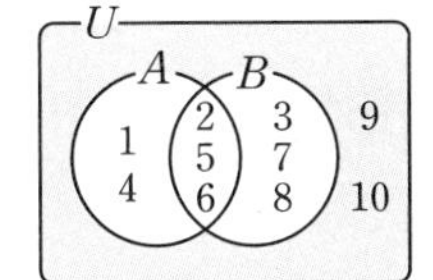


$\therefore A^C\cap B^C=(A\cup B)^C=\{9, 10\}$
따라서 집합 $A^C\cap B^C$의 모든 원소의 합은
$9+10=19$

**11** $(A^C\cap B)\cup(A\cup B)^C=(A^C\cap B)\cup(A^C\cap B^C)$
$=A^C\cap(B\cup B^C)$
$=A^C\cap U=A^C$

**12** $n(A\cup B)=n(A)+n(B)-n(A\cap B)$
$=12+10-4=18$
$\therefore n(A^C\cap B^C)=n((A\cup B)^C)$
$=n(U)-n(A\cup B)$
$=20-18=2$



# 03 명제

36~47쪽

**001** 답 ○

**002** 답 ×

**003** 답 ○

**004** 답 ×

**005** 답 ×

**006** 답 ○

**007** 답 참

**008** 답 참

**009** 답 거짓

**010** 답 참

**011** 답 거짓

**012** 답 거짓

**013** 답 $\{2, 3, 5, 7\}$

**014** 답 $\{3, 4, 6, 7\}$
10의 양의 약수는 1, 2, 5, 10이므로 주어진 조건의 진리집합은 $\{3, 4, 6, 7\}$

**015** 답 $\{3, 4, 5, 6, 7\}$
$2x-1\ge5$에서 $2x\ge6$ $\therefore x\ge3$
따라서 주어진 조건의 진리집합은 $\{3, 4, 5, 6, 7\}$

**016** 답 $\{1, 5\}$
$x^2-6x+5=0$에서 $(x-1)(x-5)=0$ $\therefore x=1$ 또는 $x=5$
따라서 주어진 조건의 진리집합은 $\{1, 5\}$

**017** 답 $\{2\}$
$|x-2|<1$에서 $-1<x-2<1$ $\therefore 1<x<3$
따라서 주어진 조건의 진리집합은 $\{2\}$

**018** 답 $\{1, 2\}$

**019** 답 $\{-1, 1\}$
$x^2-1=0$에서 $x^2=1$ $\therefore x=\pm1$
따라서 조건 $q$의 진리집합은 $\{-1, 1\}$

**020** 답 $\{-1, 1, 2\}$
$\{1, 2\}\cup\{-1, 1\}=\{-1, 1, 2\}$

**021** 답 $\{1\}$

$\{1, 2\}\cap\{-1, 1\}=\{1\}$

**022** 답 $\{1, 2\}$

**023** 답 $\{2, 3, 4\}$

$|x-3|<2$에서 $-2<x-3<2$  $\therefore 1<x<5$

따라서 $q$의 진리집합은 $\{2, 3, 4\}$

**024** 답 $\{1, 2, 3, 4\}$

$\{1, 2\}\cup\{2, 3, 4\}=\{1, 2, 3, 4\}$

**025** 답 $\{2\}$

$\{1, 2\}\cap\{2, 3, 4\}=\{2\}$

**026** 답 $x\neq2$

**027** 답 $x>3$

**028** 답 $0\notin\varnothing$

**029** 답 $1\leq x\leq2$

**030** 답 $\sqrt{3}$은 무리수가 아니다.

**031** 답 5는 3의 배수이거나 4의 배수이다.

**032** 답 $x>0$

**033** 답 $x\leq-5$

**034** 답 $x\leq0$

$\sim p$은 부정은 $p$이다.

**035** 답 $x>-5$

$\sim q$은 부정은 $q$이다.

**036** 답 $x>0$ 또는 $x\leq-5$

'$p$ 그리고 $q$'의 부정은 '$\sim p$ 또는 $\sim q$'이다.

**037** 답 $x>0$

'$p$ 또는 $\sim q$'의 부정은 '$\sim p$ 그리고 $q$'이다.

**038** 답 가정: $x=2$이다., 결론: $2x+3=7$이다.

**039** 답 가정: $-2<x<2$이다., 결론: $-2\leq x\leq2$이다.

**040** 답 가정: $n$이 3의 배수이다., 결론: $3n$은 9의 배수이다.

**041** 답 가정: $a$, $b$가 모두 짝수이다., 결론: $a+b$는 짝수이다.

**042** 답 가정: 삼각형 ABC에서 $\angle B=\angle C$이다.,
결론: 삼각형 ABC에서 $\overline{AB}=\overline{AC}$이다.

**043** 답 참

두 조건 $p$, $q$의 진리집합을 각각 $P$, $Q$라고 하면

$P=\{1, 2, 3, 6\}$, $Q=\{1, 2, 3, 4, 6, 12\}$

따라서 $P\subset Q$이므로 명제 $p \longrightarrow q$는 참이다.

**044** 답 거짓

두 조건 $p$, $q$의 진리집합을 각각 $P$, $Q$라고 하면 $P\not\subset Q$이므로 명제 $p \longrightarrow q$는 거짓이다.

**045** 답 거짓

두 조건 $p$, $q$의 진리집합을 각각 $P$, $Q$라고 하면

$P=\{-2, 2\}$, $Q=\{2\}$

따라서 $P\not\subset Q$이므로 명제 $p \longrightarrow q$는 거짓이다.

**046** 답 참

두 조건 $p$, $q$의 진리집합을 각각 $P$, $Q$라고 하면

$P=\{x|x>2\}$, $Q=\{x|x<-1$ 또는 $x>1\}$

따라서 $P\subset Q$이므로 명제 $p \longrightarrow q$는 참이다.

**047** 답 거짓

두 조건 $p$, $q$의 진리집합을 각각 $P$, $Q$라고 하면

$P=\{x|-1\leq x\leq3\}$, $Q=\{x|-1<x<2\}$

따라서 $P\not\subset Q$이므로 명제 $p \longrightarrow q$는 거짓이다.

**048** 답 참

**049** 답 거짓

[반례] $x=-\frac{1}{2}$이면 $x+2>1$이지만 $x<0$이다.

**050** 답 참

**051** 답 거짓

[반례] $x=2$이면 $x$는 소수이지만 짝수이다.

**052** 답 참

**053** 답 거짓

[반례] $x=2$, $y=-1$이면 $x+y>0$이지만 $x>0$, $y<0$이다.

**054** 답 참

**055** 답 거짓

[반례] $x=-1$, $y=-1$이면 $xy=|xy|$이지만 $x<0$, $y<0$이다.

**056** 답 ×

$p \longrightarrow q$가 참이므로 $P\subset Q$  $\therefore P\cup Q=Q$

057 답 ○

058 답 ○

$P \subset Q$이므로 $P \cap Q^C = P - Q = \varnothing$

059 답 ×

060 답 ○

$P \subset Q$이므로 $P^C \cap Q^C = (P \cup Q)^C = Q^C$

061 답 ×

$P \subset Q$이므로 $P^C \cup Q^C = (P \cap Q)^C = P^C$

062 답 거짓

[반례] $x=5$이면 $x+5=10$이다.

063 답 참

064 답 거짓

[반례] $x=1$이면 $|x-1|=0$이다.

065 답 참

066 답 참

$x^2=x$에서 $x^2-x=0$, $x(x-1)=0$

$\therefore$ $x=0$ 또는 $x=1$

067 답 참

부정: 모든 자연수 $x$에 대하여 $x \geq 1$이다. (참)

068 답 참

부정: 어떤 소수는 홀수이다. (참)

069 답 거짓

부정: 모든 자연수 $x$에 대하여 $\sqrt{x}$는 무리수가 아니다. (거짓)

070 답 거짓

부정: 모든 실수 $x$에 대하여 $x^2 \leq 0$이다. (거짓)

071 답 참

부정: 어떤 유리수 $x$, $y$에 대하여 $xy \neq 1$이다. (참)

072 답 **역: $p \longrightarrow q$, 대우: $\sim p \longrightarrow \sim q$**

073 답 **역: $\sim q \longrightarrow p$, 대우: $q \longrightarrow \sim p$**

074 답 **역: $q \longrightarrow \sim p$, 대우: $\sim q \longrightarrow p$**

075 답 **역: $\sim p \longrightarrow \sim q$, 대우: $p \longrightarrow q$**

076 답 **역: 참, 대우: 거짓**

역: $x=2$이면 $x^2=4$이다. (참)

대우: $x \neq 2$이면 $x^2 \neq 4$이다. (거짓)

[반례] $x=-2$이면 $x \neq 2$이지만 $x^2=4$이다.

077 답 **역: 참, 대우: 참**

역: $x^2 \leq 1$이면 $-1 \leq x \leq 1$이다. (참)

대우: $x^2 > 1$이면 $x < -1$ 또는 $x > 1$이다. (참)

078 답 **역: 참, 대우: 거짓**

역: 5의 양의 약수이면 10의 양의 약수이다. (참)

대우: 5의 양의 약수가 아니면 10의 양의 약수가 아니다. (거짓)

[반례] 2는 5의 양의 약수가 아니지만 10의 양의 약수이다.

079 답 **역: 거짓, 대우: 참**

역: 이등변삼각형이면 정삼각형이다. (거짓)

대우: 이등변삼각형이 아니면 정삼각형이 아니다. (참)

080 답 **역: 참, 대우: 거짓**

역: $x > y$이면 $x-y=|x-y|$이다. (참)

대우: $x \leq y$이면 $x-y \neq |x-y|$이다. (거짓)

[반례] $x=1$, $y=1$이면 $x \leq y$이지만 $x-y=|x-y|$이다.

081 답 **역: 참, 대우: 거짓**

역: $x^2+y^2=0$이면 $xy=0$이다. (참)

대우: $x^2+y^2 \neq 0$이면 $xy \neq 0$이다. (거짓)

[반례] $x=0$, $y=1$이면 $x^2+y^2 \neq 0$이지만 $xy=0$이다.

082 답 **역: 거짓, 대우: 참**

역: $x<0$ 또는 $y<0$이면 $x+y<0$이다. (거짓)

[반례] $x=3$, $y=-1$이면 $x<0$ 또는 $y<0$이지만 $x+y>0$이다.

대우: $x \geq 0$이고 $y \geq 0$이면 $x+y \geq 0$이다. (참)

083 답 **역: 참, 대우: 거짓**

역: $x \geq 1$이고 $y \geq 1$이면 $x+y \geq 2$이다. (참)

대우: $x<1$ 또는 $y<1$이면 $x+y<2$이다. (거짓)

[반례] $x=-1$, $y=5$이면 $x<1$ 또는 $y<1$이지만 $x+y>2$이다.

084 답 **역: 거짓, 대우: 참**

역: $x$ 또는 $y$가 홀수이면 $xy$는 홀수이다. (거짓)

[반례] $x=1$, $y=2$이면 $x$ 또는 $y$는 홀수이지만 $xy$는 짝수이다.

대우: $x$, $y$가 모두 홀수가 아니면 $xy$는 홀수가 아니다. (참)

085 답 **역: 거짓, 대우: 참**

역: $xy$가 유리수이면 $x$, $y$는 모두 유리수이다. (거짓)

[반례] $x=-\sqrt{2}$, $y=\sqrt{2}$이면 $xy$는 유리수이지만 $x$, $y$는 유리수가 아니다.

대우: $xy$가 유리수가 아니면 $x$ 또는 $y$는 유리수가 아니다. (참)

086 답 ㄹ

$p \longrightarrow q$가 참이므로 그 대우인 $\sim q \longrightarrow \sim p$도 참이다.

087 답 ㄴ

$p \longrightarrow \sim q$가 참이므로 그 대우인 $q \longrightarrow \sim p$도 참이다.

088 답 ㄷ

$\sim p \longrightarrow q$가 참이므로 그 대우인 $\sim q \longrightarrow p$도 참이다.

**089** 답 ㄱ

$\sim p \longrightarrow \sim q$가 참이므로 그 대우인 $q \longrightarrow p$도 참이다.

**090** 답 1, ⊂, 충분

**091** 답 충분조건

두 조건 $p$, $q$의 진리집합을 각각 $P$, $Q$라고 하면 $P \subset Q$이므로 $p$는 $q$이기 위한 충분조건이다.

**092** 답 필요조건

두 조건 $p$, $q$의 진리집합을 각각 $P$, $Q$라고 하면 $Q \subset P$이므로 $p$는 $q$이기 위한 필요조건이다.

**093** 답 충분조건

두 조건 $p$, $q$의 진리집합을 각각 $P$, $Q$라고 하면

$P=\{1, 2, 3, 6\}$, $Q=\{1, 2, 3, 4, 6, 12\}$

따라서 $P \subset Q$이므로 $p$는 $q$이기 위한 충분조건이다.

**094** 답 필요조건

두 조건 $p$, $q$의 진리집합을 각각 $P$, $Q$라고 하면

$P=\{4, 8, 12, 16, 20, \cdots\}$, $Q=\{8, 16, 24, 32, 40, \cdots\}$

따라서 $Q \subset P$이므로 $p$는 $q$이기 위한 필요조건이다.

**095** 답 필요조건

두 조건 $p$, $q$의 진리집합을 각각 $P$, $Q$라고 하면

$P=\{1, 3, 5, 7, 9, \cdots\}$, $Q=\{1, 3\}$

따라서 $Q \subset P$이므로 $p$는 $q$이기 위한 필요조건이다.

**096** 답 필요조건

두 조건 $p$, $q$의 진리집합을 각각 $P$, $Q$라고 하면

$P=\{x \mid x \geq 5\}$, $Q=\{x \mid 5<x<10\}$

따라서 $Q \subset P$이므로 $p$는 $q$이기 위한 필요조건이다.

**097** 답 충분조건

두 조건 $p$, $q$의 진리집합을 각각 $P$, $Q$라고 하면

$P=\{x \mid x>3\}$, $Q=\{x \mid x<-2$ 또는 $x>1\}$

따라서 $P \subset Q$이므로 $p$는 $q$이기 위한 충분조건이다.

**098** 답 충분조건

$p \longrightarrow q$: $x=y$이면 $x^2=y^2$이다. (참)

$q \longrightarrow p$: $x^2=y^2$이면 $x=y$이다. (거짓)

[반례] $x=-1$, $y=1$이면 $x^2=y^2$이지만 $x \neq y$이다.

따라서 $p \Longrightarrow q$이므로 $p$는 $q$이기 위한 충분조건이다.

**099** 답 필요조건

$p \longrightarrow q$: $xy=0$이면 $x=0$, $y=0$이다. (거짓)

[반례] $x=0$, $y=1$이면 $xy=0$이지만 $x=0$, $y \neq 0$이다.

$q \longrightarrow p$: $x=0$, $y=0$이면 $xy=0$이다. (참)

따라서 $q \Longrightarrow p$이므로 $p$는 $q$이기 위한 필요조건이다.

**100** 답 충분조건

$p \longrightarrow q$: $x>0$, $y>0$이면 $xy>0$이다. (참)

$q \longrightarrow p$: $xy>0$이면 $x>0$, $y>0$이다. (거짓)

[반례] $x=-1$, $y=-2$이면 $xy>0$이지만 $x<0$, $y<0$이다.

따라서 $p \Longrightarrow q$이므로 $p$는 $q$이기 위한 충분조건이다.

**101** 답 필요조건

$p \longrightarrow q$: $|x+y|=|x|+|y|$이면 $x \geq 0$, $y \geq 0$이다. (거짓)

[반례] $x=-1$, $y=-2$이면 $|x+y|=|x|+|y|$이지만 $x<0$, $y<0$이다.

$q \longrightarrow p$: $x \geq 0$, $y \geq 0$이면 $|x+y|=|x|+|y|$이다. (참)

따라서 $q \Longrightarrow p$이므로 $p$는 $q$이기 위한 필요조건이다.

**102** 답 $-2$, 2, $=$, 필요충분

**103** 답 필요충분조건

두 조건 $p$, $q$의 진리집합을 각각 $P$, $Q$라고 하면

$P=\{x \mid -3<x<4\}$, $Q=\{x \mid -3<x<4\}$

따라서 $P=Q$이므로 $p$는 $q$이기 위한 필요충분조건이다.

**104** 답 필요충분조건

두 조건 $p$, $q$의 진리집합을 각각 $P$, $Q$라고 하면

$P=\{x \mid x<-1$ 또는 $x>1\}$, $Q=\{x \mid x<-1$ 또는 $x>1\}$

따라서 $P=Q$이므로 $p$는 $q$이기 위한 필요충분조건이다.

**105** 답 필요충분조건

$p \longrightarrow q$: $xy=0$이면 $x=0$ 또는 $y=0$이다. (참)

$q \longrightarrow p$: $x=0$ 또는 $y=0$이면 $xy=0$이다. (참)

따라서 $p \Longleftrightarrow q$이므로 $p$는 $q$이기 위한 필요충분조건이다.

**106** 답 필요충분조건

$p \longrightarrow q$: $|x|+|y|=0$이면 $x^2+y^2=0$이다. (참)

$q \longrightarrow p$: $x^2+y^2=0$이면 $|x|+|y|=0$이다. (참)

따라서 $p \Longleftrightarrow q$이므로 $p$는 $q$이기 위한 필요충분조건이다.

**107** 답 홀수, 홀수, 1, 홀수

**108** 답 풀이 참고

주어진 명제의 대우 '$n$이 짝수이면 $n^2$도 짝수이다.'가 참임을 보이면 된다.

$n$이 짝수이면 $n=2k$ ($k$는 자연수)로 나타낼 수 있으므로

$n^2=2(2k^2)$

즉, $n^2$은 짝수이다.

따라서 주어진 명제의 대우가 참이므로 주어진 명제도 참이다.

**109** 답 유리수, 3, 3, 3, 3

**110** 답 풀이 참고

$\sqrt{2}$가 유리수라고 가정하면 $\sqrt{2}=\frac{n}{m}$ ($m$, $n$은 서로소인 자연수)으로 나타낼 수 있다.

양변을 제곱하여 정리하면 $n^2=2m^2$ …… ㉠

이때 $n^2$이 짝수이므로 $n$도 짝수이다.

$n=2k$ ($k$는 자연수)라 하고 ㉠에 대입하여 정리하면 $m^2=2k^2$

이때 $m^2$이 짝수이므로 $m$도 짝수이다.

즉, $m$, $n$이 모두 짝수이므로 $m$, $n$이 서로소라는 가정에 모순이다.
따라서 $\sqrt{2}$는 유리수가 아니다.

**111** 답 ×

**112** 답 ○

**113** 답 ○

**114** 답 ×

**115** 답 ×

**116** 답 $\frac{3}{4}$, $\frac{3}{4}$, $\frac{1}{2}b$, 0, 0

**117** 답 풀이 참고

$a+b-2\sqrt{ab}=(\sqrt{a})^2+(\sqrt{b})^2-2\sqrt{ab}=(\sqrt{a}-\sqrt{b})^2\geq 0$
따라서 $a+b\geq 2\sqrt{ab}$이다.
이때 등호가 성립하는 경우는 $\sqrt{a}-\sqrt{b}=0$, 즉 $a=b$일 때이다.

**118** 답 풀이 참고

$(a^2+b^2)(x^2+y^2)-(ax+by)^2$
$=(a^2x^2+a^2y^2+b^2x^2+b^2y^2)-(a^2x^2+2abxy+b^2y^2)$
$=a^2y^2-2abxy+b^2x^2=(ay-bx)^2\geq 0$
따라서 $(a^2+b^2)(x^2+y^2)\geq(ax+by)^2$이다.
이때 등호가 성립하는 경우는 $ay-bx=0$, 즉 $ay=bx$일 때이다.

## 연산 유형 최종 점검하기

48~49쪽

**1** ④ **2** ① **3** ③ **4** $\{4, 5, 10\}$ **5** ①
**6** ⑤ **7** ③ **8** ② **9** ④ **10** 필요충분조건
**11** (가) $3k-2$ (나) $3k^2-4k+1$
**12** (가) 유리수 (나) 무리수 (다) 0 (라) $a=b=0$

**2** ㄴ. 거짓 [반례] $x=-1$이면 $x^2=1$이지만 $x^3=-1$이다.
ㄷ. 거짓 [반례] $x=2$이면 $x>1$이지만 $x<3$이다.
따라서 보기 중 참인 명제는 ㄱ이다.

**3** 3의 배수는 3, 6, 9, 12, …이고, 24의 양의 약수는 1, 2, 3, 4, 6, 8, 12, 24이므로 조건 $p$의 진리집합은 $\{3, 6, 12, 24\}$
따라서 구하는 원소의 개수는 4이다.

**4** $U=\{1, 2, 4, 5, 10, 20\}$이고, 조건 $p$의 부정은
$\sim p$: $3\leq x<12$이므로 구하는 진리집합은 $\{4, 5, 10\}$

**5** $P\cap Q=\varnothing$이므로 $P\subset Q^C$, $Q\subset P^C$
따라서 참인 명제는 ③ $p\longrightarrow\sim q$이다.

**6** 두 조건 $p$, $q$의 진리집합을 각각 $P$, $Q$라고 하면
① $P=\{-3, 3\}$, $Q=\{-3, 3\}$
$P\subset Q$이므로 명제 $p\longrightarrow q$는 참이다.
② $P=\{x\mid x>0\}$, $Q=\{x\mid x\neq 0$인 실수$\}$
$P\subset Q$이므로 명제 $p\longrightarrow q$는 참이다.
③ $P=\{x\mid -3<x<3\}$, $Q=\{x\mid x<3\}$
$P\subset Q$이므로 명제 $p\longrightarrow q$는 참이다.
④ 명제 $p\longrightarrow q$는 참이다.
⑤ $P=\{1, 2, 3, 6, 9, 18\}$, $Q=\{1, 3, 9\}$
$P\not\subset Q$이므로 $p\longrightarrow q$는 거짓이다.

**7** 명제의 부정은
① 모든 $x$에 대하여 $x\geq 0$이다. (거짓)
② 모든 $x$에 대하여 $x\neq 1$이다. (거짓)
③ 모든 $x$에 대하여 $x^2\geq 0$이다. (참)
④ 모든 $x$에 대하여 $x^2<0$이다. (거짓)
⑤ 모든 $x$에 대하여 $x^2\neq x$이다. (거짓)

**8** ① 역: $x>1$이면 $x>2$이다. (거짓)
[반례] $x=2$이면 $x>1$이지만 $x=2$이다.
② 역: $x=1$이면 $x^2=1$이다. (참)
③ 역: $xz=yz$이면 $x=y$이다. (거짓)
[반례] $x=1$, $y=2$, $z=0$이면 $xz=yz$이지만 $x\neq y$이다.
④ 역: $\frac{1}{x}<\frac{1}{y}$이면 $x>y$이다. (거짓)
[반례] $x=-1$, $y=1$이면 $\frac{1}{x}<\frac{1}{y}$이지만 $x<y$이다.
⑤ 역: $xy$가 짝수이면 $x$, $y$는 짝수이다. (거짓)
[반례] $x=1$, $y=2$이면 $xy$는 짝수이지만 $x$는 홀수, $y$는 짝수이다.

**9** ① $p\longrightarrow q$: $x^2=0$이면 $|x|=0$이다. (참)
$q\longrightarrow p$: $|x|=0$이면 $x^2=0$이다. (참)
따라서 $p\Longleftrightarrow q$이므로 $p$는 $q$이기 위한 필요충분조건이다.
② $p\longrightarrow q$: $x+y=0$이면 $x=y=0$이다. (거짓)
[반례] $x=-1$, $y=1$이면 $x+y=0$이지만 $x\neq 0$, $y\neq 0$이다.
$q\longrightarrow p$: $x=y=0$이면 $x+y=0$이다. (참)
따라서 $q\Longrightarrow p$이므로 $p$는 $q$이기 위한 필요조건이다.
③ $p\longrightarrow q$: $x+yi=0$이면 $x=0$, $y=0$이다. (참)
$q\longrightarrow p$: $x=0$, $y=0$이면 $x+yi=0$이다. (참)
따라서 $p\Longleftrightarrow q$이므로 $p$는 $q$이기 위한 필요충분조건이다.
④ $p\longrightarrow q$: $x$, $y$는 유리수이면 $x+y$는 유리수이다. (참)
$q\longrightarrow p$: $x+y$는 유리수이면 $x$, $y$는 유리수이다. (거짓)
[반례] $x=-\sqrt{2}$, $y=\sqrt{2}$이면 $x+y$는 유리수이지만 $x$, $y$는 유리수가 아니다.
따라서 $p\Longrightarrow q$이므로 $p$는 $q$이기 위한 충분조건이다.
⑤ $p\longrightarrow q$: $(x-y)(y-z)(z-x)=0$이면 $x=y=z$이다. (거짓)
[반례] $x=1$, $y=1$, $z=2$이면
$(x-y)(y-z)(z-x)=0$이지만 $x\neq z$이다.
$q\longrightarrow p$: $x=y=z$이면 $(x-y)(y-z)(z-x)=0$이다. (참)
따라서 $q\Longrightarrow p$이므로 $p$는 $q$이기 위한 필요조건이다.

**10** $p\longrightarrow q$: $A\cup B=B$이면 $A\subset B$이다. (참)
$q\longrightarrow p$: $A\subset B$이면 $A\cup B=B$이다. (참)
따라서 $p\Longleftrightarrow q$이므로 $p$는 $q$이기 위한 필요충분조건이다.

# 04 함수

52~63쪽

**001** 답 ×

집합 $X$의 원소 4에 대응하는 집합 $Y$의 원소가 없으므로 함수가 아니다.

**002** 답 ○

**003** 답 ×

집합 $X$의 원소 3에 대응하는 집합 $Y$의 원소가 2개이므로 함수가 아니다.

**004** 답 ○

**005** 답 정의역: $\{1, 2, 3\}$, 공역: $\{a, b, c\}$, 치역: $\{a, c\}$

**006** 답 정의역: $\{1, 2, 3, 4\}$, 공역: $\{3, 4, 5, 6\}$, 치역: $\{3, 4, 5, 6\}$

**007** 답 정의역: $\{1, 2, 3\}$, 공역: $\{2, 3, 4\}$, 치역: $\{2\}$

**008** 답 정의역: $\{1, 2, 3, 4, 5\}$, 공역: $\{a, b, c\}$, 치역: $\{a, b\}$

**009** 답 4

$f(2)=2+2=4$

**010** 답 $-\sqrt{2}$

**011** 답 $8-\sqrt{3}$

$f(6)+f(\sqrt{3})=(6+2)-\sqrt{3}=8-\sqrt{3}$

**012** 답 4, 14

$x+1=5$라고 하면 $x=4$

$\therefore f(5)=f(4+1)=4^2-2=14$

**013** 답 $-76$

$x-4=5$라고 하면 $x=9$

$\therefore f(5)=f(9-4)=-9^2+5=-76$

**014** 답 4

$3x-1=5$라고 하면 $x=2$

$\therefore f(5)=f(3\times2-1)=2+2=4$

**015** 답 7

$\frac{x-1}{2}=5$라고 하면 $x=11$

$\therefore f(5)=f\left(\frac{11-1}{2}\right)=11-4=7$

**016** 답 ○

**017** 답 ×

**018** 답 ×

**019** 답 ○

**020** 답 ×

**021** 답 ○

**022** 답 서로 같은 함수가 아니다.

$f(2)=0$, $g(2)=3$이므로 $f(2)\neq g(2)$

따라서 두 함수 $f$, $g$는 서로 같은 함수가 아니다.

**023** 답 서로 같은 함수이다.

$f(1)=1$, $g(1)=1$이므로 $f(1)=g(1)$

$f(2)=4$, $g(2)=4$이므로 $f(2)=g(2)$

따라서 두 함수 $f$, $g$는 서로 같은 함수이다.

**024** 답 서로 같은 함수이다.

$f(1)=2$, $g(1)=2$이므로 $f(1)=g(1)$

$f(2)=1$, $g(2)=1$이므로 $f(2)=g(2)$

따라서 두 함수 $f$, $g$는 서로 같은 함수이다.

**025** 답 서로 같은 함수가 아니다.

$f(2)=2$, $g(2)=\frac{1}{2}$이므로 $f(2)\neq g(2)$

따라서 두 함수 $f$, $g$는 서로 같은 함수가 아니다.

**026** 답 서로 같은 함수가 아니다.

$f(2)=2$, $g(2)=8$이므로 $f(2)\neq g(2)$

따라서 두 함수 $f$, $g$는 서로 같은 함수가 아니다.

**027** 답 서로 같은 함수이다.

$f(-1)=-1$, $g(-1)=-1$이므로 $f(-1)=g(-1)$

$f(0)=0$, $g(0)=0$이므로 $f(0)=g(0)$

$f(1)=1$, $g(1)=1$이므로 $f(1)=g(1)$

따라서 두 함수 $f$, $g$는 서로 같은 함수이다.

**028** 답 $a=7$, $b=-6$

$f(1)=g(1)$이므로 $1=a+b$ …… ㉠

$f(2)=g(2)$이므로 $8=2a+b$ …… ㉡

㉠, ㉡을 연립하여 풀면

$a=7$, $b=-6$

**029** 답 $a=-2$, $b=0$

$f(0)=g(0)$이므로 $b=0$

$f(1)=g(1)$이므로 $1+a=-1+b$ $\therefore a=-2$

**030** 답 $a=2,\ b=3$

$f(-1)=g(-1)$이므로

$-a+3=-2+b \qquad \therefore a+b=5 \qquad \cdots\cdots$ ㉠

$f(1)=g(1)$이므로

$a+3=2+b \qquad \therefore a-b=-1 \qquad \cdots\cdots$ ㉡

㉠, ㉡을 연립하여 풀면

$a=2,\ b=3$

**031** 답 $a=-2,\ b=4$

$f(-2)=g(-2)$이므로

$4a-2b=-16 \qquad \therefore 2a-b=-8 \qquad \cdots\cdots$ ㉠

$f(1)=g(1)$이므로 $a+b=2 \qquad \cdots\cdots$ ㉡

㉠, ㉡을 연립하여 풀면

$a=-2,\ b=4$

**032** 답 ㄱ

**033** 답 ㄱ, ㄴ

**034** 답 ㄱ, ㄴ, ㄷ

**035** 답 ㄹ

**036** 답 ㄱ, ㄴ

**037** 답 ㄱ

**038** 답 ㄱ, ㄹ, ㅁ, ㅂ

**039** 답 ㄱ, ㄹ, ㅁ, ㅂ

**040** 답 ㄱ

**041** 답 ㄴ

**042** 답 ㄱ, ㄴ, ㄹ, ㅅ, ㅇ

**043** 답 ㄱ, ㄴ, ㄹ, ㅅ, ㅇ

**044** 답 ㄴ

**045** 답 ㅁ

**046** 답 $c$, 2

**047** 답 $a$, 1

**048** 답 3, $d$

**049** 답 2, $b$

**050** 답 1

$(f\circ f)(1)=f(f(1))=f(0)=1$

**051** 답 $-1$

$(g\circ g)(-1)=g(g(-1))=g(0)=-1$

**052** 답 $-2$

$(f\circ g)(2)=f(g(2))=f(3)=-2$

**053** 답 15

$(g\circ f)(-3)=g(f(-3))=g(4)=15$

**054** 답 $-1$

$$\begin{aligned}(f\circ f\circ f)(2)&=f(f(f(2)))\\&=f(f(-1))\\&=f(2)=-1\end{aligned}$$

**055** 답 63

$$\begin{aligned}(g\circ g\circ g)(-2)&=g(g(g(-2)))\\&=g(g(3))\\&=g(8)=63\end{aligned}$$

**056** 답 6

$(f\circ f)(\sqrt{5})=f(f(\sqrt{5}))=f(5)=6$

**057** 답 4

$(f\circ f)(2)=f(f(2))=f(3)=4$

**058** 답 5

$$\begin{aligned}(f\circ f\circ f)(\sqrt{3})&=f(f(f(\sqrt{3})))\\&=f(f(3))\\&=f(4)=5\end{aligned}$$

**059** 답 4

$(f\circ f)(3)=f(f(3))=f(8)=4$

**060** 답 12

$$\begin{aligned}(f\circ f\circ f)(7)&=f(f(f(7)))\\&=f(f(48))\\&=f(24)=12\end{aligned}$$

**061** 답 **12**

$(f\circ f\circ f)(10)=f(f(f(10)))$
$=f(f(5))$
$=f(24)=12$

**062** 답 $\mathbf{3x,\ 9x^2-5}$

**063** 답 $\mathbf{x^2-5,\ 3x^2-15}$

**064** 답 $\mathbf{(g\circ f)(x)=2x-1}$

$(g\circ f)(x)=g(f(x))=g(4x-1)$
$=\frac{(4x-1)-1}{2}=2x-1$

**065** 답 $\mathbf{(f\circ g)(x)=2x-3}$

$(f\circ g)(x)=f(g(x))=f\left(\frac{x-1}{2}\right)$
$=4\times\frac{x-1}{2}-1=2x-3$

**066** 답 $\mathbf{(f\circ(g\circ h))(x)=-4x+3}$

$(g\circ h)(x)=g(h(x))=g(-2x+3)$
$=\frac{(-2x+3)-1}{2}=-x+1$
$\therefore\ (f\circ(g\circ h))(x)=f((g\circ h)(x))=f(-x+1)$
$=4(-x+1)-1=-4x+3$

**067** 답 $\mathbf{((f\circ g)\circ h)(x)=-4x+3}$

$(f\circ g)(x)=2x-3$이므로
$((f\circ g)\circ h)(x)=(f\circ g)(h(x))=(f\circ g)(-2x+3)$
$=2(-2x+3)-3=-4x+3$

**068** 답 $\boldsymbol{a}$

**069** 답 $\boldsymbol{c}$

$f^{-1}(1)=k$라고 하면
$f(k)=1\qquad\therefore\ k=c$

**070** 답 $\boldsymbol{d}$

$f^{-1}(3)=k$라고 하면
$f(k)=3\qquad\therefore\ k=d$

**071** 답 **4**

$f^{-1}(k)=e$라고 하면
$f(e)=k\qquad\therefore\ k=4$

**072** 답 **1, 1, 1**

**073** 답 $\mathbf{\frac{7}{3}}$

$f(a)=5$이므로
$3a-2=5\qquad\therefore\ a=\frac{7}{3}$

**074** 답 **−23**

$f(-7)=a$이므로
$-21-2=a\qquad\therefore\ a=-23$

**075** 답 **9**

$f(4)=a+1$이므로
$12-2=a+1\qquad\therefore\ a=9$

**076** 답 **6**

$f(4)=2$이므로
$-4+a=2\qquad\therefore\ a=6$

**077** 답 **−12**

$f(-9)=-3$이므로
$9+a=-3\qquad\therefore\ a=-12$

**078** 답 $\mathbf{-\frac{1}{4}}$

$f(-1)=\frac{3}{4}$이므로
$1+a=\frac{3}{4}\qquad\therefore\ a=-\frac{1}{4}$

**079** 답 **7, 7, 1, −5**

**080** 답 $\mathbf{a=-1,\ b=7}$

$f(5)=2,\ f(6)=1$이므로
$5a+b=2,\ 6a+b=1$
두 식을 연립하여 풀면
$a=-1,\ b=7$

**081** 답 $\mathbf{a=2,\ b=-5}$

$f(2)=-1,\ f(4)=3$이므로
$2a+b=-1,\ 4a+b=3$
두 식을 연립하여 풀면
$a=2,\ b=-5$

**082** 답 $\mathbf{a=1,\ b=-7}$

$f(5)=-2,\ f(15)=8$이므로
$5a+b=-2,\ 15a+b=8$
두 식을 연립하여 풀면
$a=1,\ b=-7$

**083** 답 $\mathbf{\frac{1}{4},\ y=\frac{1}{4}x+\frac{1}{4}}$

**084** 답 $\mathbf{y=-x+10}$

함수 $y=-x+10$은 일대일대응이므로 역함수가 존재한다.
$y=-x+10$을 $x$에 대하여 풀면 $x=-y+10$
$x$와 $y$를 서로 바꾸면 구하는 역함수는 $y=-x+10$

## 085 답 $y=\frac{1}{3}x-\frac{5}{3}$

함수 $y=3x+5$는 일대일대응이므로 역함수가 존재한다.

$y=3x+5$를 $x$에 대하여 풀면 $x=\frac{1}{3}y-\frac{5}{3}$

$x$와 $y$를 서로 바꾸면 구하는 역함수는 $y=\frac{1}{3}x-\frac{5}{3}$

## 086 답 $y=2x-6$

함수 $y=\frac{1}{2}x+3$은 일대일대응이므로 역함수가 존재한다.

$y=\frac{1}{2}x+3$을 $x$에 대하여 풀면 $x=2y-6$

$x$와 $y$를 서로 바꾸면 구하는 역함수는 $y=2x-6$

## 087 답 $y=-3x-3$

함수 $y=-\frac{1}{3}x-1$은 일대일대응이므로 역함수가 존재한다.

$y=-\frac{1}{3}x-1$을 $x$에 대하여 풀면 $x=-3y-3$

$x$와 $y$를 서로 바꾸면 구하는 역함수는 $y=-3x-3$

## 088 답 4

## 089 답 5

## 090 답 2

$(f^{-1})^{-1}(1)=f(1)=2$

## 091 답 1

$(f\circ f^{-1}\circ g)(2)=g(2)=1$

## 092 답 18

$(f\circ(f\circ g)^{-1}\circ f)(8)=(f\circ g^{-1}\circ f^{-1}\circ f)(8)$

$=(f\circ g^{-1})(8)=f(g^{-1}(8))$

이때 $g^{-1}(8)=a$라고 하면 $g(a)=8$

$a-1=8 \quad \therefore a=9$

$\therefore (f\circ(f\circ g)^{-1}\circ f)(8)=f(9)=18$

## 093 답 7

$(f\circ(g\circ f)^{-1}\circ f)(3)=(f\circ f^{-1}\circ g^{-1}\circ f)(3)$

$=(g^{-1}\circ f)(3)$

$=g^{-1}(f(3))=g^{-1}(6)$

이때 $g^{-1}(6)=a$라고 하면 $g(a)=6$

$a-1=6 \quad \therefore a=7$

$\therefore (f\circ(g\circ f)^{-1}\circ f)(3)=g^{-1}(6)=7$

## 094 답 2

$(f\circ g)^{-1}(-3)=(g^{-1}\circ f^{-1})(-3)=g^{-1}(f^{-1}(-3))$

이때 $f^{-1}(-3)=a$라고 하면 $f(a)=-3$

$-a+1=-3 \quad \therefore a=4$

$\therefore (f\circ g)^{-1}(-3)=g^{-1}(4)$

또 $g^{-1}(4)=b$라고 하면 $g(b)=4$

$3b-2=4 \quad \therefore b=2$

$\therefore (f\circ g)^{-1}(-3)=g^{-1}(4)=2$

## 095 답 $-2$

$(f^{-1}\circ g)^{-1}(9)=(g^{-1}\circ f)(9)$

$=g^{-1}(f(9))=g^{-1}(-8)$

이때 $g^{-1}(-8)=a$라고 하면 $g(a)=-8$

$3a-2=-8 \quad \therefore a=-2$

$\therefore (f^{-1}\circ g)^{-1}(9)=g^{-1}(-8)=-2$

## 096 답 4

$(f\circ g^{-1})^{-1}(-1)=(g\circ f^{-1})(-1)=g(f^{-1}(-1))$

이때 $f^{-1}(-1)=a$라고 하면 $f(a)=-1$

$-a+1=-1 \quad \therefore a=2$

$\therefore (f\circ g^{-1})^{-1}(-1)=g(f^{-1}(-1))=g(2)=4$

## 097 답 $-18$

$(g\circ(f\circ g)^{-1}\circ g)(7)=(g\circ g^{-1}\circ f^{-1}\circ g)(7)$

$=(f^{-1}\circ g)(7)=f^{-1}(g(7))=f^{-1}(19)$

이때 $f^{-1}(19)=a$라고 하면 $f(a)=19$

$-a+1=19 \quad \therefore a=-18$

$\therefore (g\circ(f\circ g)^{-1}\circ g)(7)=f^{-1}(19)=-18$

## 098 답 2

$(f\circ(f^{-1}\circ g)^{-1}\circ f^{-1})(-5)=(f\circ g^{-1}\circ f\circ f^{-1})(-5)$

$=(f\circ g^{-1})(-5)=f(g^{-1}(-5))$

이때 $g^{-1}(-5)=a$라고 하면 $g(a)=-5$

$3a-2=-5 \quad \therefore a=-1$

$\therefore (f\circ(f^{-1}\circ g)^{-1}\circ f^{-1})(-5)=f(-1)=2$

## 099 답 $a$



## 100 답 $a$

$(f\circ f)(c)=f(f(c))=f(b)=a$

## 101 답 $c$

$f^{-1}(b)=k$라고 하면 $f(k)=b$

이때 $f(c)=b$이므로 $k=c$

$\therefore f^{-1}(b)=c$

## 102 답 $e$

$(f^{-1}\circ f^{-1})(c)=f^{-1}(f^{-1}(c))$

$f^{-1}(c)=k$라고 하면 $f(k)=c$

이때 $f(d)=c$이므로 $k=d$

$\therefore (f^{-1}\circ f^{-1})(c)=f^{-1}(d)$

$f^{-1}(d)=t$라고 하면 $f(t)=d$

이때 $f(e)=d$이므로 $t=e$

$\therefore (f^{-1}\circ f^{-1})(c)=f^{-1}(d)=e$

**103** 답 $c$

$(f \circ f)(a)=f(f(a))=f(b)=c$

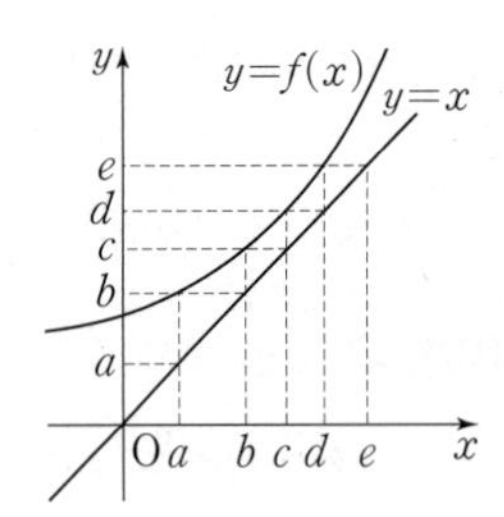


**104** 답 $a$

$f^{-1}(b)=k$라고 하면 $f(k)=b$

이때 $f(a)=b$이므로 $k=a$

$\therefore f^{-1}(b)=a$

**105** 답 $a$

$(f^{-1} \circ f^{-1})(c)=f^{-1}(f^{-1}(c))$

$f^{-1}(c)=k$라고 하면 $f(k)=c$

이때 $f(b)=c$이므로 $k=b$

$\therefore (f^{-1} \circ f^{-1})(c)=f^{-1}(b)$

$f^{-1}(b)=t$라고 하면 $f(t)=b$

이때 $f(a)=b$이므로 $t=a$

$\therefore (f^{-1} \circ f^{-1})(c)=f^{-1}(b)=a$

**106** 답 $b$

$(f \circ f)^{-1}(d)=(f^{-1} \circ f^{-1})(d)=f^{-1}(f^{-1}(d))$

$f^{-1}(d)=k$라고 하면 $f(k)=d$

이때 $f(c)=d$이므로 $k=c$

$\therefore (f \circ f)^{-1}(d)=f^{-1}(c)$

$f^{-1}(c)=t$라고 하면 $f(t)=c$

이때 $f(b)=c$이므로 $t=b$

$\therefore (f \circ f)^{-1}(d)=f^{-1}(c)=b$

## 연산 유형 최종 점검하기

64~65쪽

| | | | | | |
|---|---|---|---|---|---|
| **1** ④ | **2** ③ | **3** ② | **4** ② | **5** ⑤ | **6** ② |
| **7** 17 | **8** ② | **9** ⑤ | **10** ④ | **11** 13 | **12** 15 |
| **13** ④ | | | | | |

**1** ㄴ. $g(1)=2$에서 정의역의 원소 1에 대응하는 공역의 원소가 없으므로 함수가 아니다.

따라서 보기 중 함수인 것은 ㄱ, ㄷ이다.

**2** $f(0)=2$, $f(1)=3$, $f(2)=4$이므로 함수 $f$의 치역은 $\{2, 3, 4\}$

**3** $f(-1)+f(3)=1+3=4$

**4** $\dfrac{x+1}{2}=-1$이라고 하면 $x=-3$

$\therefore f(-1)=f\left(\dfrac{-3+1}{2}\right)=-6-1=-7$

**5** ㄱ. $f(1)=1$, $g(1)=-1$이므로 $f(1)\neq g(1)$

$\therefore f\neq g$

따라서 보기 중 $f=g$인 것은 ㄴ, ㄷ이다.

**6** 임의의 실수 $a$에 대하여 직선 $y=a$와 오직 한 점에서 만나는 그래프를 찾으면 ②이다.

**7** $(g \circ f)(1)+(g \circ f)(3)=g(f(1))+g(f(3))$

$=g(6)+g(5)$

$=8+9=17$

**8** $(f \circ f)(x)=f(f(x))$

$=f(ax+b)$

$=a(ax+b)+b$

$=a^2x+ab+b$

따라서 $a^2x+ab+b=4x+3$이므로

$a^2=4 \qquad \therefore a=\pm 2$

그런데 $a>0$이므로 $a=2$

또 $ab+b=3$에서 $2b+b=3$

$3b=3 \qquad \therefore b=1$

$\therefore a+b=3$

**9** $y=-ax+3$을 $x$에 대하여 풀면 $x=-\dfrac{1}{a}y+\dfrac{3}{a}$

$x$와 $y$를 서로 바꾸면 $y=-\dfrac{1}{a}x+\dfrac{3}{a}$

따라서 $-\dfrac{1}{a}x+\dfrac{3}{a}=\dfrac{1}{2}x+b$이므로

$-\dfrac{1}{a}=\dfrac{1}{2}$, $\dfrac{3}{a}=b \qquad \therefore a=-2$, $b=-\dfrac{3}{2}$

$\therefore a-b=-\dfrac{1}{2}$

**10** 함수 $f(x)=-x+a$의 그래프가 점 $(-3, 2)$를 지나므로

$2=3+a \qquad \therefore a=-1$

**11** $(f \circ g)(2)=f(g(2))=f(5)=11$

$f^{-1}(2)=k$라고 하면 $f(k)=2$

$3k-4=2 \qquad \therefore k=2$

$\therefore (f \circ g)(2)+f^{-1}(2)=11+2=13$

**12** $(f \circ (g^{-1} \circ f)^{-1} \circ f)(1)=(f \circ f^{-1} \circ g \circ f)(1)$

$=(g \circ f)(1)$

$=g(f(1))$

$=g(10)=15$

**13** ④ $f^{-1}(d)=k$라고 하면

$f(k)=d$

이때 $f(c)=d$이므로 $k=c$

$\therefore f^{-1}(d)=c$

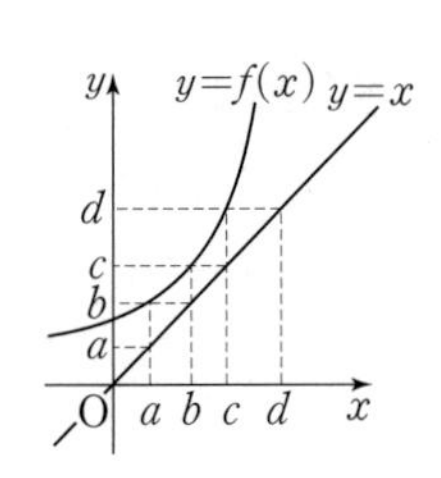

# 05 유리함수

68~79쪽

**001** 답 분

**002** 답 다

**003** 답 다

**004** 답 분

**005** 답 분

**006** 답 $\frac{2x-1}{(x+1)(x-2)}$

$$\frac{1}{x+1}+\frac{1}{x-2}=\frac{x-2}{(x+1)(x-2)}+\frac{x+1}{(x+1)(x-2)}$$
$$=\frac{x-2+x+1}{(x+1)(x-2)}=\frac{2x-1}{(x+1)(x-2)}$$

**007** 답 $-\frac{6}{(x+1)(x-1)}$

$$\frac{3}{x+1}-\frac{3}{x-1}=\frac{3(x-1)}{(x+1)(x-1)}-\frac{3(x+1)}{(x+1)(x-1)}$$
$$=\frac{3x-3-3x-3}{(x+1)(x-1)}=-\frac{6}{(x+1)(x-1)}$$

**008** 답 $\frac{x^2+7x+5}{(2x+1)(x-3)}$

$$\frac{x}{2x+1}+\frac{5}{x-3}=\frac{x(x-3)}{(2x+1)(x-3)}+\frac{5(2x+1)}{(2x+1)(x-3)}$$
$$=\frac{x^2-3x+10x+5}{(2x+1)(x-3)}=\frac{x^2+7x+5}{(2x+1)(x-3)}$$

**009** 답 $\frac{3x+5}{(x+1)(x+2)(x+3)}$

$$\frac{1}{(x+1)(x+2)}+\frac{2}{(x+2)(x+3)}$$
$$=\frac{x+3}{(x+1)(x+2)(x+3)}+\frac{2(x+1)}{(x+1)(x+2)(x+3)}$$
$$=\frac{x+3+2x+2}{(x+1)(x+2)(x+3)}=\frac{3x+5}{(x+1)(x+2)(x+3)}$$

**010** 답 $x-2$

$$\frac{x^2-4}{x+4}\times\frac{x+4}{x+2}=\frac{(x+2)(x-2)}{x+4}\times\frac{x+4}{x+2}=x-2$$

**011** 답 $\frac{3x-2}{x^2}$

$$\frac{3x-2}{x^2+x}\times\frac{x+1}{x}=\frac{3x-2}{x(x+1)}\times\frac{x+1}{x}=\frac{3x-2}{x^2}$$

**012** 답 $\frac{x+1}{x}$

$$\frac{x^2+3x+2}{x^2}\times\frac{x}{x+2}=\frac{(x+2)(x+1)}{x^2}\times\frac{x}{x+2}=\frac{x+1}{x}$$

**013** 답 $\frac{2x+1}{x-2}$

$$\frac{2x+1}{x^2-2x}\div\frac{1}{x}=\frac{2x+1}{x(x-2)}\times x=\frac{2x+1}{x-2}$$

**014** 답 $\frac{(x-1)(x+3)}{x}$

$$\frac{x^2-1}{x^2}\div\frac{x+1}{x^2+3x}=\frac{x^2-1}{x^2}\times\frac{x^2+3x}{x+1}$$
$$=\frac{(x+1)(x-1)}{x^2}\times\frac{x(x+3)}{x+1}$$
$$=\frac{(x-1)(x+3)}{x}$$

**015** 답 $x(x-4)$

$$\frac{x^2-16}{x^2+1}\div\frac{x+4}{x^3+x}=\frac{x^2-16}{x^2+1}\times\frac{x^3+x}{x+4}$$
$$=\frac{(x+4)(x-4)}{x^2+1}\times\frac{x(x^2+1)}{x+4}$$
$$=x(x-4)$$

**016** 답 $\frac{x-2}{x^3-1}$

$$\frac{1}{x-1}-\frac{2x}{x^2+x+1}+\frac{x^2-2x-3}{x^3-1}$$
$$=\frac{x^2+x+1}{(x-1)(x^2+x+1)}-\frac{2x(x-1)}{(x-1)(x^2+x+1)}+\frac{x^2-2x-3}{x^3-1}$$
$$=\frac{x^2+x+1-2x^2+2x+x^2-2x-3}{x^3-1}$$
$$=\frac{x-2}{x^3-1}$$

**017** 답 1

$$\frac{x-1}{x+2}\times\frac{x^2+4x+4}{x^2+2x-3}\div\frac{x+2}{x+3}$$
$$=\frac{x-1}{x+2}\times\frac{(x+2)^2}{(x+3)(x-1)}\times\frac{x+3}{x+2}$$
$$=1$$

**018** 답 $\frac{x^2+2}{x+2}$

$$\frac{x^2-3x}{x+2}\times\left(1-\frac{1}{x}\right)\div\frac{x^2-4x+3}{x^2+2}$$
$$=\frac{x^2-3x}{x+2}\times\frac{x-1}{x}\times\frac{x^2+2}{x^2-4x+3}$$
$$=\frac{x(x-3)}{x+2}\times\frac{x-1}{x}\times\frac{x^2+2}{(x-1)(x-3)}$$
$$=\frac{x^2+2}{x+2}$$

**019** 답 $\dfrac{1}{x(2x+y)}$

$$\frac{y}{x^2-xy}\div\frac{2x^2+xy}{x^2-y^2}\times\frac{x}{xy+y^2}$$
$$=\frac{y}{x^2-xy}\times\frac{x^2-y^2}{2x^2+xy}\times\frac{x}{xy+y^2}$$
$$=\frac{y}{x(x-y)}\times\frac{(x+y)(x-y)}{x(2x+y)}\times\frac{x}{y(x+y)}$$
$$=\frac{1}{x(2x+y)}$$

**020** 답 $\dfrac{x+2}{x-2y}$

$$\frac{x^2-xy+2x-2y}{x^2-xy-2y^2}\times\frac{2x^2+xy-y^2}{x^2-xy}\div\frac{2x-y}{x}$$
$$=\frac{(x+2)(x-y)}{(x+y)(x-2y)}\times\frac{(x+y)(2x-y)}{x(x-y)}\times\frac{x}{2x-y}$$
$$=\frac{x+2}{x-2y}$$

**021** 답 $x+2,\ x+2,\ x+2,\ x+3,\ x+4,\ x+4$

$$\frac{1}{(x+1)(x+2)}+\frac{1}{(x+2)(x+3)}+\frac{1}{(x+3)(x+4)}$$
$$=\frac{1}{(x+2)-(x+1)}\left(\frac{1}{x+1}-\frac{1}{x+2}\right)$$
$$+\frac{1}{(x+3)-(x+2)}\left(\frac{1}{x+2}-\frac{1}{x+3}\right)$$
$$+\frac{1}{(x+4)-(x+3)}\left(\frac{1}{x+3}-\frac{1}{x+4}\right)$$
$$=\left(\frac{1}{x+1}-\frac{1}{x+2}\right)+\left(\frac{1}{x+2}-\frac{1}{x+3}\right)+\left(\frac{1}{x+3}-\frac{1}{x+4}\right)$$
$$=\frac{1}{x+1}-\frac{1}{x+4}$$
$$=\frac{x+4}{(x+1)(x+4)}-\frac{x+1}{(x+1)(x+4)}$$
$$=\frac{x+4-x-1}{(x+1)(x+4)}=\frac{3}{(x+1)(x+4)}$$

**022** 답 $\dfrac{6}{(x+1)(x+7)}$

$$\frac{2}{(x+1)(x+3)}+\frac{2}{(x+3)(x+5)}+\frac{2}{(x+5)(x+7)}$$
$$=\frac{2}{(x+3)-(x+1)}\left(\frac{1}{x+1}-\frac{1}{x+3}\right)$$
$$+\frac{2}{(x+5)-(x+3)}\left(\frac{1}{x+3}-\frac{1}{x+5}\right)$$
$$+\frac{2}{(x+7)-(x+5)}\left(\frac{1}{x+5}-\frac{1}{x+7}\right)$$
$$=\left(\frac{1}{x+1}-\frac{1}{x+3}\right)+\left(\frac{1}{x+3}-\frac{1}{x+5}\right)+\left(\frac{1}{x+5}-\frac{1}{x+7}\right)$$
$$=\frac{1}{x+1}-\frac{1}{x+7}$$
$$=\frac{x+7}{(x+1)(x+7)}-\frac{x+1}{(x+1)(x+7)}$$
$$=\frac{x+7-x-1}{(x+1)(x+7)}=\frac{6}{(x+1)(x+7)}$$

**023** 답 $\dfrac{6}{x(x+6)}$

$$\frac{1}{x(x+1)}+\frac{2}{(x+1)(x+3)}+\frac{3}{(x+3)(x+6)}$$
$$=\frac{1}{(x+1)-x}\left(\frac{1}{x}-\frac{1}{x+1}\right)$$
$$+\frac{2}{(x+3)-(x+1)}\left(\frac{1}{x+1}-\frac{1}{x+3}\right)$$
$$+\frac{3}{(x+6)-(x+3)}\left(\frac{1}{x+3}-\frac{1}{x+6}\right)$$
$$=\left(\frac{1}{x}-\frac{1}{x+1}\right)+\left(\frac{1}{x+1}-\frac{1}{x+3}\right)+\left(\frac{1}{x+3}-\frac{1}{x+6}\right)$$
$$=\frac{1}{x}-\frac{1}{x+6}$$
$$=\frac{x+6}{x(x+6)}-\frac{x}{x(x+6)}$$
$$=\frac{x+6-x}{x(x+6)}=\frac{6}{x(x+6)}$$

**024** 답 $\dfrac{8}{(x-4)(x+4)}$

$$\frac{2}{(x-4)(x-2)}+\frac{4}{(x-2)(x+2)}+\frac{2}{(x+2)(x+4)}$$
$$=\frac{2}{(x-2)-(x-4)}\left(\frac{1}{x-4}-\frac{1}{x-2}\right)$$
$$+\frac{4}{(x+2)-(x-2)}\left(\frac{1}{x-2}-\frac{1}{x+2}\right)$$
$$+\frac{2}{(x+4)-(x+2)}\left(\frac{1}{x+2}-\frac{1}{x+4}\right)$$
$$=\left(\frac{1}{x-4}-\frac{1}{x-2}\right)+\left(\frac{1}{x-2}-\frac{1}{x+2}\right)+\left(\frac{1}{x+2}-\frac{1}{x+4}\right)$$
$$=\frac{1}{x-4}-\frac{1}{x+4}$$
$$=\frac{x+4}{(x-4)(x+4)}-\frac{x-4}{(x-4)(x+4)}$$
$$=\frac{x+4-x+4}{(x-4)(x+4)}=\frac{8}{(x-4)(x+4)}$$

**025** 답 $\dfrac{3}{x(x-3)}$

$$\frac{1}{x^2-5x+6}+\frac{1}{x^2-3x+2}+\frac{1}{x^2-x}$$
$$=\frac{1}{(x-3)(x-2)}+\frac{1}{(x-2)(x-1)}+\frac{1}{(x-1)\times x}$$
$$=\frac{1}{(x-2)-(x-3)}\left(\frac{1}{x-3}-\frac{1}{x-2}\right)$$
$$+\frac{1}{(x-1)-(x-2)}\left(\frac{1}{x-2}-\frac{1}{x-1}\right)$$
$$+\frac{1}{x-(x-1)}\left(\frac{1}{x-1}-\frac{1}{x}\right)$$
$$=\left(\frac{1}{x-3}-\frac{1}{x-2}\right)+\left(\frac{1}{x-2}-\frac{1}{x-1}\right)+\left(\frac{1}{x-1}-\frac{1}{x}\right)$$
$$=\frac{1}{x-3}-\frac{1}{x}$$
$$=\frac{x}{x(x-3)}-\frac{x-3}{x(x-3)}$$
$$=\frac{x-x+3}{x(x-3)}=\frac{3}{x(x-3)}$$

**026** 답 $\dfrac{3}{x(x+6)}$

$\dfrac{1}{x^2+2x}+\dfrac{1}{x^2+6x+8}+\dfrac{1}{x^2+10x+24}$

$=\dfrac{1}{x(x+2)}+\dfrac{1}{(x+2)(x+4)}+\dfrac{1}{(x+4)(x+6)}$

$=\dfrac{1}{(x+2)-x}\left(\dfrac{1}{x}-\dfrac{1}{x+2}\right)$

$\quad+\dfrac{1}{(x+4)-(x+2)}\left(\dfrac{1}{x+2}-\dfrac{1}{x+4}\right)$

$\quad+\dfrac{1}{(x+6)-(x+4)}\left(\dfrac{1}{x+4}-\dfrac{1}{x+6}\right)$

$=\dfrac{1}{2}\left(\dfrac{1}{x}-\dfrac{1}{x+2}\right)+\dfrac{1}{2}\left(\dfrac{1}{x+2}-\dfrac{1}{x+4}\right)+\dfrac{1}{2}\left(\dfrac{1}{x+4}-\dfrac{1}{x+6}\right)$

$=\dfrac{1}{2}\left(\dfrac{1}{x}-\dfrac{1}{x+6}\right)=\dfrac{1}{2}\left\{\dfrac{x+6}{x(x+6)}-\dfrac{x}{x(x+6)}\right\}$

$=\dfrac{1}{2}\times\dfrac{x+6-x}{x(x+6)}=\dfrac{3}{x(x+6)}$

**027** 답 분

**028** 답 다

**029** 답 다

**030** 답 분

**031** 답 분

**032** 답 $\{x|x\neq0$인 실수$\}$

**033** 답 $\{x|x\neq-4$인 실수$\}$

$x+4\neq0$에서 $x\neq-4$이므로 정의역은 $\{x|x\neq-4$인 실수$\}$

**034** 답 $\{x|x\neq6$인 실수$\}$

$x-6\neq0$에서 $x\neq6$이므로 정의역은 $\{x|x\neq6$인 실수$\}$

**035** 답 $\{x|x\neq-2,\ x\neq2$인 실수$\}$

$x^2-4\neq0$에서 $x\neq-2,\ x\neq2$이므로 정의역은
$\{x|x\neq-2,\ x\neq2$인 실수$\}$

**036** 답 $\{x|x$는 모든 실수$\}$

모든 실수 $x$에 대하여 $x^2+7>0$이므로 정의역은
$\{x|x$는 모든 실수$\}$

**037** 답

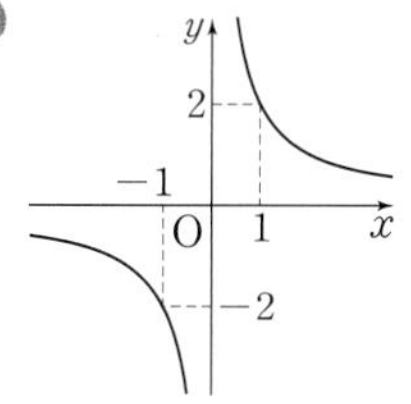


**038** 답

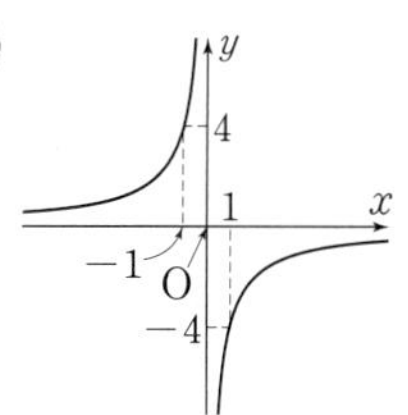


**039** 답

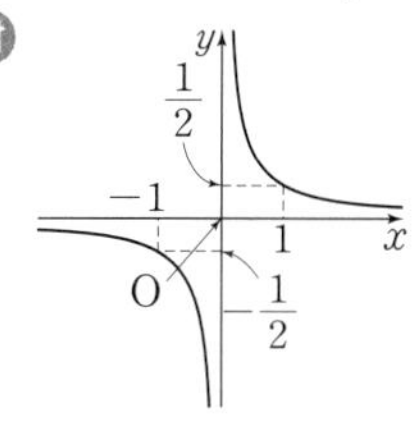


**040** 답

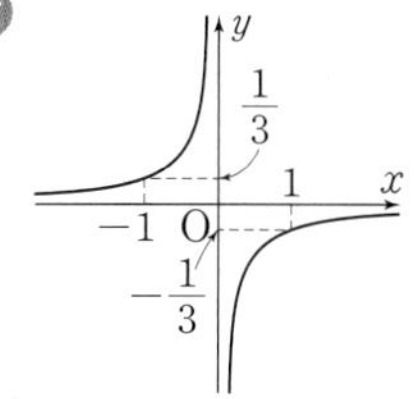


**041** 답 **3, 2, $x-2$**

**042** 답 $y=\dfrac{3}{x-1}-2$

함수 $y=\dfrac{3}{x}$의 그래프를 $x$축의 방향으로 1만큼, $y$축의 방향으로 $-2$만큼 평행이동하면

$y-(-2)=\dfrac{3}{x-1}\qquad\therefore y=\dfrac{3}{x-1}-2$

**043** 답 $y=\dfrac{2}{x+8}+7$

함수 $y=\dfrac{2}{x}$의 그래프를 $x$축의 방향으로 $-8$만큼, $y$축의 방향으로 7만큼 평행이동하면

$y-7=\dfrac{2}{x-(-8)}\qquad\therefore y=\dfrac{2}{x+8}+7$

**044** 답 $y=-\dfrac{4}{x+3}-1$

함수 $y=-\dfrac{4}{x}$의 그래프를 $x$축의 방향으로 $-3$만큼, $y$축의 방향으로 $-1$만큼 평행이동하면

$y-(-1)=-\dfrac{4}{x-(-3)}\qquad\therefore y=-\dfrac{4}{x+3}-1$

**045** 답 $y=-\dfrac{2}{x+4}+5$

함수 $y=-\dfrac{2}{x}$의 그래프를 $x$축의 방향으로 $-4$만큼, $y$축의 방향으로 5만큼 평행이동하면

$y-5=-\dfrac{2}{x-(-4)}\qquad\therefore y=-\dfrac{2}{x+4}+5$

**046** 답 $\boldsymbol{y=-\dfrac{9}{x-1}+2}$

함수 $y=-\dfrac{9}{x}$의 그래프를 $x$축의 방향으로 1만큼, $y$축의 방향으로 2만큼 평행이동하면

$y-2=-\dfrac{9}{x-1}\qquad \therefore y=-\dfrac{9}{x-1}+2$

**047** 답 $\boldsymbol{y=-\dfrac{12}{x-2}-6}$

함수 $y=-\dfrac{12}{x}$의 그래프를 $x$축의 방향으로 2만큼, $y$축의 방향으로 $-6$만큼 평행이동하면

$y-(-6)=-\dfrac{12}{x-2}\qquad \therefore y=-\dfrac{12}{x-2}-6$

**048** 답

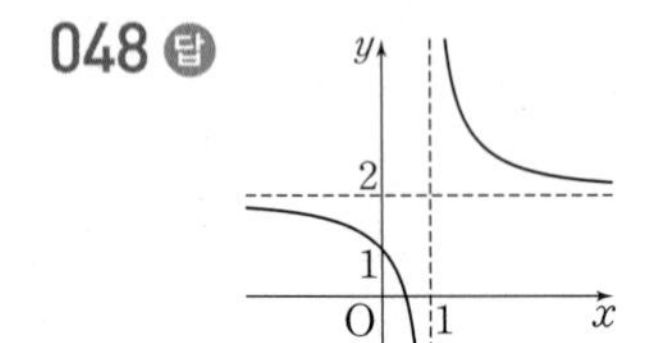


점근선의 방정식: $\boldsymbol{x=1,\ y=2}$
정의역: $\{\boldsymbol{x}|\boldsymbol{x}\neq\boldsymbol{1}$인 실수$\}$
치역: $\{\boldsymbol{y}|\boldsymbol{y}\neq\boldsymbol{2}$인 실수$\}$

**049** 답

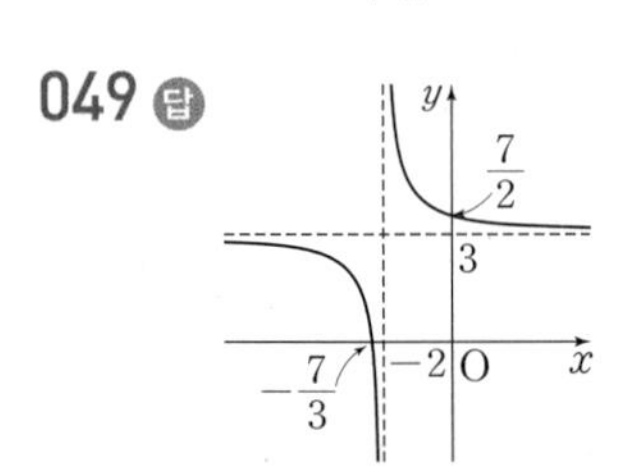


점근선의 방정식:
$\boldsymbol{x=-2,\ y=3}$
정의역: $\{\boldsymbol{x}|\boldsymbol{x}\neq\boldsymbol{-2}$인 실수$\}$
치역: $\{\boldsymbol{y}|\boldsymbol{y}\neq\boldsymbol{3}$인 실수$\}$

**050** 답

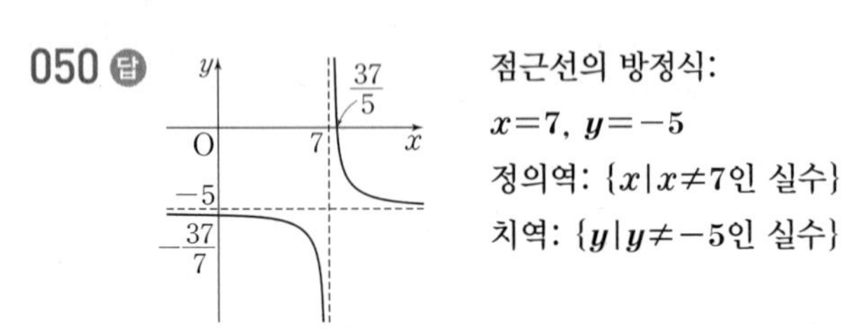


점근선의 방정식:
$\boldsymbol{x=7,\ y=-5}$
정의역: $\{\boldsymbol{x}|\boldsymbol{x}\neq\boldsymbol{7}$인 실수$\}$
치역: $\{\boldsymbol{y}|\boldsymbol{y}\neq\boldsymbol{-5}$인 실수$\}$

**051** 답

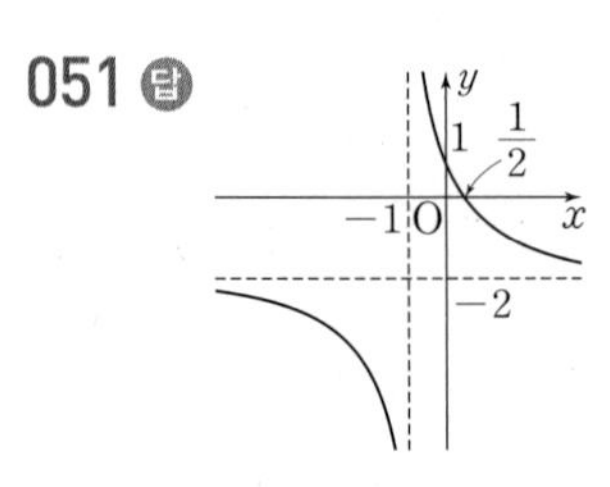


점근선의 방정식:
$\boldsymbol{x=-1,\ y=-2}$
정의역: $\{\boldsymbol{x}|\boldsymbol{x}\neq\boldsymbol{-1}$인 실수$\}$
치역: $\{\boldsymbol{y}|\boldsymbol{y}\neq\boldsymbol{-2}$인 실수$\}$

**052** 답

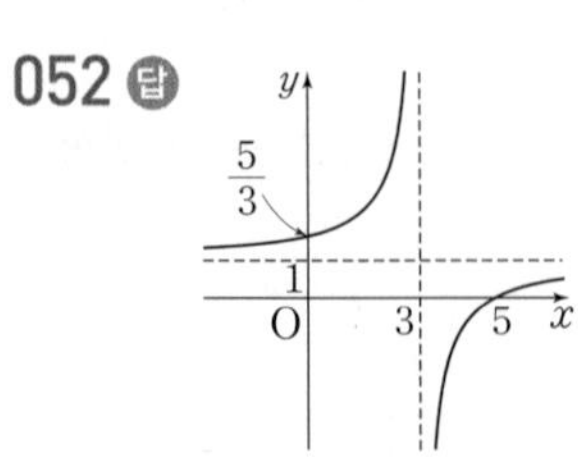


점근선의 방정식: $\boldsymbol{x=3,\ y=1}$
정의역: $\{\boldsymbol{x}|\boldsymbol{x}\neq\boldsymbol{3}$인 실수$\}$
치역: $\{\boldsymbol{y}|\boldsymbol{y}\neq\boldsymbol{1}$인 실수$\}$

**053** 답

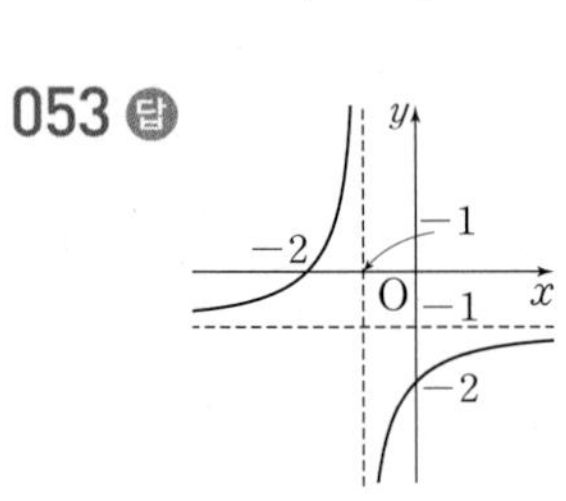


점근선의 방정식:
$\boldsymbol{x=-1,\ y=-1}$
정의역: $\{\boldsymbol{x}|\boldsymbol{x}\neq\boldsymbol{-1}$인 실수$\}$
치역: $\{\boldsymbol{y}|\boldsymbol{y}\neq\boldsymbol{-1}$인 실수$\}$

**054** 답

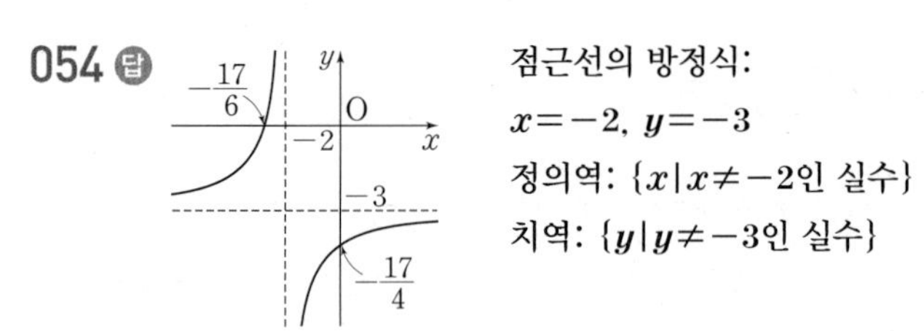


점근선의 방정식:
$\boldsymbol{x=-2,\ y=-3}$
정의역: $\{\boldsymbol{x}|\boldsymbol{x}\neq\boldsymbol{-2}$인 실수$\}$
치역: $\{\boldsymbol{y}|\boldsymbol{y}\neq\boldsymbol{-3}$인 실수$\}$

$y=-\dfrac{5}{2x+4}-3=-\dfrac{5}{2(x+2)}-3$

**055** 답

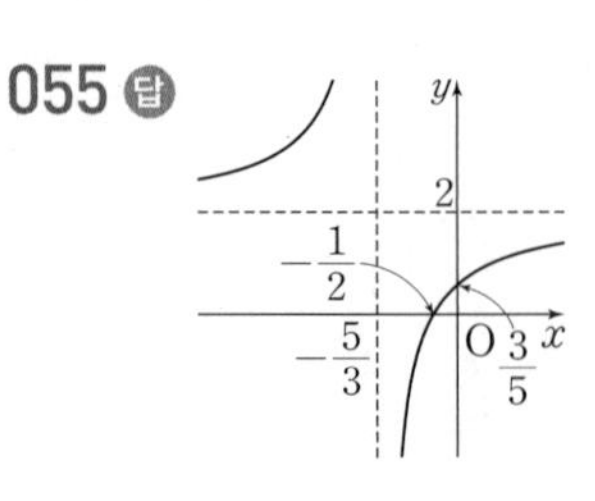


점근선의 방정식:
$\boldsymbol{x=-\dfrac{5}{3},\ y=2}$
정의역: $\left\{\boldsymbol{x}\,\middle|\,\boldsymbol{x}\neq-\dfrac{\boldsymbol{5}}{\boldsymbol{3}}\text{인 실수}\right\}$
치역: $\{\boldsymbol{y}|\boldsymbol{y}\neq\boldsymbol{2}$인 실수$\}$

$y=-\dfrac{7}{3x+5}+2=-\dfrac{7}{3\left(x+\dfrac{5}{3}\right)}+2$

**056** 답

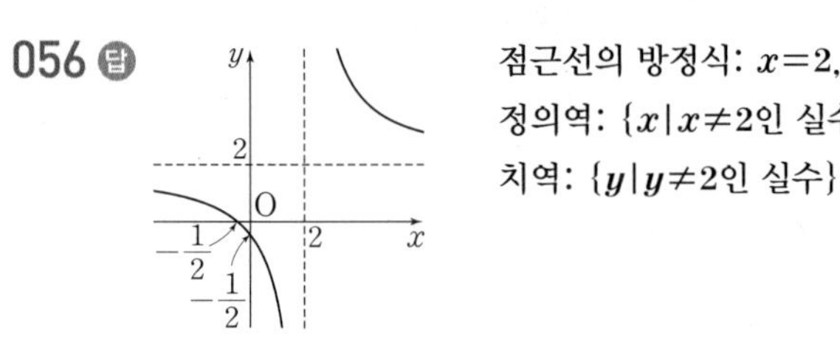


점근선의 방정식: $\boldsymbol{x=2,\ y=2}$
정의역: $\{\boldsymbol{x}|\boldsymbol{x}\neq\boldsymbol{2}$인 실수$\}$
치역: $\{\boldsymbol{y}|\boldsymbol{y}\neq\boldsymbol{2}$인 실수$\}$

$y=\dfrac{2x+1}{x-2}=\dfrac{2(x-2)+5}{x-2}=\dfrac{5}{x-2}+2$

**057** 답

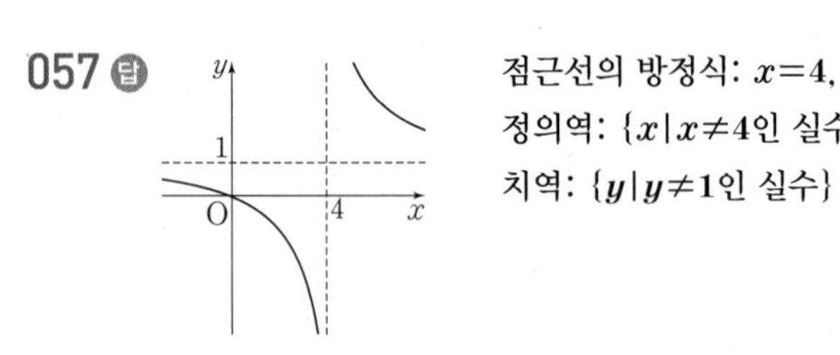


점근선의 방정식: $\boldsymbol{x=4,\ y=1}$
정의역: $\{\boldsymbol{x}|\boldsymbol{x}\neq\boldsymbol{4}$인 실수$\}$
치역: $\{\boldsymbol{y}|\boldsymbol{y}\neq\boldsymbol{1}$인 실수$\}$

$y=\dfrac{x}{x-4}=\dfrac{(x-4)+4}{x-4}=\dfrac{4}{x-4}+1$

**058** 답

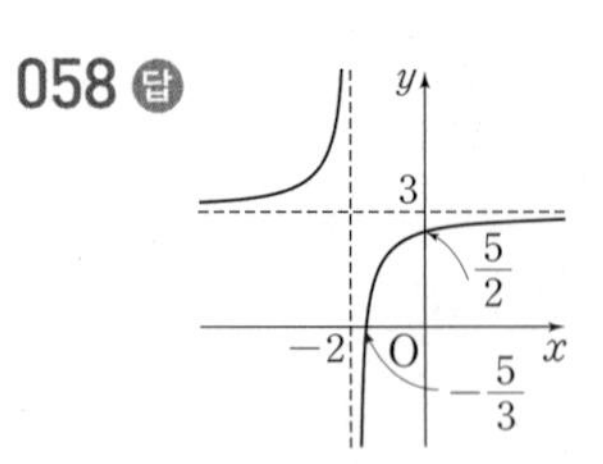


점근선의 방정식:
$\boldsymbol{x=-2,\ y=3}$
정의역: $\{\boldsymbol{x}|\boldsymbol{x}\neq\boldsymbol{-2}$인 실수$\}$
치역: $\{\boldsymbol{y}|\boldsymbol{y}\neq\boldsymbol{3}$인 실수$\}$

$y=\dfrac{3x+5}{x+2}=\dfrac{3(x+2)-1}{x+2}=-\dfrac{1}{x+2}+3$

**059** 답

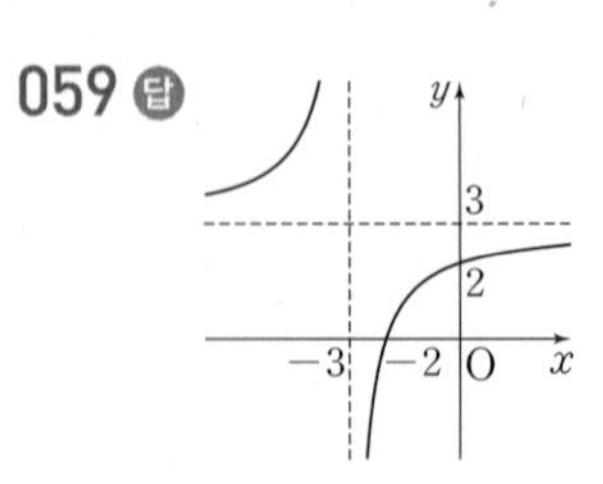


점근선의 방정식:
$\boldsymbol{x=-3,\ y=3}$
정의역: $\{\boldsymbol{x}|\boldsymbol{x}\neq\boldsymbol{-3}$인 실수$\}$
치역: $\{\boldsymbol{y}|\boldsymbol{y}\neq\boldsymbol{3}$인 실수$\}$

$y=\dfrac{3x+6}{x+3}=\dfrac{3(x+3)-3}{x+3}=-\dfrac{3}{x+3}+3$

**060** 답

점근선의 방정식: $x=-\frac{5}{2}$, $y=-2$

정의역: $\left\{x \middle| x\neq -\frac{5}{2}\text{인 실수}\right\}$

치역: $\{y|y\neq -2\text{인 실수}\}$

$y=-\frac{4x+11}{2x+5}=\frac{-2(2x+5)-1}{2x+5}$

$=-\frac{1}{2x+5}-2=-\frac{1}{2\left(x+\frac{5}{2}\right)}-2$

**061** 답

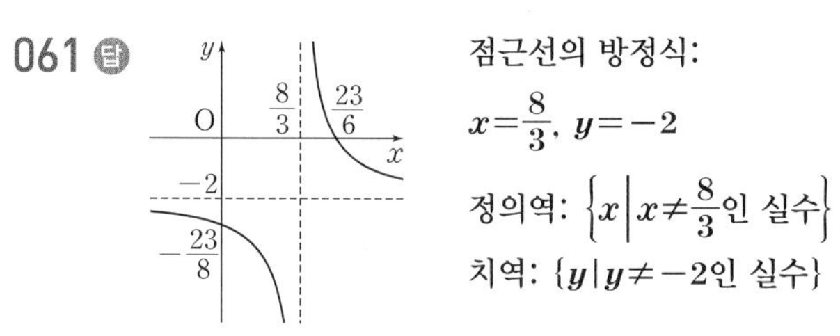


점근선의 방정식: $x=\frac{8}{3}$, $y=-2$

정의역: $\left\{x \middle| x\neq \frac{8}{3}\text{인 실수}\right\}$

치역: $\{y|y\neq -2\text{인 실수}\}$

$y=-\frac{6x-23}{3x-8}=\frac{-2(3x-8)+7}{3x-8}=\frac{7}{3x-8}-2=\frac{7}{3\left(x-\frac{8}{3}\right)}-2$

**062** 답 ○

$y=\frac{x+1}{x-1}=\frac{(x-1)+2}{x-1}=\frac{2}{x-1}+1$이므로 주어진 함수의 그래프를 평행이동하여 함수 $y=\frac{2}{x}$의 그래프와 겹쳐지는지 확인하면 된다.

함수 $y=\frac{2}{x-1}$의 그래프는 함수 $y=\frac{2}{x}$의 그래프를 $x$축의 방향으로 1만큼 평행이동한 것이다.

**063** 답 ×

$y=\frac{x-1}{x+1}=\frac{(x+1)-2}{x+1}=-\frac{2}{x+1}+1$

이므로 주어진 함수의 그래프는 함수 $y=-\frac{2}{x}$의 그래프를 $x$축의 방향으로 $-1$만큼, $y$축의 방향으로 1만큼 평행이동한 것이다.

**064** 답 ×

$y=\frac{2x}{x-3}=\frac{2(x-3)+6}{x-3}=\frac{6}{x-3}+2$

이므로 주어진 함수의 그래프는 함수 $y=\frac{6}{x}$의 그래프를 $x$축의 방향으로 3만큼, $y$축의 방향으로 2만큼 평행이동한 것이다.

**065** 답 ○

$y=\frac{-2x-1}{x+2}=\frac{-2(x+2)+3}{x+2}=\frac{3}{x+2}-2$이므로 주어진 함수의 그래프를 평행이동하여 함수 $y=\frac{3}{x}$의 그래프와 겹쳐지는지 확인하면 된다.

$y=\frac{x+2}{x-1}=\frac{(x-1)+3}{x-1}=\frac{3}{x-1}+1$

이므로 주어진 함수의 그래프는 함수 $y=\frac{3}{x}$의 그래프를 $x$축의 방향으로 1만큼, $y$축의 방향으로 1만큼 평행이동한 것이다.

**066** 답 ×

$y=\frac{-2x-4}{x+1}=\frac{-2(x+1)-2}{x+1}=-\frac{2}{x+1}-2$

이므로 주어진 함수의 그래프는 함수 $y=-\frac{2}{x}$의 그래프를 $x$축의 방향으로 $-1$만큼, $y$축의 방향으로 $-2$만큼 평행이동한 것이다.

**067** 답 ×

$y=\frac{3x+16}{x+5}=\frac{3(x+5)+1}{x+5}=\frac{1}{x+5}+3$

이므로 주어진 함수의 그래프는 함수 $y=\frac{1}{x}$의 그래프를 $x$축의 방향으로 $-5$만큼, $y$축의 방향으로 3만큼 평행이동한 것이다.

**068** 답 **4, 2, 4, 2, −2**

**069** 답 **6**

$y=\frac{4x+9}{x+2}=\frac{4(x+2)+1}{x+2}=\frac{1}{x+2}+4$

이므로 함수 $y=\frac{4x+9}{x+2}$의 그래프의 점근선의 방정식은

$x=-2$, $y=4$

따라서 함수 $y=\frac{4x+9}{x+2}$의 그래프가 직선 $y=x+k$에 대하여 대칭이려면 직선 $y=x+k$는 두 점근선의 교점 $(-2, 4)$를 지나야 하므로 $4=-2+k$ $\quad\therefore k=6$

**070** 답 **2**

$y=\frac{3x-2}{x-1}=\frac{3(x-1)+1}{x-1}=\frac{1}{x-1}+3$

이므로 함수 $y=\frac{3x-2}{x-1}$의 그래프의 점근선의 방정식은

$x=1$, $y=3$

따라서 함수 $y=\frac{3x-2}{x-1}$의 그래프가 직선 $y=x+k$에 대하여 대칭이려면 직선 $y=x+k$는 두 점근선의 교점 $(1, 3)$을 지나야 하므로

$3=1+k$ $\quad\therefore k=2$

**071** 답 **−1**

$y=-\frac{2x-1}{x-1}=\frac{-2(x-1)-1}{x-1}=-\frac{1}{x-1}-2$

이므로 함수 $y=-\frac{2x-1}{x-1}$의 그래프의 점근선의 방정식은

$x=1$, $y=-2$

따라서 함수 $y=-\frac{2x-1}{x-1}$의 그래프가 직선 $y=-x+k$에 대하여 대칭이려면 직선 $y=-x+k$는 두 점근선의 교점 $(1, -2)$를 지나야 하므로 $-2=-1+k$ $\quad\therefore k=-1$

**072** 답 **−8**

$y=-\frac{3x+16}{x+5}=\frac{-3(x+5)-1}{x+5}=-\frac{1}{x+5}-3$

이므로 함수 $y=-\frac{3x+16}{x+5}$의 그래프의 점근선의 방정식은

$x=-5$, $y=-3$

따라서 함수 $y=-\frac{3x+16}{x+5}$의 그래프가 직선 $y=-x+k$에 대하여 대칭이려면 직선 $y=-x+k$는 두 점근선의 교점 $(-5, -3)$을 지나야 하므로 $-3=-(-5)+k$ $\quad\therefore k=-8$

## 073 답 3, 3, 1, −2

## 074 답 최댓값: $\frac{1}{2}$, 최솟값: −1

$y=\frac{x+1}{x-1}=\frac{(x-1)+2}{x-1}=\frac{2}{x-1}+1$

이므로 주어진 함수의 그래프는 $y=\frac{2}{x}$의 그래프를 $x$축의 방향으로 1만큼, $y$축의 방향으로 1만큼 평행이동한 것이다.

즉, 정의역 $\{x|-3\le x\le 0\}$에서 $y=\frac{x+1}{x-1}$의 그래프는 오른쪽 그림과 같다.

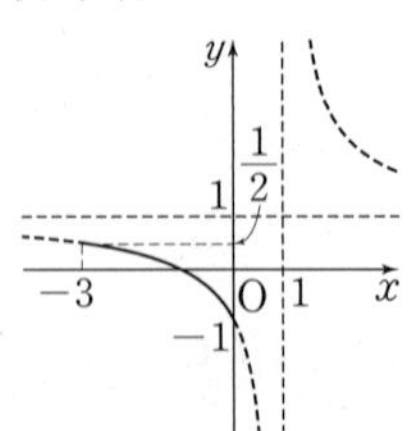

따라서 $x=-3$일 때 최댓값은 $\frac{1}{2}$, $x=0$일 때 최솟값은 $-1$이다.

## 075 답 최댓값: 7, 최솟값: 5

$y=\frac{4x+17}{x+2}=\frac{4(x+2)+9}{x+2}=\frac{9}{x+2}+4$

이므로 주어진 함수의 그래프는 $y=\frac{9}{x}$의 그래프를 $x$축의 방향으로 $-2$만큼, $y$축의 방향으로 4만큼 평행이동한 것이다.

즉, 정의역 $\{x|1\le x\le 7\}$에서 $y=\frac{4x+17}{x+2}$의 그래프는 오른쪽 그림과 같다.

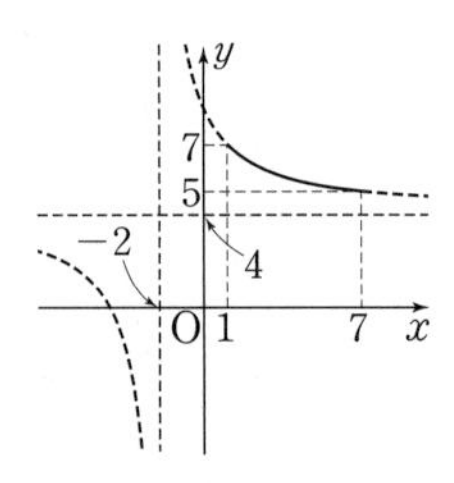

따라서 $x=1$일 때 최댓값은 7, $x=7$일 때 최솟값은 5이다.

## 076 답 최댓값: −4, 최솟값: −13

$y=-\frac{x+8}{x-4}=\frac{-(x-4)-12}{x-4}=-\frac{12}{x-4}-1$

이므로 주어진 함수의 그래프는 $y=-\frac{12}{x}$의 그래프를 $x$축의 방향으로 4만큼, $y$축의 방향으로 $-1$만큼 평행이동한 것이다.

즉, 정의역 $\{x|5\le x\le 8\}$에서 $y=-\frac{x+8}{x-4}$의 그래프는 오른쪽 그림과 같다.

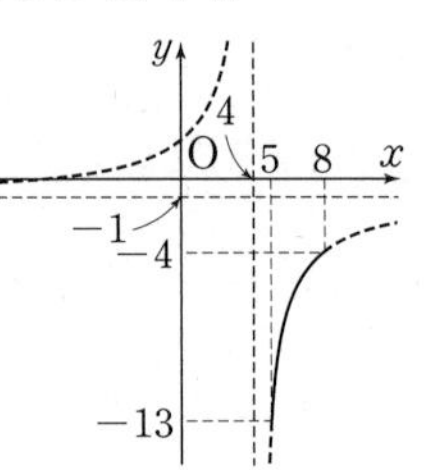

따라서 $x=8$일 때 최댓값은 $-4$, $x=5$일 때 최솟값은 $-13$이다.

## 077 답 최댓값: −8, 최솟값: −11

$y=-\frac{5x-7}{x+1}=\frac{-5(x+1)+12}{x+1}=\frac{12}{x+1}-5$

이므로 주어진 함수의 그래프는 $y=\frac{12}{x}$의 그래프를 $x$축의 방향으로 $-1$만큼, $y$축의 방향으로 $-5$만큼 평행이동한 것이다.

즉, 정의역 $\{x|-5\le x\le -3\}$에서 $y=-\frac{5x-7}{x+1}$의 그래프는 오른쪽 그림과 같다.

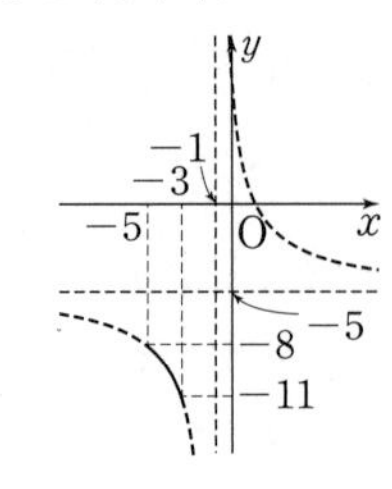

따라서 $x=-5$일 때 최댓값은 $-8$, $x=-3$일 때 최솟값은 $-11$이다.

## 078 답 2, 2, −3, −3, 2, 3, 3, 3, 2

## 079 답 $a=-2$, $b=4$, $c=-1$

주어진 그래프에서 점근선의 방정식이 $x=1$, $y=-2$이므로 구하는 유리함수의 식을

$y=\frac{k}{x-1}-2\,(k>0)$ …… ㉠

라고 하자.

㉠의 그래프가 점 (2, 0)을 지나므로

$0=\frac{k}{2-1}-2$ $\therefore k=2$

따라서 $k=2$를 ㉠에 대입하면

$y=\frac{2}{x-1}-2=\frac{-2(x-1)+2}{x-1}=\frac{-2x+4}{x-1}$

$\therefore a=-2,\ b=4,\ c=-1$

## 080 답 $a=1$, $b=5$, $c=3$

주어진 그래프에서 점근선의 방정식이 $x=-3$, $y=1$이므로 구하는 유리함수의 식을

$y=\frac{k}{x+3}+1\,(k>0)$ …… ㉠

이라고 하자.

㉠의 그래프가 점 (−5, 0)을 지나므로

$0=\frac{k}{-5+3}+1$ $\therefore k=2$

따라서 $k=2$를 ㉠에 대입하면

$y=\frac{2}{x+3}+1=\frac{(x+3)+2}{x+3}=\frac{x+5}{x+3}$

$\therefore a=1,\ b=5,\ c=3$

## 081 답 $a=2$, $b=-3$, $c=1$

주어진 그래프에서 점근선의 방정식이 $x=-1$, $y=2$이므로 구하는 유리함수의 식을

$y=\frac{k}{x+1}+2\,(k<0)$ …… ㉠

라고 하자.

㉠의 그래프가 점 (0, −3)을 지나므로

$-3=\frac{k}{0+1}+2$ $\therefore k=-5$

따라서 $k=-5$를 ㉠에 대입하면

$y=-\frac{5}{x+1}+2=\frac{2(x+1)-5}{x+1}=\frac{2x-3}{x+1}$

$\therefore a=2,\ b=-3,\ c=1$

## 082 답 $x$, $y-1$, $y-1$, 4, 1

## 083 답 $y=\frac{-8x-1}{x-3}$

함수 $y=\frac{3x-1}{x+8}$을 $x$에 대하여 정리하면

$y(x+8)=3x-1,\ xy-3x=-8y-1$

$x(y-3)=-8y-1$ $\therefore x=\frac{-8y-1}{y-3}$

$x$와 $y$를 서로 바꾸어 역함수를 구하면

$y=\frac{-8x-1}{x-3}$

**084** 답 $y=\dfrac{x+3}{2x-5}$

함수 $y=\dfrac{5x+3}{2x-1}$을 $x$에 대하여 정리하면

$y(2x-1)=5x+3$, $2xy-5x=y+3$

$x(2y-5)=y+3$ $\quad\therefore x=\dfrac{y+3}{2y-5}$

$x$와 $y$를 서로 바꾸어 역함수를 구하면 $y=\dfrac{x+3}{2x-5}$

**085** 답 $y=\dfrac{6x-6}{2x-1}$

함수 $y=\dfrac{x-6}{2x-6}$을 $x$에 대하여 정리하면

$y(2x-6)=x-6$, $2xy-x=6y-6$

$x(2y-1)=6y-6$ $\quad\therefore x=\dfrac{6y-6}{2y-1}$

$x$와 $y$를 서로 바꾸어 역함수를 구하면 $y=\dfrac{6x-6}{2x-1}$

**086** 답 $y=\dfrac{-3x+4}{x-2}$

함수 $y=\dfrac{2x+4}{x+3}$를 $x$에 대하여 정리하면

$y(x+3)=2x+4$, $xy-2x=-3y+4$

$x(y-2)=-3y+4$ $\quad\therefore x=\dfrac{-3y+4}{y-2}$

$x$와 $y$를 서로 바꾸어 역함수를 구하면 $y=\dfrac{-3x+4}{x-2}$

**087** 답 $y=\dfrac{-13x+4}{x+4}$

함수 $y=-\dfrac{4x-4}{x+13}$를 $x$에 대하여 정리하면

$y(x+13)=-4x+4$, $xy+4x=-13y+4$

$x(y+4)=-13y+4$ $\quad\therefore x=\dfrac{-13y+4}{y+4}$

$x$와 $y$를 서로 바꾸어 역함수를 구하면 $y=\dfrac{-13x+4}{x+4}$

**088** 답 $y=\dfrac{-x+7}{2x+1}$

함수 $y=-\dfrac{x-7}{2x+1}$을 $x$에 대하여 정리하면

$y(2x+1)=-x+7$, $2xy+x=-y+7$

$x(2y+1)=-y+7$ $\quad\therefore x=\dfrac{-y+7}{2y+1}$

$x$와 $y$를 서로 바꾸어 역함수를 구하면 $y=\dfrac{-x+7}{2x+1}$

**089** 답 $y=\dfrac{5x-10}{3x+2}$

함수 $y=-\dfrac{2x+10}{3x-5}$을 $x$에 대하여 정리하면

$y(3x-5)=-2x-10$, $3xy+2x=5y-10$

$x(3y+2)=5y-10$ $\quad\therefore x=\dfrac{5y-10}{3y+2}$

$x$와 $y$를 서로 바꾸어 역함수를 구하면 $y=\dfrac{5x-10}{3x+2}$

## 연산 유형 최종 점검하기

80~81쪽

**1** ③ **2** $\dfrac{-2x+1}{x^3-1}$ **3** ① **4** 4
**5** $a=-2$, $b=-5$ **6** 6 **7** ② **8** ① **9** ③
**10** ③ **11** 21 **12** ⑤ **13** ④

**1** 분수식은 분모에 $x$에 대한 식이 있는 경우이므로 분수식인 것은 ㄴ, ㄷ이다.

**2** $\dfrac{x^2+4}{x^3-1}-\dfrac{2}{x-1}+\dfrac{x+1}{x^2+x+1}$

$=\dfrac{x^2+4}{x^3-1}-\dfrac{2(x^2+x+1)}{(x-1)(x^2+x+1)}+\dfrac{(x+1)(x-1)}{(x-1)(x^2+x+1)}$

$=\dfrac{(x^2+4)-2(x^2+x+1)+(x+1)(x-1)}{x^3-1}$

$=\dfrac{x^2+4-2x^2-2x-2+x^2-1}{x^3-1}$

$=\dfrac{-2x+1}{x^3-1}$

**3** $\dfrac{a^2}{a^2+3a+2}\times\dfrac{a+2}{a^2-9a+20}\div\dfrac{a}{a^2-3a-4}$

$=\dfrac{a^2}{(a+2)(a+1)}\times\dfrac{a+2}{(a-4)(a-5)}\times\dfrac{(a+1)(a-4)}{a}$

$=\dfrac{a}{a-5}$

**4** 주어진 식의 좌변을 간단히 하면

$\dfrac{1}{x^2+4x+3}+\dfrac{1}{x^2+8x+15}+\dfrac{1}{x^2+12x+35}$

$=\dfrac{1}{(x+1)(x+3)}+\dfrac{1}{(x+3)(x+5)}+\dfrac{1}{(x+5)(x+7)}$

$=\dfrac{1}{(x+3)-(x+1)}\left(\dfrac{1}{x+1}-\dfrac{1}{x+3}\right)$

$\quad+\dfrac{1}{(x+5)-(x+3)}\left(\dfrac{1}{x+3}-\dfrac{1}{x+5}\right)$

$\quad+\dfrac{1}{(x+7)-(x+5)}\left(\dfrac{1}{x+5}-\dfrac{1}{x+7}\right)$

$=\dfrac{1}{2}\left\{\left(\dfrac{1}{x+1}-\dfrac{1}{x+3}\right)+\left(\dfrac{1}{x+3}-\dfrac{1}{x+5}\right)+\left(\dfrac{1}{x+5}-\dfrac{1}{x+7}\right)\right\}$

$=\dfrac{1}{2}\left(\dfrac{1}{x+1}-\dfrac{1}{x+7}\right)$

$=\dfrac{1}{2}\times\dfrac{(x+7)-(x+1)}{(x+1)(x+7)}$

$=\dfrac{3}{(x+1)(x+7)}$

이때 $\dfrac{3}{(x+1)(x+7)}=\dfrac{a}{(x+b)(x+7)}$가 $x$에 대한 항등식이므로

$a=3$, $b=1$ $\quad\therefore a+b=3+1=4$

**5** $y=-\dfrac{5x}{x+2}=\dfrac{-5(x+2)+10}{x+2}=\dfrac{10}{x+2}-5$

이므로 정의역은 $\{x|x\neq-2$인 실수$\}$이고 치역은 $\{y|y\neq-5$인 실수$\}$이다.

$\therefore a=-2$, $b=-5$

**6** $y=\dfrac{ax+11}{x+b}$

$=\dfrac{a(x+b)+11-ab}{x+b}$

$=\dfrac{11-ab}{x+b}+a$

이므로 주어진 함수의 그래프의 점근선의 방정식은 $x=-b$, $y=a$

따라서 $-b=-6$, $a=1$이므로 $a=1$, $b=6$

$\therefore\ ab=1\times6=6$

**7** $y=\dfrac{2x+5}{x+3}=\dfrac{2(x+3)-1}{x+3}$

$=-\dfrac{1}{x+3}+2$

이므로 주어진 함수의 그래프는 함수 $y=-\dfrac{1}{x}$의 그래프를 $x$축의 방향으로 $-3$만큼, $y$축의 방향으로 2만큼 평행이동한 것이다.

$\therefore\ k=-1,\ a=-3,\ b=2$

$\therefore\ k+a+b=-1+(-3)+2=-2$

**8** $y=\dfrac{5x-7}{x-3}=\dfrac{5(x-3)+8}{x-3}$

$=\dfrac{8}{x-3}+5$

이므로 주어진 함수의 그래프의 점근선의 방정식은

$x=3$, $y=5$

따라서 함수 $y=\dfrac{5x-7}{x-3}$의 그래프가 직선 $y=x+k$에 대하여 대칭이려면 직선 $y=x+k$는 두 점근선의 교점 $(3,\ 5)$를 지나야 하므로

$5=3+k$

$\therefore\ k=2$

**9** $y=\dfrac{-2x-4}{x+1}=\dfrac{-2(x+1)-2}{x+1}$

$=-\dfrac{2}{x+1}-2$

① 정의역은 $\{x|x\neq-1$인 실수$\}$, 치역은 $\{y|y\neq-2$인 실수$\}$이다.

②, ③ 점근선의 방정식은 $x=-1$, $y=-2$이므로 두 점근선의 교점 $(-1,\ -2)$에 대하여 대칭이다.

④ 주어진 함수의 그래프는 $y=-\dfrac{2}{x}$의 그래프를 $x$축의 방향으로 $-1$만큼, $y$축의 방향으로 $-2$만큼 평행이동한 것이므로 오른쪽 그림과 같다.

⑤ 주어진 함수는 제2사분면, 제3사분면, 제4사분면을 지난다.

따라서 옳지 않은 것은 ③이다

**10** $y=\dfrac{3x+1}{x-1}=\dfrac{3(x-1)+4}{x-1}$

$=\dfrac{4}{x-1}+3$

이므로 주어진 함수의 그래프는 $y=\dfrac{4}{x}$의 그래프를 $x$축의 방향으로 1만큼, $y$축의 방향으로 3만큼 평행이동한 것이다.

즉, 정의역 $\{x|2\le x\le5\}$에서 $y=\dfrac{3x+1}{x-1}$의 그래프는 오른쪽 그림과 같다.

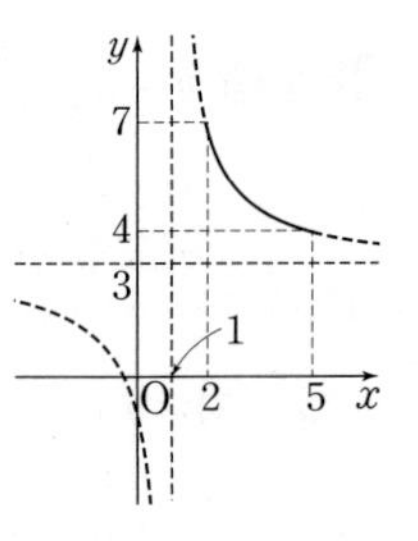


따라서 $x=2$일 때 최댓값은 7, $x=5$일 때 최솟값은 4이므로 최댓값과 최솟값의 합은

$7+4=11$

**11** 주어진 그래프에서 점근선의 방정식이 $x=-1$, $y=3$이므로 구하는 유리함수의 식을

$y=\dfrac{k}{x+1}+3\ (k>0)$ …… ㉠

이라고 하자.

㉠의 그래프가 점 $(0,\ 7)$을 지나므로

$7=\dfrac{k}{0+1}+3$

$\therefore\ k=4$

따라서 $k=4$를 ㉠에 대입하면

$y=\dfrac{4}{x+1}+3=\dfrac{3(x+1)+4}{x+1}=\dfrac{3x+7}{x+1}$

$\therefore\ a=3,\ b=7,\ c=1$

$\therefore\ abc=3\times7\times1=21$

**12** $f(x)=\dfrac{ax-3}{x-4}$에서 $y=\dfrac{ax-3}{x-4}$으로 놓고 $x$에 대하여 정리하면

$y(x-4)=ax-3$

$xy-ax=4y-3$

$x(y-a)=4y-3$

$\therefore\ x=\dfrac{4y-3}{y-a}$

$x$와 $y$를 서로 바꾸어 역함수를 구하면

$y=\dfrac{4x-3}{x-a}$

따라서 $\dfrac{4x-3}{x-a}=\dfrac{bx-c}{x-2}$이므로

$a=2,\ b=4,\ c=3$

$\therefore\ a+b+c=2+4+3=9$

**13** $f(x)=\dfrac{2x+1}{x-4}$에서 $y=\dfrac{2x+1}{x-4}$로 놓고 $x$에 대하여 정리하면

$y(x-4)=2x+1$

$xy-2x=4y+1$

$x(y-2)=4y+1$

$\therefore\ x=\dfrac{4y+1}{y-2}$

$x$와 $y$를 서로 바꾸어 역함수를 구하면

$y=\dfrac{4x+1}{x-2}=\dfrac{4(x-2)+9}{x-2}=\dfrac{9}{x-2}+4$

$\therefore\ f^{-1}(x)=\dfrac{9}{x-2}+4$

따라서 $y=f^{-1}(x)$의 그래프의 점근선의 방정식은 $x=2$, $y=4$이므로

$p=2,\ q=4$

$\therefore\ pq=2\times4=8$

# 06 무리함수

84~95쪽

**001** 답 무

**002** 답 유

**003** 답 유

**004** 답 무

**005** 답 무

**006** 답 $x\geq-\frac{2}{3}$

$\sqrt{3x+2}$에서 $3x+2\geq0$이어야 하므로

$3x\geq-2 \qquad \therefore x\geq-\frac{2}{3}$

**007** 답 $x>\frac{1}{2}$

$\sqrt{2x-1}$에서 $2x-1\geq0$이어야 하므로

$2x\geq1 \qquad \therefore x\geq\frac{1}{2}$ …… ㉠

분모에서 $\sqrt{2x-1}\neq0$이어야 하므로

$2x\neq1 \qquad \therefore x\neq\frac{1}{2}$ …… ㉡

㉠, ㉡을 동시에 만족하는 $x$의 값의 범위는

$x>\frac{1}{2}$

**008** 답 $x\geq0$

$\sqrt{2x+1}$에서 $2x+1\geq0$이어야 하므로

$2x\geq-1 \qquad \therefore x\geq-\frac{1}{2}$ …… ㉠

$\sqrt{x}$에서 $x\geq0$ …… ㉡

㉠, ㉡을 동시에 만족하는 $x$의 값의 범위는

$x\geq0$

**009** 답 $2\leq x\leq3$

$\sqrt{x-2}$에서 $x-2\geq0$이어야 하므로 $x\geq2$ …… ㉠

$\sqrt{3-x}$에서 $3-x\geq0$이어야 하므로 $x\leq3$ …… ㉡

㉠, ㉡을 동시에 만족하는 $x$의 값의 범위는

$2\leq x\leq3$

**010** 답 $1<x\leq3$

$\sqrt{3-x}$에서 $3-x\geq0$이므로 $x\leq3$ …… ㉠

$\sqrt{x-1}$에서 $x-1\geq0$이므로 $x\geq1$ …… ㉡

또 분모에서 $\sqrt{x-1}\neq0$이므로 $x\neq1$ …… ㉢

㉠, ㉡, ㉢을 동시에 만족하는 $x$의 값의 범위는

$1<x\leq3$

**011** 답 $x$

$(\sqrt{x+1}+1)(\sqrt{x+1}-1)=(\sqrt{x+1})^2-1^2=(x+1)-1=x$

**012** 답 $-1$

$(\sqrt{x+2}-\sqrt{x+3})(\sqrt{x+2}+\sqrt{x+3})$

$=(\sqrt{x+2})^2-(\sqrt{x+3})^2=(x+2)-(x+3)=-1$

**013** 답 $\frac{4\sqrt{3x}}{3x-1}$

$$\frac{\sqrt{3x}+1}{\sqrt{3x}-1}-\frac{\sqrt{3x}-1}{\sqrt{3x}+1}=\frac{(\sqrt{3x}+1)^2-(\sqrt{3x}-1)^2}{(\sqrt{3x}-1)(\sqrt{3x}+1)}$$

$$=\frac{(3x+2\sqrt{3x}+1)-(3x-2\sqrt{3x}+1)}{(\sqrt{3x})^2-1^2}$$

$$=\frac{4\sqrt{3x}}{3x-1}$$

**014** 답 $-2\sqrt{x-1}$

$$\frac{1}{\sqrt{x-1}+\sqrt{x}}+\frac{1}{\sqrt{x+1}-\sqrt{x}}=\frac{(\sqrt{x-1}-\sqrt{x})+(\sqrt{x-1}+\sqrt{x})}{(\sqrt{x-1}+\sqrt{x})(\sqrt{x-1}-\sqrt{x})}$$

$$=\frac{2\sqrt{x-1}}{(\sqrt{x-1})^2-(\sqrt{x})^2}$$

$$=\frac{2\sqrt{x-1}}{(x-1)-x}$$

$$=-2\sqrt{x-1}$$

**015** 답 $-\frac{2\sqrt{y}}{x-y}$

$$\frac{1}{\sqrt{x}+\sqrt{y}}-\frac{1}{\sqrt{x}-\sqrt{y}}=\frac{(\sqrt{x}-\sqrt{y})-(\sqrt{x}+\sqrt{y})}{(\sqrt{x}+\sqrt{y})(\sqrt{x}-\sqrt{y})}$$

$$=\frac{-2\sqrt{y}}{(\sqrt{x})^2-(\sqrt{y})^2}=-\frac{2\sqrt{y}}{x-y}$$

**016** 답 $-2\sqrt{x^2+2x}$

$$\frac{\sqrt{x+2}-\sqrt{x}}{\sqrt{x+2}+\sqrt{x}}-\frac{\sqrt{x+2}+\sqrt{x}}{\sqrt{x+2}-\sqrt{x}}$$

$$=\frac{(\sqrt{x+2}-\sqrt{x})^2-(\sqrt{x+2}+\sqrt{x})^2}{(\sqrt{x+2}+\sqrt{x})(\sqrt{x+2}-\sqrt{x})}$$

$$=\frac{(x+2-2\sqrt{x^2+2x}+x)-(x+2+2\sqrt{x^2+2x}+x)}{(\sqrt{x+2})^2-(\sqrt{x})^2}$$

$$=\frac{-4\sqrt{x^2+2x}}{(x+2)-x}=-2\sqrt{x^2+2x}$$

**017** 답 $\sqrt{5}-2$

$$\frac{\sqrt{x+1}-\sqrt{x-1}}{\sqrt{x+1}+\sqrt{x-1}}=\frac{(\sqrt{x+1}-\sqrt{x-1})^2}{(\sqrt{x+1}+\sqrt{x-1})(\sqrt{x+1}-\sqrt{x-1})}$$

$$=\frac{x+1-2\sqrt{x^2-1}+x-1}{(\sqrt{x+1})^2-(\sqrt{x-1})^2}$$

$$=\frac{2x-2\sqrt{x^2-1}}{(x+1)-(x-1)}=x-\sqrt{x^2-1}$$

$x=\sqrt{5}$를 대입하면

$\sqrt{5}-\sqrt{(\sqrt{5})^2-1}=\sqrt{5}-2$

**018** 답 $\sqrt{3}+1$

$\frac{1}{\sqrt{x}-1}-\frac{1}{\sqrt{x}+1}=\frac{(\sqrt{x}+1)-(\sqrt{x}-1)}{(\sqrt{x}-1)(\sqrt{x}+1)}=\frac{2}{(\sqrt{x})^2-1^2}=\frac{2}{x-1}$

$x=\sqrt{3}$을 대입하면

$\frac{2}{\sqrt{3}-1}=\frac{2(\sqrt{3}+1)}{(\sqrt{3}-1)(\sqrt{3}+1)}=\sqrt{3}+1$

**019** 답 $\frac{4+\sqrt{2}}{7}$

$\frac{1}{4-2\sqrt{x}}+\frac{1}{4+2\sqrt{x}}=\frac{(4+2\sqrt{x})+(4-2\sqrt{x})}{(4-2\sqrt{x})(4+2\sqrt{x})}$

$=\frac{8}{4^2-(2\sqrt{x})^2}$

$=\frac{8}{16-4x}=\frac{2}{4-x}$

$x=\sqrt{2}$를 대입하면

$\frac{2}{4-\sqrt{2}}=\frac{2(4+\sqrt{2})}{(4-\sqrt{2})(4+\sqrt{2})}=\frac{4+\sqrt{2}}{7}$

**020** 답 3

$\frac{1}{\sqrt{1+x^2}+x}+\frac{1}{\sqrt{1+x^2}-x}=\frac{(\sqrt{1+x^2}-x)+(\sqrt{1+x^2}+x)}{(\sqrt{1+x^2}+x)(\sqrt{1+x^2}-x)}$

$=\frac{2\sqrt{1+x^2}}{(\sqrt{1+x^2})^2-x^2}=\frac{2\sqrt{1+x^2}}{(1+x^2)-x^2}$

$=2\sqrt{1+x^2}$

$x=\frac{\sqrt{5}}{2}$를 대입하면

$2\sqrt{1+\left(\frac{\sqrt{5}}{2}\right)^2}=2\sqrt{\frac{9}{4}}=2\times\frac{3}{2}=3$

**021** 답 $2+\sqrt{2}$

$\frac{\sqrt{x+1}-1}{\sqrt{x+1}+1}+\frac{\sqrt{x+1}+1}{\sqrt{x+1}-1}$

$=\frac{(\sqrt{x+1}-1)^2+(\sqrt{x+1}+1)^2}{(\sqrt{x+1}+1)(\sqrt{x+1}-1)}$

$=\frac{(x+1-2\sqrt{x+1}+1)+(x+1+2\sqrt{x+1}+1)}{(\sqrt{x+1})^2-1^2}$

$=\frac{2x+4}{(x+1)-1}=\frac{2x+4}{x}$

$x=2\sqrt{2}$를 대입하면

$\frac{4\sqrt{2}+4}{2\sqrt{2}}=\frac{2\sqrt{2}+2}{\sqrt{2}}=\frac{(2\sqrt{2}+2)\times\sqrt{2}}{\sqrt{2}\times\sqrt{2}}=2+\sqrt{2}$

**022** 답 $2+2\sqrt{2}$

$\frac{\sqrt{x}-1}{\sqrt{x}+1}+\frac{\sqrt{x}+1}{\sqrt{x}-1}=\frac{(\sqrt{x}-1)^2+(\sqrt{x}+1)^2}{(\sqrt{x}+1)(\sqrt{x}-1)}$

$=\frac{(x-2\sqrt{x}+1)+(x+2\sqrt{x}+1)}{(\sqrt{x})^2-1^2}=\frac{2x+2}{x-1}$

$x=\frac{1}{\sqrt{2}-1}=\frac{\sqrt{2}+1}{(\sqrt{2}-1)(\sqrt{2}+1)}=\sqrt{2}+1$이므로

$x=\sqrt{2}+1$을 $\frac{2x+2}{x-1}$에 대입하면

$\frac{2(\sqrt{2}+1)+2}{(\sqrt{2}+1)-1}=\frac{2\sqrt{2}+4}{\sqrt{2}}=\frac{(2\sqrt{2}+4)\times\sqrt{2}}{\sqrt{2}\times\sqrt{2}}=2+2\sqrt{2}$

**023** 답 ○

**024** 답 ×

**025** 답 ○

**026** 답 ×

**027** 답 ○

**028** 답 $\{x|x\geq-2\}$

$x+2\geq0$에서 $x\geq-2$이므로 구하는 정의역은 $\{x|x\geq-2\}$이다.

**029** 답 $\{x|x\geq5\}$

$x-5\geq0$에서 $x\geq5$이므로 구하는 정의역은 $\{x|x\geq5\}$이다.

**030** 답 $\left\{x\middle|x\geq\frac{3}{2}\right\}$

$2x-3\geq0$에서 $x\geq\frac{3}{2}$이므로 구하는 정의역은 $\left\{x\middle|x\geq\frac{3}{2}\right\}$이다.

**031** 답 $\{x|x\leq4\}$

$-x+4\geq0$에서 $x\leq4$이므로 구하는 정의역은 $\{x|x\leq4\}$이다.

**032** 답 $\{x|x\leq2\}$

$6-3x\geq0$에서 $x\leq2$이므로 구하는 정의역은 $\{x|x\leq2\}$이다.

**033** 답

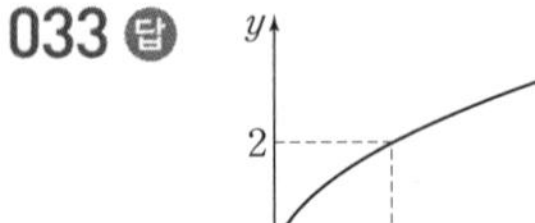


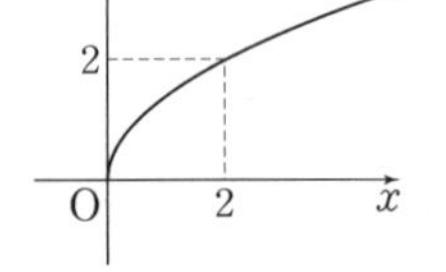


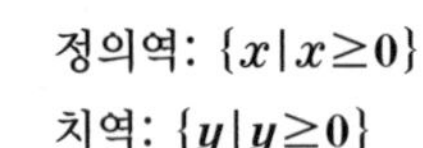
정의역: $\{x|x\geq0\}$
치역: $\{y|y\geq0\}$

**034** 답

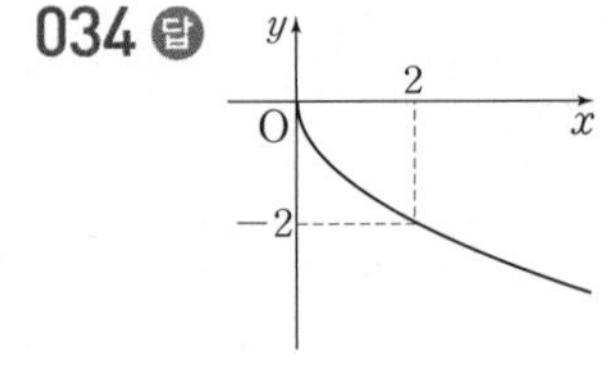


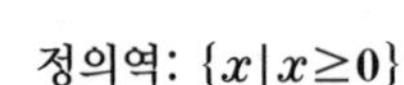
정의역: $\{x|x\geq0\}$
치역: $\{y|y\leq0\}$

**035** 답

정의역: $\{x|x\leq0\}$
치역: $\{y|y\geq0\}$

**036** 답

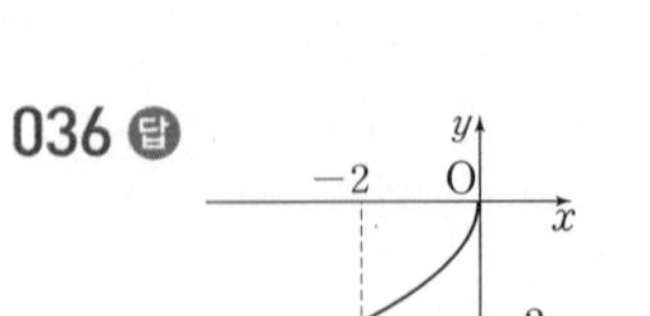


정의역: $\{x|x\leq0\}$
치역: $\{y|y\leq0\}$

**037** 답 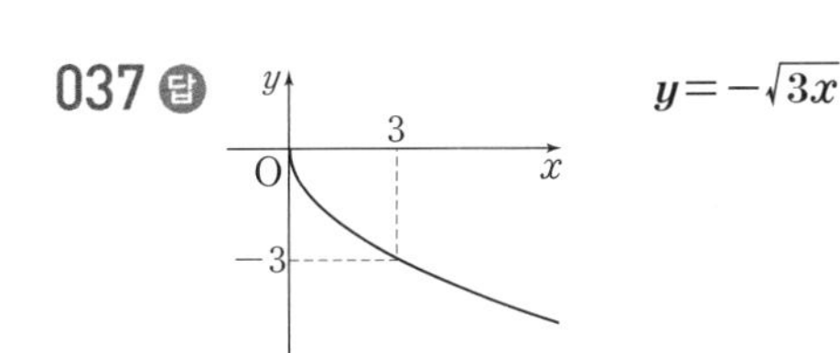


$y=-\sqrt{3x}$

**038** 답 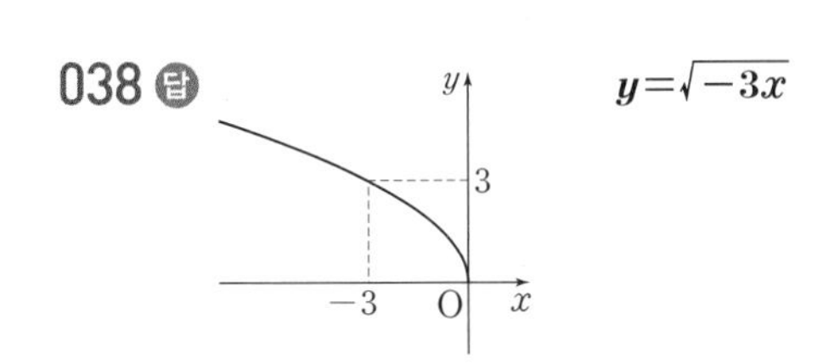


$y=\sqrt{-3x}$

**039** 답 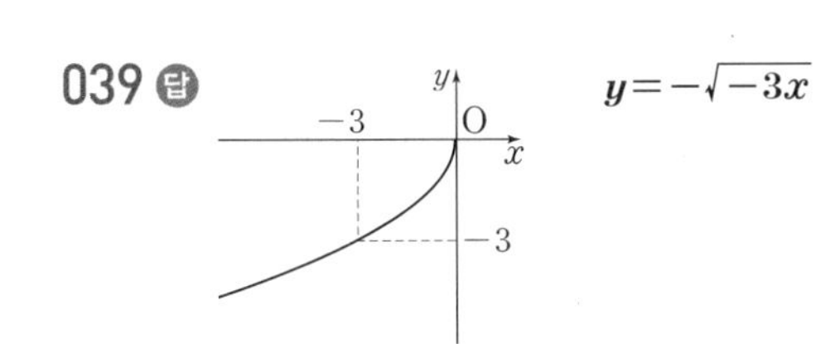


$y=-\sqrt{-3x}$

**040** 답 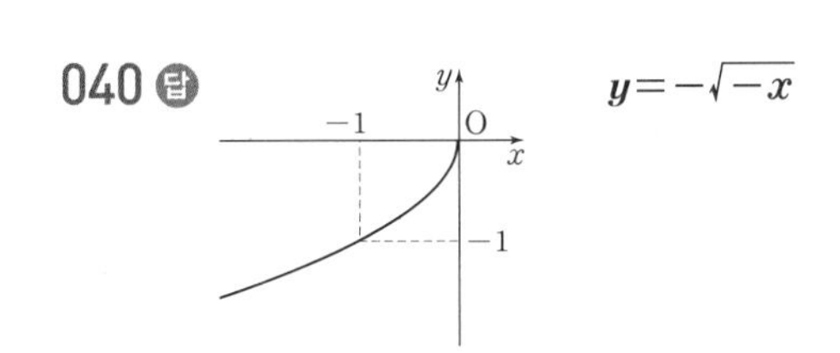


$y=-\sqrt{-x}$

**041** 답 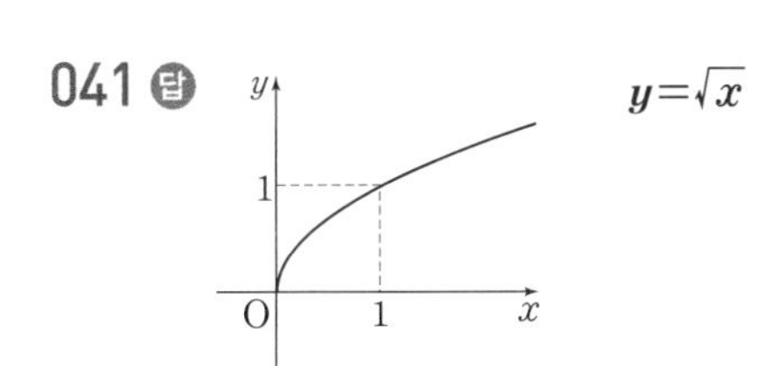


$y=\sqrt{x}$

**042** 답 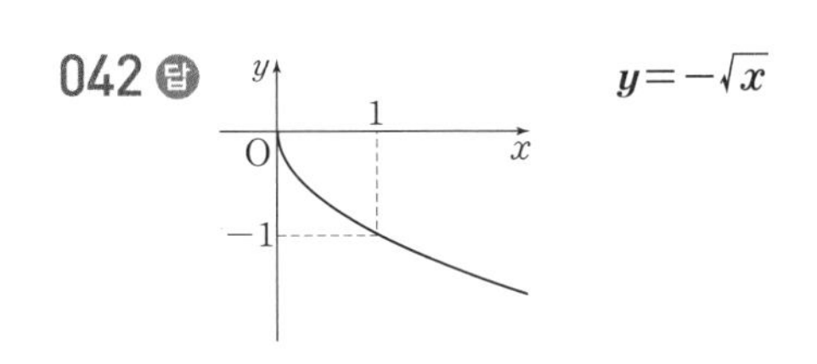


$y=-\sqrt{x}$

**043** 답 **2, −1, 2, 2**

**044** 답 $y=\sqrt{x+3}-4$

$y=\sqrt{x}$의 그래프를 $x$축의 방향으로 $-3$만큼, $y$축의 방향으로 $-4$만큼 평행이동한 그래프의 식은

$y-(-4)=\sqrt{x-(-3)}$

$\therefore y=\sqrt{x+3}-4$

**045** 답 $y=-\sqrt{3x-6}+3$

$y=-\sqrt{3x}$의 그래프를 $x$축의 방향으로 2만큼, $y$축의 방향으로 3만큼 평행이동한 그래프의 식은

$y-3=-\sqrt{3(x-2)}$　　$\therefore y=-\sqrt{3x-6}+3$

**046** 답 $y=\sqrt{3x+6}$

$y=\sqrt{3x}+1$의 그래프를 $x$축의 방향으로 $-2$만큼, $y$축의 방향으로 $-1$만큼 평행이동한 그래프의 식은

$y-(-1)=\sqrt{3\{x-(-2)\}}+1$　　$\therefore y=\sqrt{3x+6}$

**047** 답 $y=\sqrt{2x-2}+1$

$y=\sqrt{2x}-1$의 그래프를 $x$축의 방향으로 1만큼, $y$축의 방향으로 2만큼 평행이동한 그래프의 식은

$y-2=\sqrt{2(x-1)}-1$　　$\therefore y=\sqrt{2x-2}+1$

**048** 답 $y=\sqrt{-4x+12}+2$

$y=\sqrt{-4x+8}+5$의 그래프를 $x$축의 방향으로 1만큼, $y$축의 방향으로 $-3$만큼 평행이동한 그래프의 식은

$y-(-3)=\sqrt{-4(x-1)+8}+5$　　$\therefore y=\sqrt{-4x+12}+2$

**049** 답 $y=-\sqrt{-2x-2}+6$

$y=-\sqrt{-2x-6}+3$의 그래프를 $x$축의 방향으로 2만큼, $y$축의 방향으로 3만큼 평행이동한 그래프의 식은

$y-3=-\sqrt{-2(x-2)-6}+3$　　$\therefore y=-\sqrt{-2x-2}+6$

**050** 답 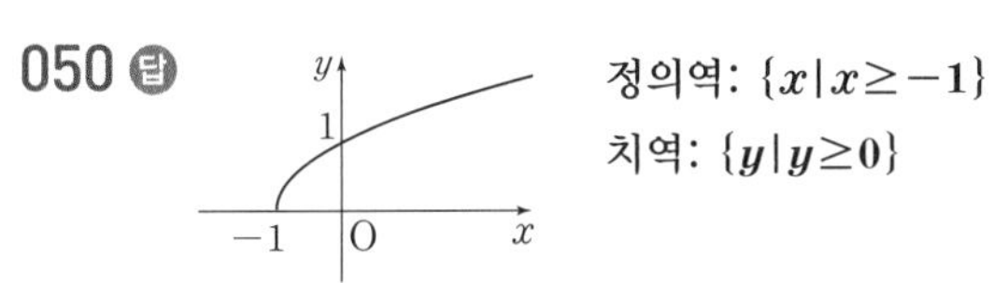


정의역: $\{x|x\geq -1\}$
치역: $\{y|y\geq 0\}$

$y=\sqrt{x+1}$의 그래프는 $y=\sqrt{x}$의 그래프를 $x$축의 방향으로 $-1$만큼 평행이동한 것이다.

**051** 답 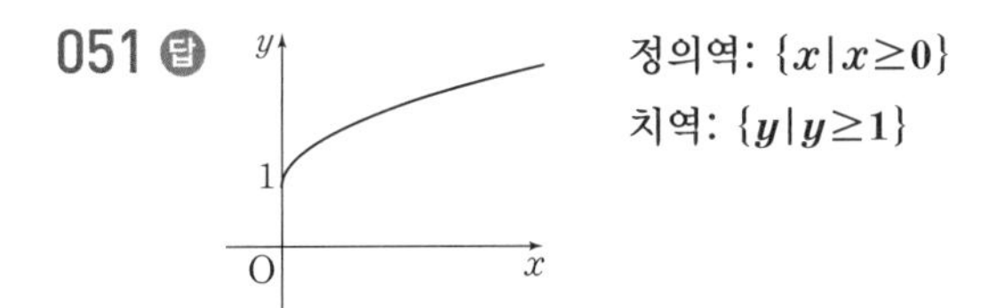


정의역: $\{x|x\geq 0\}$
치역: $\{y|y\geq 1\}$

$y=\sqrt{x}+1$의 그래프는 $y=\sqrt{x}$의 그래프를 $y$축의 방향으로 1만큼 평행이동한 것이다.

**052** 답 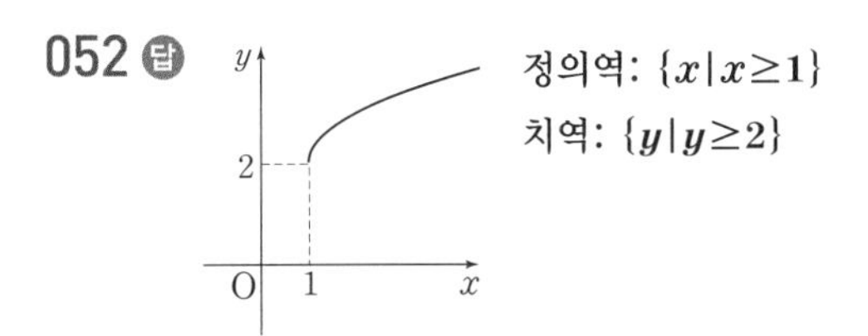


정의역: $\{x|x\geq 1\}$
치역: $\{y|y\geq 2\}$

$y=\sqrt{x-1}+2$의 그래프는 $y=\sqrt{x}$의 그래프를 $x$축의 방향으로 1만큼, $y$축의 방향으로 2만큼 평행이동한 것이다.

**053** 답 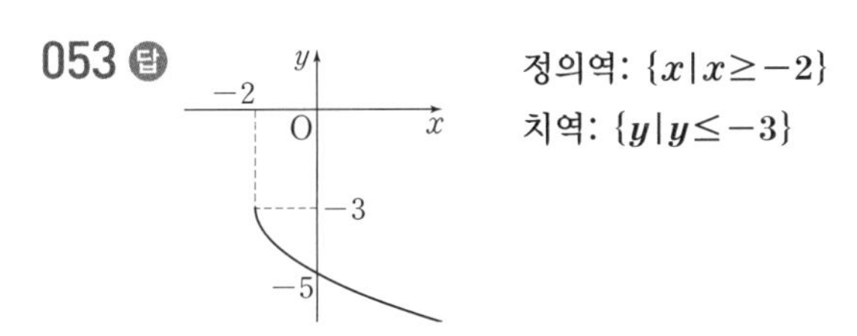


정의역: $\{x|x\geq -2\}$
치역: $\{y|y\leq -3\}$

$y=-\sqrt{2(x+2)}-3$의 그래프는 $y=-\sqrt{2x}$의 그래프를 $x$축의 방향으로 $-2$만큼, $y$축의 방향으로 $-3$만큼 평행이동한 것이다.

**054** 답 정의역: $\{x|x\le4\}$
치역: $\{y|y\ge2\}$

$y=\sqrt{-(x-4)}+2$의 그래프는 $y=\sqrt{-x}$의 그래프를 $x$축의 방향으로 4만큼, $y$축의 방향으로 2만큼 평행이동한 것이다.

**055** 답 정의역: $\{x|x\le-2\}$
치역: $\{y|y\le-1\}$

$y=-\sqrt{-3(x+2)}-1$의 그래프는 $y=-\sqrt{-3x}$의 그래프를 $x$축의 방향으로 $-2$만큼, $y$축의 방향으로 $-1$만큼 평행이동한 것이다.

**056** 답 정의역: $\{x|x\ge2\}$
치역: $\{y|y\ge0\}$

$y=\sqrt{2x-4}=\sqrt{2(x-2)}$이므로 주어진 함수의 그래프는 $y=\sqrt{2x}$의 그래프를 $x$축의 방향으로 2만큼 평행이동한 것이다.

**057** 답 정의역: $\{x|x\le-1\}$
치역: $\{y|y\ge-2\}$

$y=\sqrt{-x-1}-2=\sqrt{-(x+1)}-2$이므로 주어진 함수의 그래프는 $y=\sqrt{-x}$의 그래프를 $x$축의 방향으로 $-1$만큼, $y$축의 방향으로 $-2$만큼 평행이동한 것이다.

**058** 답 정의역: $\{x|x\ge-3\}$
치역: $\{y|y\ge-1\}$

$y=\sqrt{3x+9}-1=\sqrt{3(x+3)}-1$이므로 주어진 함수의 그래프는 $y=\sqrt{3x}$의 그래프를 $x$축의 방향으로 $-3$만큼, $y$축의 방향으로 $-1$만큼 평행이동한 것이다.

**059** 답 정의역: $\{x|x\ge4\}$
치역: $\{y|y\le3\}$

$y=-\sqrt{4x-16}+3=-\sqrt{4(x-4)}+3$이므로 주어진 함수의 그래프는 $y=-\sqrt{4x}$의 그래프를 $x$축의 방향으로 4만큼, $y$축의 방향으로 3만큼 평행이동한 것이다.

**060** 답 정의역: $\{x|x\le2\}$
치역: $\{y|y\ge-3\}$

$y=\sqrt{4-2x}-3=\sqrt{-2(x-2)}-3$이므로 주어진 함수의 그래프는 $y=\sqrt{-2x}$의 그래프를 $x$축의 방향으로 2만큼, $y$축의 방향으로 $-3$만큼 평행이동한 것이다.

**061** 답 정의역: $\{x|x\le9\}$
치역: $\{y|y\le3\}$

$y=-\sqrt{9-x}+3=-\sqrt{-(x-9)}+3$이므로 주어진 함수의 그래프는 $y=-\sqrt{-x}$의 그래프를 $x$축의 방향으로 9만큼, $y$축의 방향으로 3만큼 평행이동한 것이다.

**062** 답 $-2$, $-3$, $-2$, $-1$, 2, $-1$, $-1$, $-2$

**063** 답 최댓값: 5, 최솟값: 3

$y=\sqrt{2x-6}+1=\sqrt{2(x-3)}+1$
이므로 주어진 함수의 그래프는 $y=\sqrt{2x}$의 그래프를 $x$축의 방향으로 3만큼, $y$축의 방향으로 1만큼 평행이동한 것이다.
$x=5$일 때 $y=3$이고, $x=11$일 때 $y=5$이므로 정의역 $\{x|5\le x\le11\}$에서 $y=\sqrt{2x-6}+1$의 그래프는 오른쪽 그림과 같다.

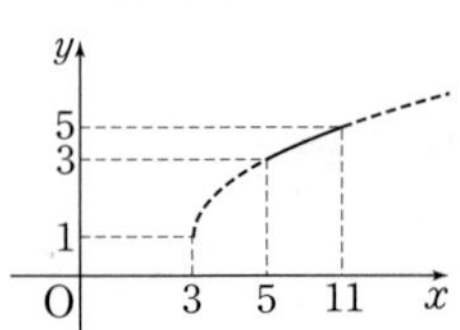


따라서 $x=11$일 때 최댓값은 5, $x=5$일 때 최솟값은 3이다.

**064** 답 최댓값: 0, 최솟값: $-1$

$y=\sqrt{-x-1}-2=\sqrt{-(x+1)}-2$
이므로 주어진 함수의 그래프는 $y=\sqrt{-x}$의 그래프를 $x$축의 방향으로 $-1$만큼, $y$축의 방향으로 $-2$만큼 평행이동한 것이다.
$x=-5$일 때 $y=0$이고, $x=-2$일 때 $y=-1$이므로 정의역 $\{x|-5\le x\le-2\}$에서 $y=\sqrt{-x-1}-2$의 그래프는 오른쪽 그림과 같다.

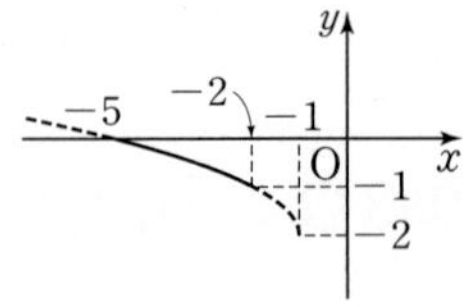


따라서 $x=-5$일 때 최댓값은 0, $x=-2$일 때 최솟값은 $-1$이다.

**065** 답 최댓값: $-1$, 최솟값: $-4$

$y=-\sqrt{3x+9}+2=-\sqrt{3(x+3)}+2$
이므로 주어진 함수의 그래프는 $y=-\sqrt{3x}$의 그래프를 $x$축의 방향으로 $-3$만큼, $y$축의 방향으로 2만큼 평행이동한 것이다.
$x=0$일 때 $y=-1$이고, $x=9$일 때 $y=-4$이므로 정의역 $\{x|0\le x\le9\}$에서 $y=-\sqrt{3x+9}+2$의 그래프는 오른쪽 그림과 같다.

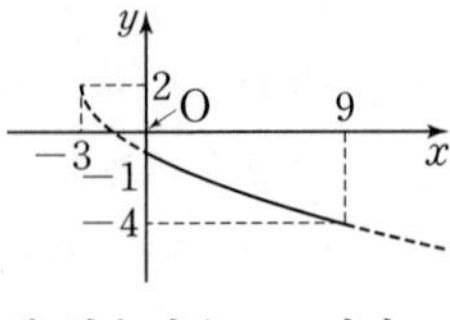


따라서 $x=0$일 때 최댓값은 $-1$, $x=9$일 때 최솟값은 $-4$이다.

## 066 답 최댓값: $-3$, 최솟값: $-5$

$y=-\sqrt{-2x+8}-1=-\sqrt{-2(x-4)}-1$

이므로 주어진 함수의 그래프는 $y=-\sqrt{-2x}$의 그래프를 $x$축의 방향으로 4만큼, $y$축의 방향으로 $-1$만큼 평행이동한 것이다.

$x=-4$일 때 $y=-5$이고, $x=2$일 때 $y=-3$이므로 정의역 $\{x|-4\leq x\leq 2\}$에서 $y=-\sqrt{-2x+8}-1$의 그래프는 오른쪽 그림과 같다.

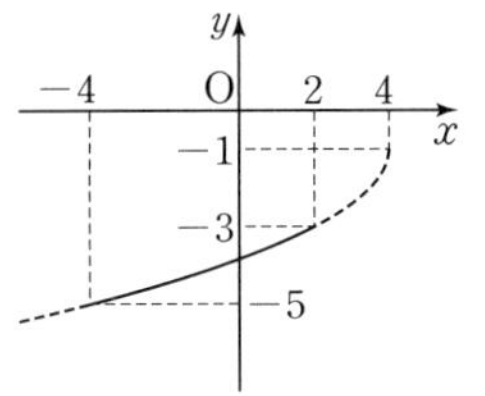


따라서 $x=2$일 때 최댓값은 $-3$,

$x=-4$일 때 최솟값은 $-5$이다.

## 067 답 $-1$, 1, 1, 1, 1, 1

## 068 답 $a=-2$, $b=4$, $c=-1$

주어진 무리함수의 그래프는 $y=\sqrt{ax}$ $(a<0)$의 그래프를 $x$축의 방향으로 2만큼, $y$축의 방향으로 $-1$만큼 평행이동한 것이므로 무리함수의 식을

$y=\sqrt{a(x-2)}-1$ ...... ㉠

이라고 하자.

㉠의 그래프가 점 $(0, 1)$을 지나므로

$1=\sqrt{a(0-2)}-1$, $\sqrt{-2a}=2$

양변을 제곱하면 $-2a=4$ $\therefore a=-2$

$a=-2$를 ㉠에 대입하면

$y=\sqrt{-2(x-2)}-1=\sqrt{-2x+4}-1$ $\therefore b=4$, $c=-1$

## 069 답 $a=3$, $b=6$, $c=2$

주어진 무리함수의 그래프는 $y=-\sqrt{ax}$ $(a>0)$의 그래프를 $x$축의 방향으로 $-2$만큼, $y$축의 방향으로 2만큼 평행이동한 것이므로 무리함수의 식을

$y=-\sqrt{a(x+2)}+2$ ...... ㉠

라고 하자.

㉠의 그래프가 점 $(1, -1)$을 지나므로

$-1=-\sqrt{a(1+2)}+2$, $\sqrt{3a}=3$

양변을 제곱하면 $3a=9$ $\therefore a=3$

$a=3$을 ㉠에 대입하면

$y=-\sqrt{3(x+2)}+2=-\sqrt{3x+6}+2$ $\therefore b=6$, $c=2$

## 070 답 $a=-1$, $b=1$, $c=2$

주어진 무리함수의 그래프는 $y=-\sqrt{ax}$ $(a<0)$의 그래프를 $x$축의 방향으로 1만큼, $y$축의 방향으로 2만큼 평행이동한 것이므로 무리함수의 식을

$y=-\sqrt{a(x-1)}+2$ ...... ㉠

라고 하자.

㉠의 그래프가 점 $(0, 1)$을 지나므로

$1=-\sqrt{a(0-1)}+2$, $\sqrt{-a}=1$

양변을 제곱하면 $-a=1$ $\therefore a=-1$

$a=-1$을 ㉠에 대입하면

$y=-\sqrt{-(x-1)}+2=-\sqrt{-x+1}+2$ $\therefore b=1$, $c=2$

## 071 답 1, $2k-1$, $\frac{5}{4}$, 1, $\frac{5}{4}$, 1, $\frac{5}{4}$, $\frac{5}{4}$

## 072 답 (1) $2\leq k<\frac{9}{4}$ (2) $k<2$ 또는 $k=\frac{9}{4}$ (3) $k>\frac{9}{4}$

$y=\sqrt{2-x}=\sqrt{-(x-2)}$

즉, 주어진 함수의 그래프는 $y=\sqrt{-x}$의 그래프를 $x$축의 방향으로 2만큼 평행이동한 것이므로 오른쪽 그림과 같다.

(i) 직선 $y=-x+k$가 점 $(2, 0)$을 지날 때

$0=-2+k$ $\therefore k=2$

(ii) 함수 $y=\sqrt{2-x}$의 그래프와 직선 $y=-x+k$가 접할 때

$\sqrt{2-x}=-x+k$의 양변을 제곱하여 정리하면

$x^2-(2k-1)x+k^2-2=0$

이 이차방정식의 판별식을 $D$라고 하면 $D=0$이어야 하므로

$D=(2k-1)^2-4(k^2-2)=0$ $\therefore k=\frac{9}{4}$

(1) 함수의 그래프와 직선이 서로 다른 두 점에서 만날 때

$2\leq k<\frac{9}{4}$

(2) 함수의 그래프와 직선이 한 점에서 만날 때

$k<2$ 또는 $k=\frac{9}{4}$

(3) 함수의 그래프와 직선이 만나지 않을 때

$k>\frac{9}{4}$

## 073 답 (1) $0<k\leq 1$ (2) $k=0$ 또는 $k>1$ (3) $k<0$

$y=-\sqrt{2x-4}=-\sqrt{2(x-2)}$

즉, 주어진 함수의 그래프는 $y=-\sqrt{2x}$의 그래프를 $x$축의 방향으로 2만큼 평행이동한 것이므로 오른쪽 그림과 같다.

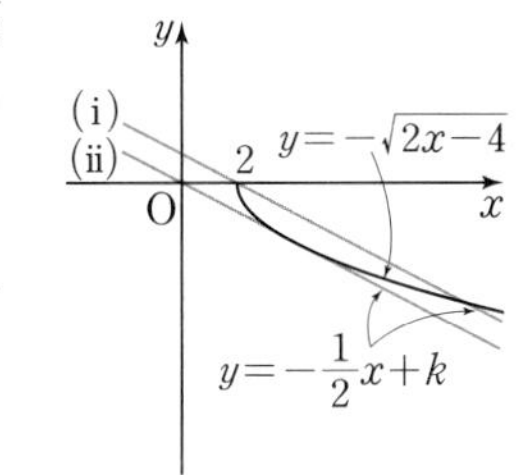


(i) 직선 $y=-\frac{1}{2}x+k$가 점 $(2, 0)$을 지날 때

$0=-\frac{1}{2}\times 2+k$ $\therefore k=1$

(ii) 함수 $y=-\sqrt{2x-4}$의 그래프와 직선 $y=-\frac{1}{2}x+k$가 접할 때

$-\sqrt{2x-4}=-\frac{1}{2}x+k$의 양변을 제곱하여 정리하면

$x^2-4(k+2)x+4k^2+16=0$

이 이차방정식의 판별식을 $D$라고 하면 $D=0$이어야 하므로

$\frac{D}{4}=4(k+2)^2-(4k^2+16)=0$ $\therefore k=0$

(1) 함수의 그래프와 직선이 서로 다른 두 점에서 만날 때

$0<k\leq 1$

(2) 함수의 그래프와 직선이 한 점에서 만날 때

$k=0$ 또는 $k>1$

(3) 함수의 그래프와 직선이 만나지 않을 때

$k<0$

**074** 답 2, 2, 2, $x-2$, 2

**075** 답 $y=(x+3)^2-2\ (x\geq-3)$

무리함수 $y=\sqrt{x+2}-3$의 치역이 $\{y|y\geq-3\}$이므로 역함수의 정의역은 $\{x|x\geq-3\}$이다.
$y=\sqrt{x+2}-3$에서 $y+3=\sqrt{x+2}$
양변을 제곱한 후 $x$에 대하여 풀면 $x=(y+3)^2-2$
$x$와 $y$를 서로 바꾸어 역함수를 구하면
$y=(x+3)^2-2\ (x\geq-3)$

**076** 답 $y=\frac{1}{2}(x-1)^2+\frac{3}{2}\ (x\geq1)$

무리함수 $y=\sqrt{2x-3}+1$의 치역이 $\{y|y\geq1\}$이므로 역함수의 정의역은 $\{x|x\geq1\}$이다.
$y=\sqrt{2x-3}+1$에서 $y-1=\sqrt{2x-3}$
양변을 제곱한 후 $x$에 대하여 풀면
$x=\frac{1}{2}(y-1)^2+\frac{3}{2}$
$x$와 $y$를 서로 바꾸어 역함수를 구하면
$y=\frac{1}{2}(x-1)^2+\frac{3}{2}\ (x\geq1)$

**077** 답 $y=\frac{1}{3}(x+1)^2-2\ (x\geq-1)$

무리함수 $y=\sqrt{3x+6}-1$의 치역이 $\{y|y\geq-1\}$이므로 역함수의 정의역은 $\{x|x\geq-1\}$이다.
$y=\sqrt{3x+6}-1$에서 $y+1=\sqrt{3x+6}$
양변을 제곱한 후 $x$에 대하여 풀면 $x=\frac{1}{3}(y+1)^2-2$
$x$와 $y$를 서로 바꾸어 역함수를 구하면
$y=\frac{1}{3}(x+1)^2-2\ (x\geq-1)$

**078** 답 $y=-(x+5)^2+3\ (x\geq-5)$

무리함수 $y=\sqrt{3-x}-5$의 치역이 $\{y|y\geq-5\}$이므로 역함수의 정의역은 $\{x|x\geq-5\}$이다.
$y=\sqrt{3-x}-5$에서 $y+5=\sqrt{3-x}$
양변을 제곱한 후 $x$에 대하여 풀면
$x=-(y+5)^2+3$
$x$와 $y$를 서로 바꾸어 역함수를 구하면
$y=-(x+5)^2+3\ (x\geq-5)$

**079** 답 $y=\frac{1}{2}(x-4)^2+\frac{1}{2}\ (x\leq4)$

무리함수 $y=-\sqrt{2x-1}+4$의 치역이 $\{y|y\leq4\}$이므로 역함수의 정의역은 $\{x|x\leq4\}$이다.
$y=-\sqrt{2x-1}+4$에서 $y-4=-\sqrt{2x-1}$
양변을 제곱한 후 $x$에 대하여 풀면
$x=\frac{1}{2}(y-4)^2+\frac{1}{2}$
$x$와 $y$를 서로 바꾸어 역함수를 구하면
$y=\frac{1}{2}(x-4)^2+\frac{1}{2}\ (x\leq4)$

**080** 답 $y=-(x+3)^2+2\ (x\leq-3)$

무리함수 $y=-\sqrt{-x+2}-3$의 치역이 $\{y|y\leq-3\}$이므로 역함수의 정의역은 $\{x|x\leq-3\}$이다.
$y=-\sqrt{-x+2}-3$에서 $y+3=-\sqrt{-x+2}$
양변을 제곱한 후 $x$에 대하여 풀면
$x=-(y+3)^2+2$
$x$와 $y$를 서로 바꾸어 역함수를 구하면
$y=-(x+3)^2+2\ (x\leq-3)$

## 연산 유형 최종 점검하기

96~97쪽

| | | | | | |
|---|---|---|---|---|---|
| 1 ④ | 2 ④ | 3 ④ | 4 ④ | 5 ⑤ | 6 ③ |
| 7 ④ | 8 ① | 9 ⑤ | 10 −2 | 11 ① | 12 ② |

**1** ㄱ. $\sqrt{4x^2}+1=|2x|+1$이므로 유리식이다.
ㄷ. 근호 안에 문자가 포함된 식이 아니므로 무리식이 아니다.
따라서 무리식인 것은 ㄴ, ㄹ이다.

**2** $\sqrt{x-1}$에서 $x-1\geq0$이므로 $x\geq1$ …… ㉠
$\sqrt{6-2x}$에서 $6-2x\geq0$이므로
$2x\leq6$ $\quad\therefore x\leq3$ …… ㉡
또 분모에서 $\sqrt{6-2x}\neq0$이므로
$2x\neq6$ $\quad\therefore x\neq3$ …… ㉢
㉠, ㉡, ㉢을 동시에 만족하는 $x$의 값의 범위는
$1\leq x<3$

**3** $x=\frac{2}{\sqrt{3}-1}=\frac{2(\sqrt{3}+1)}{(\sqrt{3}-1)(\sqrt{3}+1)}=\sqrt{3}+1$,
$y=\frac{2}{\sqrt{3}+1}=\frac{2(\sqrt{3}-1)}{(\sqrt{3}+1)(\sqrt{3}-1)}=\sqrt{3}-1$이므로
$x+y=2\sqrt{3}$, $x-y=2$, $xy=2$

$$\therefore \frac{\sqrt{x}+\sqrt{y}}{\sqrt{x}-\sqrt{y}}=\frac{(\sqrt{x}+\sqrt{y})^2}{(\sqrt{x}-\sqrt{y})(\sqrt{x}+\sqrt{y})}=\frac{x+2\sqrt{x}\sqrt{y}+y}{(\sqrt{x})^2-(\sqrt{y})^2}=\frac{(x+y)+2\sqrt{xy}}{x-y}=\frac{2\sqrt{3}+2\sqrt{2}}{2}=\sqrt{3}+\sqrt{2}$$

**4** $y=\sqrt{3x-9}-2=\sqrt{3(x-3)}-2$
이므로 $y=\sqrt{3x-9}-2$의 그래프는 $y=\sqrt{3x}$의 그래프를 $x$축의 방향으로 3만큼, $y$축의 방향으로 $-2$만큼 평행이동한 것이다.
$\therefore p=3,\ q=-2$
$\therefore p+q=3+(-2)=1$

**5** ① $y=\sqrt{-x+6}=\sqrt{-(x-6)}$

즉, $y=\sqrt{-x+6}$의 그래프는 $y=\sqrt{-x}$의 그래프를 $x$축의 방향으로 6만큼 평행이동한 것이다.

② $y=\sqrt{-x}+1$의 그래프는 $y=\sqrt{-x}$의 그래프를 $y$축의 방향으로 1만큼 평행이동한 것이다.

③ $y=-\sqrt{x+3}$의 그래프는 $y=\sqrt{-x}$의 그래프를 원점에 대하여 대칭이동한 후 $x$축의 방향으로 $-3$만큼 평행이동한 것이다.

④ $y=-\sqrt{4-x}=-\sqrt{-(x-4)}$

즉, $y=-\sqrt{4-x}$의 그래프는 $y=\sqrt{-x}$의 그래프를 $x$축에 대하여 대칭이동한 후 $x$축의 방향으로 4만큼 평행이동한 것이다.

따라서 대칭이동 또는 평행이동하여 $y=\sqrt{-x}$와 겹칠 수 없는 것은 ⑤이다.

**6** $y=-\sqrt{1-x}+3=-\sqrt{-(x-1)}+3$

이므로 주어진 무리함수의 그래프는 $y=-\sqrt{-x}$의 그래프를 $x$축의 방향으로 1만큼, $y$축의 방향으로 3만큼 평행이동한 것이므로 오른쪽 그림과 같다.

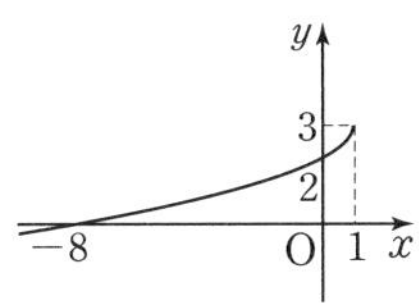


따라서 무리함수 $y=-\sqrt{1-x}+3$의 그래프가 지나지 않는 사분면은 제4사분면이다.

**7** ①, ② $y=-\sqrt{2x-4}-1=-\sqrt{2(x-2)}-1$

이므로 주어진 무리함수의 정의역은 $\{x|x\geq 2\}$, 치역은 $\{y|y\leq -1\}$이다.

③ $y=-\sqrt{2x-4}-1$에 $x=4$를 대입하면 $y=-3$이므로 점 $(4,\ -3)$을 지난다.

④, ⑤ 주어진 무리함수의 그래프는 $y=-\sqrt{2x}$의 그래프를 $x$축의 방향으로 2만큼, $y$축의 방향으로 $-1$만큼 평행이동한 것이므로 오른쪽 그림과 같이 $y$축과 만나지 않는다.

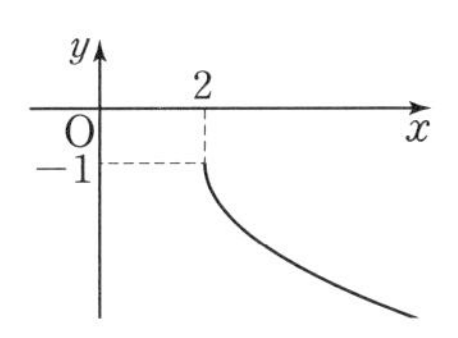


따라서 옳지 않은 것은 ④이다.

**8** $y=\sqrt{3-x}+4=\sqrt{-(x-3)}+4$

이므로 주어진 함수의 그래프는 $y=\sqrt{-x}$의 그래프를 $x$축의 방향으로 3만큼, $y$축의 방향으로 4만큼 평행이동한 것이다.

$x=-6$일 때 $y=7$이고, $x=2$일 때 $y=5$이므로 정의역 $\{x|-6\leq x\leq 2\}$에서 $y=\sqrt{3-x}+4$의 그래프는 오른쪽 그림과 같다.

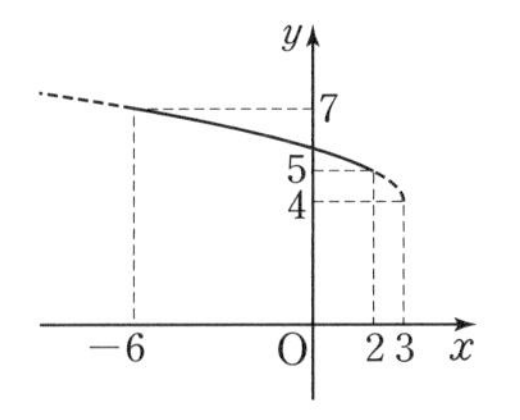


따라서 $x=-6$일 때 최댓값은 7이고, $x=2$일 때 최솟값은 5이므로

$M=7,\ m=5 \qquad \therefore M-m=7-5=2$

**9** $y=\sqrt{3x-2}+k=\sqrt{3\left(x-\frac{2}{3}\right)}+k$

이므로 주어진 함수의 그래프는 $y=\sqrt{3x}$의 그래프를 $x$축의 방향으로 $\frac{2}{3}$만큼, $y$축의 방향으로 $k$만큼 평행이동한 것이다.

$x=1$일 때, $y=\sqrt{3-2}+k=k+1$

$x=6$일 때, $y=\sqrt{18-2}+k=k+4$

즉, 정의역 $\{x|1\leq x\leq 6\}$에서 $y=\sqrt{3x-2}+k$의 그래프는 오른쪽 그림과 같으므로 $x=6$일 때 최댓값은 $k+4$이고, $x=1$일 때 최솟값은 $k+1$이다.

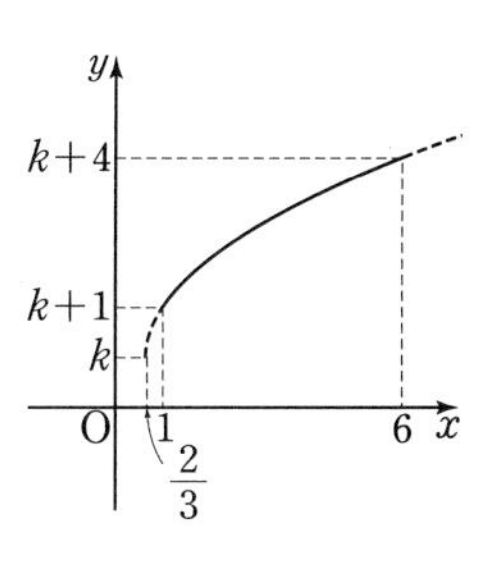


즉, $k+4=5$이므로 $k=1$

따라서 구하는 최솟값은 $k+1=2$

**10** 주어진 무리함수의 그래프는 $y=\sqrt{ax}\ (a<0)$의 그래프를 $x$축의 방향으로 1만큼, $y$축의 방향으로 $-2$만큼 평행이동한 것이므로 무리함수의 식을

$y=\sqrt{a(x-1)}-2 \qquad \cdots\cdots$ ㉠

라고 하자. ㉠의 그래프가 점 $(-2,\ 1)$을 지나므로

$1=\sqrt{a(-2-1)}-2,\ \sqrt{-3a}=-3$

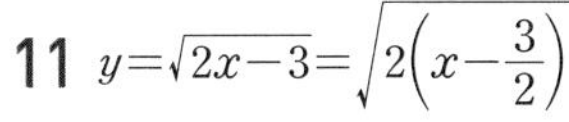

양변을 제곱하면 $-3a=9 \qquad \therefore a=-3$

$a=-3$을 ㉠에 대입하면

$y=\sqrt{-3(x-1)}-2=\sqrt{-3x+3}-2 \qquad \therefore b=3,\ c=-2$

$\therefore a+b+c=-3+3+(-2)=-2$

**11** $y=\sqrt{2x-3}=\sqrt{2\left(x-\frac{3}{2}\right)}$

이므로 주어진 함수의 그래프는 $y=\sqrt{2x}$의 그래프를 $x$축의 방향으로 $\frac{3}{2}$만큼 평행이동한 것으로 오른쪽 그림과 같다.

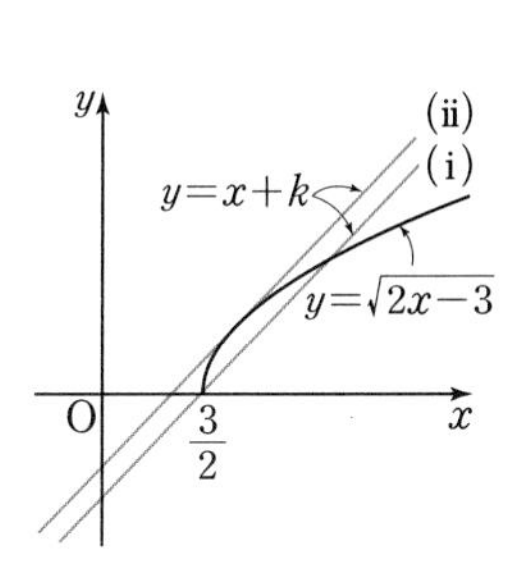


(i) 직선 $y=x+k$가 점 $\left(\frac{3}{2},\ 0\right)$을 지날 때

$0=\frac{3}{2}+k \qquad \therefore k=-\frac{3}{2}$

(ii) 함수 $y=\sqrt{2x-3}$의 그래프와 직선 $y=x+k$가 접할 때

$\sqrt{2x-3}=x+k$의 양변을 제곱하여 정리하면

$x^2+2(k-1)x+k^2+3=0$

이 이차방정식의 판별식을 $D$라고 하면 $D=0$이어야 하므로

$\frac{D}{4}=(k-1)^2-(k^2+3)=0 \qquad \therefore k=-1$

함수의 그래프와 직선이 서로 다른 두 점에서 만나려면

$-\frac{3}{2}\leq k<-1$

따라서 $a=-\frac{3}{2},\ b=-1$이므로 $ab=-\frac{3}{2}\times(-1)=\frac{3}{2}$

**12** 무리함수 $y=\sqrt{1-8x}+4$의 치역이 $\{y|y\geq 4\}$이므로 역함수의 정의역은 $\{x|x\geq 4\}$이다.

$y=\sqrt{1-8x}+4$에서 $y-4=\sqrt{1-8x}$

양변을 제곱한 후 $x$에 대하여 풀면 $x=-\frac{1}{8}(y-4)^2+\frac{1}{8}$

$x$와 $y$를 서로 바꾸어 역함수를 구하면

$y=-\frac{1}{8}(x-4)^2+\frac{1}{8}=-\frac{1}{8}x^2+x-\frac{15}{8}\ (x\geq 4)$

# 07 순열

100~107쪽

**001** 답 **27**

**002** 답 **3**

비기는 경우는 (가위, 가위), (바위, 바위), (보, 보)의 3가지

**003** 답 **3**

6의 배수가 적힌 카드를 뽑는 경우는 6, 12, 18의 3가지

**004** 답 **2**

나오는 눈의 수의 합이 3이 되는 경우는 (1, 2), (2, 1)의 2가지

**005** 답 **8**

$3+5=8$

**006** 답 **7**

$3+4=7$

**007** 답 **5**

$3+2=5$

**008** 답 **5**

3의 배수는 3, 6, 9의 3가지
5의 배수는 5, 10의 2가지
따라서 구하는 경우의 수는 $3+2=5$

**009** 답 **7**

눈의 수의 합이 4인 경우는 (1, 3), (2, 2), (3, 1)의 3가지
눈의 수의 합이 5인 경우는 (1, 4), (2, 3), (3, 2), (4, 1)의 4가지
따라서 구하는 경우의 수는 $3+4=7$

**010** 답 **21**

$7\times3=21$

**011** 답 **12**

$3\times4=12$

**012** 답 **6**

2의 배수는 2, 4, 6의 3가지
3의 배수는 3, 6의 2가지
따라서 구하는 경우의 수는 $3\times2=6$

**013** 답 **144**

주사위 한 개를 던질 때 일어나는 경우는 1, 2, 3, 4, 5, 6의 눈이 나오는 6가지, 동전 한 개를 던질 때 일어나는 경우는 앞면, 뒷면이 나오는 2가지이므로 구하는 경우의 수는
$6\times6\times2\times2=144$

**014** 답 **6**

$x$, $y$ 각각에 대하여 $a$, $b$, $c$ 중 하나가 곱해지므로 구하는 항의 개수는
$2\times3=6$

**015** 답 **4, 2, 6**

**016** 답 **10**

(i) $x=1$일 때
(1, 1), (1, 2), (1, 3), (1, 4)의 4개
(ii) $x=2$일 때
(2, 1), (2, 2), (2, 3)의 3개
(iii) $x=3$일 때
(3, 1), (3, 2)의 2개
(iv) $x=4$일 때
(4, 1)의 1개
(i)~(iv)에서 구하는 순서쌍 $(x, y)$의 개수는
$4+3+2+1=10$

**017** 답 **12**

(i) $y=1$일 때
(1, 1), (2, 1), (3, 1), (4, 1), (5, 1), (6, 1), (7, 1)의 7개
(ii) $y=2$일 때
(1, 2), (2, 2), (3, 2), (4, 2)의 4개
(iii) $y=3$일 때
(1, 3)의 1개
(i), (ii), (iii)에서 구하는 순서쌍 $(x, y)$의 개수는
$7+4+1=12$

**018** 답 **2, 6**

**019** 답 **10**

$48=2^4\times3$이므로 48의 양의 약수의 개수는
$(4+1)(1+1)=10$

**020** 답 **12**

$72=2^3\times3^2$이므로 72의 양의 약수의 개수는
$(3+1)(2+1)=12$

**021** 답 **18**

$180=2^2\times3^2\times5$이므로 180의 양의 약수의 개수는
$(2+1)(2+1)(1+1)=18$

**022** 답 **108**

A에 칠할 수 있는 색은 4가지
B에 칠할 수 있는 색은 A에 칠한 색을 제외한 3가지
C에 칠할 수 있는 색은 B에 칠한 색을 제외한 3가지
D에 칠할 수 있는 색은 C에 칠한 색을 제외한 3가지
따라서 구하는 경우의 수는
$4\times3\times3\times3=108$

**023** 답 **48**

A에 칠할 수 있는 색은 4가지
B에 칠할 수 있는 색은 A에 칠한 색을 제외한 3가지
C에 칠할 수 있는 색은 A와 B에 칠한 색을 제외한 2가지
D에 칠할 수 있는 색은 A와 C에 칠한 색을 제외한 2가지
따라서 구하는 경우의 수는
$4\times3\times2\times2=48$

**024** 답 **48**

A에 칠할 수 있는 색은 4가지
B에 칠할 수 있는 색은 A에 칠한 색을 제외한 3가지
C에 칠할 수 있는 색은 A와 B에 칠한 색을 제외한 2가지
D에 칠할 수 있는 색은 B와 C에 칠한 색을 제외한 2가지
따라서 구하는 경우의 수는
$4\times3\times2\times2=48$

**025** 답 **72**

A에 칠할 수 있는 색은 4가지
B에 칠할 수 있는 색은 A에 칠한 색을 제외한 3가지
C에 칠할 수 있는 색은 B에 칠한 색을 제외한 3가지
D에 칠할 수 있는 색은 B와 C에 칠한 색을 제외한 2가지
따라서 구하는 경우의 수는
$4\times3\times3\times2=72$

**026** 답 **6**

집에서 학교로 가는 경우의 수는 3, 학교에서 서점으로 가는 경우의 수는 2이므로 구하는 경우의 수는
$3\times2=6$

**027** 답 **6**

A지점에서 B지점으로 가는 경우의 수는 2, B지점에서 C지점으로 가는 경우의 수는 3이므로 구하는 경우의 수는
$2\times3=6$

**028** 답 **2**

**029** 답 **8**

A지점에서 B지점을 거쳐 C지점으로 가는 경우의 수는 6, A지점에서 B지점을 거치지 않고 C지점으로 가는 경우의 수는 2이므로 구하는 경우의 수는
$6+2=8$

**030** 답 **20**

${}_5P_2=5\times4=20$

**031** 답 **8**

**032** 답 **6**

${}_3P_3=3\times2\times1=6$

**033** 답 **1**

**034** 답 **24**

$4!=4\times3\times2\times1=24$

**035** 답 **120**

$5!=5\times4\times3\times2\times1=120$

**036** 답 **1**

**037** 답 **1**

**038** 답 **8**

${}_nP_2=56$에서
$n(n-1)=8\times7 \quad \therefore n=8$

**039** 답 **5**

${}_nP_3=60$에서
$n(n-1)(n-2)=5\times4\times3 \quad \therefore n=5$

**040** 답 **4**

${}_nP_n=24$에서
$n!=4\times3\times2\times1 \quad \therefore n=4$

**041** 답 **4**

${}_nP_3=2{}_nP_2$에서
$n(n-1)(n-2)=2n(n-1)$
${}_nP_3$에서 $n\geq3$이므로 양변을 $n(n-1)$로 나누면
$n-2=2 \quad \therefore n=4$

**042** 답 **2**

${}_9P_r=72=9\times8 \quad \therefore r=2$

**043** 답 **3**

${}_6P_r=120=6\times5\times4 \quad \therefore r=3$

**044** 답 **0**

**045** 답 **120**

${}_6P_3=6\times5\times4=120$

**046** 답 **24**

$4!=4\times3\times2\times1=24$

**047** 답 **42**

${}_7P_2=7\times6=42$

**048** 답 **60**

${}_5P_3=5\times4\times3=60$

**049** 답 **336**

${}_8P_3=8\times7\times6=336$

## 050 답 5, 2, 20

## 051 답 6

부회장으로 A를 뽑고 나머지 후보 6명 중에서 회장 1명을 뽑으면 되므로 구하는 경우의 수는 6

## 052 답 12

맨 앞에 $b$가 오고 나머지 4개의 문자 중에서 2개를 택하여 일렬로 나열하면 되므로 구하는 경우의 수는

${}_4P_2=4\times3=12$

## 053 답 24

맨 앞에 $c$, 맨 뒤에 $e$가 오고 나머지 4개의 문자 중에서 3개를 택하여 일렬로 나열하면 되므로 구하는 경우의 수는

${}_4P_3=4\times3\times2=24$

## 054 답 0, 4, 4, 4, 2, 12, 4, 48

## 055 답 96

천의 자리에는 0이 올 수 없으므로 천의 자리에 올 수 있는 숫자는 0을 제외한 4개

백의 자리, 십의 자리, 일의 자리에는 천의 자리에 오는 숫자를 제외한 4개의 숫자 중에서 3개를 뽑아 일렬로 나열하면 되므로 그 경우의 수는

${}_4P_3=4\times3\times2=24$

따라서 구하는 네 자리 자연수의 개수는

$4\times24=96$

## 056 답 36

홀수이려면 일의 자리의 숫자가 1 또는 3이어야 한다.

(i) 일의 자리의 숫자가 1인 경우

천의 자리에 올 수 있는 숫자는 0과 1을 제외한 3개

백의 자리와 십의 자리에는 천의 자리와 일의 자리에 오는 숫자를 제외한 3개의 숫자 중에서 2개를 뽑아 일렬로 나열하면 되므로 그 경우의 수는

${}_3P_2=3\times2=6$

따라서 일의 자리의 숫자가 1인 네 자리 홀수의 개수는

$3\times6=18$

(ii) 일의 자리의 숫자가 3인 경우

천의 자리에 올 수 있는 숫자는 0과 3을 제외한 3개

백의 자리와 십의 자리에는 천의 자리와 일의 자리에 오는 숫자를 제외한 3개의 숫자 중에서 2개를 뽑아 일렬로 나열하면 되므로 그 경우의 수는

${}_3P_2=3\times2=6$

따라서 일의 자리의 숫자가 3인 네 자리 홀수의 개수는

$3\times6=18$

(i), (ii)에 의하여 구하는 네 자리 홀수의 개수는

$18+18=36$

## 057 답 30

짝수이려면 일의 자리의 숫자가 0 또는 2 또는 4이어야 한다.

(i) 일의 자리의 숫자가 0인 경우

백의 자리와 십의 자리에 올 수 있는 숫자는 0을 제외한 4개의 숫자 중에서 2개를 뽑아 일렬로 나열하면 되므로 그 경우의 수는

${}_4P_2=4\times3=12$

(ii) 일의 자리의 숫자가 2인 경우

백의 자리에 올 수 있는 숫자는 0과 2를 제외한 3개, 십의 자리에 올 수 있는 숫자는 백의 자리와 일의 자리에 오는 숫자를 제외한 3개이므로 일의 자리의 숫자가 2인 경우의 수는

$3\times3=9$

(iii) 일의 자리의 숫자가 4인 경우

백의 자리에 올 수 있는 숫자는 0과 4를 제외한 3개, 십의 자리에 올 수 있는 숫자는 백의 자리와 일의 자리에 오는 숫자를 제외한 3개이므로 일의 자리의 숫자가 4인 경우의 수는

$3\times3=9$

(i), (ii), (iii)에 의하여 구하는 세 자리 짝수의 개수는

$12+9+9=30$

## 058 답 24, 2, 48

부모님을 한 묶음으로 생각하여 4명을 일렬로 세우는 경우의 수는

$4!=4\times3\times2\times1=24$

부모님이 자리를 바꾸는 경우의 수는 $2!=2\times1=2$

따라서 구하는 경우의 수는

$24\times2=48$

## 059 답 12

찬호와 준형이를 한 묶음으로 생각하여 3명을 일렬로 세우는 경우의 수는 $3!=3\times2\times1=6$

찬호와 준형이가 자리를 바꾸는 경우의 수는 $2!=2\times1=2$

따라서 구하는 경우의 수는

$6\times2=12$

## 060 답 720

여학생 3명을 한 묶음으로 생각하여 5명을 일렬로 세우는 경우의 수는 $5!=5\times4\times3\times2\times1=120$

여학생 3명이 자리를 바꾸는 경우의 수는 $3!=3\times2\times1=6$

따라서 구하는 경우의 수는

$120\times6=720$

## 061 답 24

1학년 학생 3명과 2학년 학생 2명을 각각 한 묶음으로 생각하여 2명을 일렬로 세우는 경우의 수는 $2!=2\times1=2$

1학년 학생끼리 자리를 바꾸는 경우의 수는 $3!=3\times2\times1=6$

2학년 학생끼리 자리를 바꾸는 경우의 수는 $2!=2\times1=2$

따라서 구하는 경우의 수는

$2\times6\times2=24$

**062** 답 48

모음인 $a$와 $e$를 한 묶음으로 생각하여 4개를 일렬로 나열하는 경우의 수는 $4!=4\times3\times2\times1=24$

$a$와 $e$가 자리를 바꾸는 경우의 수는 $2!=2\times1=2$

따라서 구하는 경우의 수는

$24\times2=48$

**063** 답 48

$c$와 $f$를 한 묶음으로 생각하고 $a$를 제외한 4개를 일렬로 나열하는 경우의 수는 $4!=4\times3\times2\times1=24$

$c$와 $f$가 자리를 바꾸는 경우의 수는 $2!=2\times1=2$

따라서 구하는 경우의 수는

$24\times2=48$

## 연산 유형 최종 점검하기

108~109쪽

| | | | | | |
|---|---|---|---|---|---|
| **1** ③ | **2** ④ | **3** ⑤ | **4** ② | **5** ⑤ | **6** 540 |
| **7** 14 | **8** 6 | **9** ⑤ | **10** 30 | **11** ③ | **12** ④ |
| **13** ① | | | | | |

**1** 눈의 수의 합이 6인 경우는 (1, 5), (2, 4), (3, 3), (4, 2), (5, 1)의 5가지

눈의 수의 합이 12인 경우는 (6, 6)의 1가지

따라서 구하는 경우의 수는

$5+1=6$

**2** 십의 자리에 올 수 있는 숫자는 2, 4, 6, 8의 4개이고, 일의 자리에 올 수 있는 숫자는 1, 3, 5, 7, 9의 5개이므로 구하는 자연수의 개수는

$4\times5=20$

**3** $x$, $y$, $z$ 각각에 대하여 $a$, $b$, $c$, $d$ 중 하나가 곱해지므로 구하는 항의 개수는

$3\times4=12$

**4** (i) $y=1$일 때

(1, 1), (2, 1), (3, 1), (4, 1), (5, 1)의 5개

(ii) $y=2$일 때

(1, 2), (2, 2), (3, 2)의 3개

(iii) $y=3$일 때

(1, 3)의 1개

(i), (ii), (iii)에서 구하는 순서쌍 $(x, y)$의 개수는

$5+3+1=9$

**5** $60=2^2\times3\times5$이므로 $a=3\times2\times2=12$

$100=2^2\times5^2$이므로 $b=3\times3=9$

$\therefore a+b=21$

**6** A에 칠할 수 있는 색은 5가지

B에 칠할 수 있는 색은 A에 칠한 색을 제외한 4가지

C에 칠할 수 있는 색은 A와 B에 칠한 색을 제외한 3가지

D에 칠할 수 있는 색은 A와 C에 칠한 색을 제외한 3가지

E에 칠할 수 있는 색은 A와 D에 칠한 색을 제외한 3가지

따라서 구하는 경우의 수는

$5\times4\times3\times3\times3=540$

**7** A지점을 출발하여 B지점을 거쳐 C지점으로 가는 경우의 수는

$2\times4=8$

A지점을 출발하여 D지점을 거쳐 C지점으로 가는 경우의 수는

$3\times2=6$

따라서 구하는 경우의 수는

$8+6=14$

**8** ${}_nP_4=12{}_nP_2$에서

$n(n-1)(n-2)(n-3)=12n(n-1)$

${}_nP_4$에서 $n\geq4$이므로 양변을 $n(n-1)$로 나누면

$(n-2)(n-3)=12$

$n^2-5n-6=0$, $(n+1)(n-6)=0$

$\therefore n=-1$ 또는 $n=6$

그런데 $n\geq4$이므로 $n=6$

**9** ${}_6P_3=6\times5\times4=120$

**10** 서기로 D를 뽑고 나머지 후보 6명 중에서 회장 1명, 부회장 1명을 뽑으면 되므로 구하는 경우의 수는

${}_6P_2=6\times5=30$

**11** 부모님을 제외한 3명을 일렬로 세우는 경우의 수는

$3!=3\times2\times1=6$

부모님이 자리를 바꾸는 경우의 수는

$2!=2\times1=2$

따라서 구하는 경우의 수는

$6\times2=12$

**12** 5장의 카드 중에서 3장을 뽑아 일렬로 나열하면 되므로 구하는 세 자리 자연수의 개수는

${}_5P_3=5\times4\times3=60$

**13** 1학년 학생 3명을 한 묶음으로 생각하여 4명을 일렬로 세우는 경우의 수는

$4!=4\times3\times2\times1=24$

1학년 학생 3명이 자리를 바꾸는 경우의 수는

$3!=3\times2\times1=6$

따라서 구하는 경우의 수는

$24\times6=144$

# 08 조합

112~116쪽

**001** 답 **56**

${}_8C_3=\frac{8\times7\times6}{3\times2\times1}=56$

**002** 답 **9**

**003** 답 **1**

**004** 답 **1**

**005** 답 **2**

**006** 답 **3**

**007** 답 **6**

${}_9C_3=\frac{9!}{3!(9-3)!}=\frac{9!}{3!6!}$

$\therefore \square=6$

**008** 답 **7**

${}_{\square}C_2=\frac{7!}{2!5!}=\frac{7!}{2!(7-2)!}$

$\therefore \square=7$

**009** 답 **6**

${}_nC_2=15$에서 $\frac{n(n-1)}{2\times1}=15$

$n(n-1)=6\times5$

$\therefore n=6$

**010** 답 **7**

${}_nC_3=35$에서 $\frac{n(n-1)(n-2)}{3\times2\times1}=35$

$n(n-1)(n-2)=7\times6\times5$

$\therefore n=7$

**011** 답 **10**

**012** 답 **3**

${}_6C_r=20$에서 $\frac{6!}{r!(6-r)!}=20$

$3!3!=r!(6-r)!$ $\quad\therefore r=3$

**013** 답 **2 또는 5**

${}_7C_r=21$에서 $\frac{7!}{r!(7-r)!}=21$

$5!2!=r!(7-r)!$

$\therefore r=2$ 또는 $r=5$

**014** 답 **0 또는 10**

**015** 답 **13**

${}_nC_2={}_nC_{11}$에서

$n-2=11$ $\quad\therefore n=13$

**016** 답 **15**

${}_nC_7={}_nC_8$에서

$n-7=8$ $\quad\therefore n=15$

**017** 답 **35**

${}_7C_3=\frac{7\times6\times5}{3\times2\times1}=35$

**018** 답 **28**

${}_8C_2=\frac{8\times7}{2\times1}=28$

**019** 답 **10**

${}_5C_2=\frac{5\times4}{2\times1}=10$

**020** 답 **120**

${}_{10}C_3=\frac{10\times9\times8}{3\times2\times1}=120$

**021** 답 **10**

야구 선수 5명 중에서 3명을 뽑으면 되므로 구하는 경우의 수는

${}_5C_3={}_5C_2=\frac{5\times4}{2\times1}=10$

**022** 답 **4, 2, 6**

**023** 답 **20**

2학년 학생을 제외한 1학년 학생 6명 중에서 3명을 뽑으면 되므로 구하는 경우의 수는

${}_6C_3=\frac{6\times5\times4}{3\times2\times1}=20$

**024** 답 **21**

특정 남학생 1명과 특정 여학생 1명을 제외한 7명의 학생 중에서 2명을 뽑으면 되므로 구하는 경우의 수는

${}_7C_2=\frac{7\times6}{2\times1}=21$

**025** 답 **84**

4를 제외한 9개의 자연수 중에서 3개의 수를 택하면 되므로 구하는 경우의 수는

${}_9C_3=\frac{9\times8\times7}{3\times2\times1}=84$

**026** 답 **4**

$a$와 $e$를 제외하고 나머지 4개의 문자 중에서 3개를 택하면 되므로 구하는 경우의 수는

${}_4C_3={}_4C_1=4$

### 027 답 5, 2, 10, 4, 2, 6, 24, 1440

남학생 5명 중에서 2명을 뽑는 경우의 수는

$_5C_2=\frac{5\times4}{2\times1}=10$

여학생 4명 중에서 2명을 뽑는 경우의 수는

$_4C_2=\frac{4\times3}{2\times1}=6$

뽑힌 4명을 일렬로 세우는 경우의 수는

$4!=4\times3\times2\times1=24$

따라서 구하는 경우의 수는

$10\times6\times24=1440$

### 028 답 24000

1반 학생 6명 중에서 3명을 뽑는 경우의 수는

$_6C_3=\frac{6\times5\times4}{3\times2\times1}=20$

2반 학생 5명 중에서 2명을 뽑는 경우의 수는

$_5C_2=\frac{5\times4}{2\times1}=10$

뽑힌 5명을 일렬로 세우는 경우의 수는

$5!=5\times4\times3\times2\times1=120$

따라서 구하는 경우의 수는

$20\times10\times120=24000$

### 029 답 32400

A동아리 회원 4명 중에서 2명을 뽑는 경우의 수는

$_4C_2=\frac{4\times3}{2\times1}=6$

B동아리 회원 6명 중에서 2명을 뽑는 경우의 수는

$_6C_2=\frac{6\times5}{2\times1}=15$

C동아리 회원 3명 중에서 1명을 뽑는 경우의 수는

$_3C_1=3$

뽑힌 5명을 일렬로 세우는 경우의 수는

$5!=5\times4\times3\times2\times1=120$

따라서 구하는 경우의 수는

$6\times15\times3\times120=32400$

### 030 답 72

A, B를 제외한 4명의 학생 중에서 2명을 뽑는 경우의 수는

$_4C_2=\frac{4\times3}{2\times1}=6$

A, B를 한 묶음으로 생각하여 3명을 일렬로 세우는 경우의 수는

$3!=3\times2\times1=6$

A, B가 자리를 바꾸는 경우의 수는

$2!=2\times1=2$

따라서 구하는 경우의 수는

$6\times6\times2=72$

### 031 답 6

4개의 점 중에서 2개를 택하면 되므로 구하는 직선의 개수는

$_4C_2=\frac{4\times3}{2\times1}=6$

### 032 답 10

5개의 점 중에서 2개를 택하면 되므로 구하는 직선의 개수는

$_5C_2=\frac{5\times4}{2\times1}=10$

### 033 답 28

8개의 점 중에서 2개를 택하면 되므로 구하는 직선의 개수는

$_8C_2=\frac{8\times7}{2\times1}=28$

### 034 답 14

직선 $l$ 위의 점 1개와 직선 $m$ 위의 점 1개를 택하여 만들 수 있는 직선의 개수는

$_3C_1\times{}_4C_1=3\times4=12$

또 직선 $l$ 위의 점으로 만들 수 있는 직선이 1개, 직선 $m$ 위의 점으로 만들 수 있는 직선이 1개이므로 구하는 직선의 개수는

$12+1+1=14$

### 035 답 8, 3, 56, 4, 3, 4, 52

8개의 점 중에서 3개를 택하는 경우의 수는

$_8C_3=\frac{8\times7\times6}{3\times2\times1}=56$

한 직선 위에 있는 4개의 점 중에서 3개를 택하는 경우의 수는

$_4C_3={}_4C_1=4$

그런데 한 직선 위에 있는 3개의 점으로는 삼각형을 만들 수 없으므로 구하는 삼각형의 개수는

$56-4=52$

### 036 답 30

직선 $l$ 위의 3개의 점 각각에 대하여 직선 $m$ 위의 4개의 점 중에서 2개를 택하는 경우의 수는

$3\times{}_4C_2=3\times\frac{4\times3}{2\times1}=18$

직선 $m$ 위의 4개의 점 각각에 대하여 직선 $l$ 위의 3개의 점 중에서 2개를 택하는 경우의 수는

$4\times{}_3C_2=4\times{}_3C_1=4\times3=12$

따라서 구하는 삼각형의 개수는

$18+12=30$

### 037 답 72

9개의 점 중에서 3개를 택하는 경우의 수는

$_9C_3=\frac{9\times8\times7}{3\times2\times1}=84$

한 직선 위에 있는 4개의 점 중에서 3개를 택하는 경우의 수는

$_4C_3={}_4C_1=4$

그런데 한 직선 위에 있는 3개의 점으로는 삼각형을 만들 수 없으므로 구하는 삼각형의 개수는

$84-3\times4=72$

### 038 답 70

8개의 점 중에서 4개를 택하면 되므로 구하는 사각형의 개수는

$_8C_4=\frac{8\times7\times6\times5}{4\times3\times2\times1}=70$

## 039 답 60

직선 $l$ 위의 4개의 점 중에서 2개를 택하는 경우의 수는

${}_4C_2=\frac{4\times3}{2\times1}=6$

직선 $m$ 위의 5개의 점 중에서 2개를 택하는 경우의 수는

${}_5C_2=\frac{5\times4}{2\times1}=10$

따라서 구하는 사각형의 개수는

$6\times10=60$

## 040 답 150

가로 방향의 평행한 직선 5개 중에서 2개를 택하는 경우의 수는

${}_5C_2=\frac{5\times4}{2\times1}=10$

세로 방향의 평행한 직선 6개 중에서 2개를 택하는 경우의 수는

${}_6C_2=\frac{6\times5}{2\times1}=15$

따라서 구하는 평행사변형의 개수는

$10\times15=150$

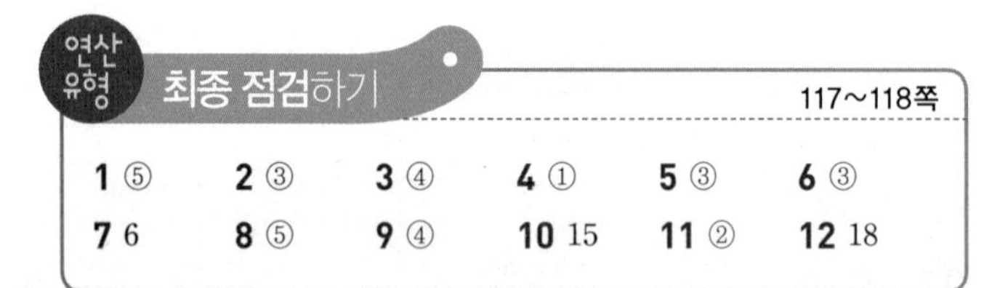

연산 유형 최종 점검하기 117~118쪽

| | | | | | |
|---|---|---|---|---|---|
| 1 ⑤ | 2 ③ | 3 ④ | 4 ① | 5 ③ | 6 ③ |
| 7 6 | 8 ⑤ | 9 ④ | 10 15 | 11 ② | 12 18 |

**1** ${}_mC_2=28$에서 $\frac{m(m-1)}{2\times1}=28$

$m(m-1)=8\times7$

$\therefore m=8$

${}_{n+3}C_n={}_{n+3}C_3=10$에서

$\frac{(n+3)(n+2)(n+1)}{3\times2\times1}=10$

$(n+3)(n+2)(n+1)=5\times4\times3$

$\therefore n=2$

$\therefore m+n=10$

**2** ${}_nC_2+{}_nC_3=2{}_{2n}C_1$에서

$\frac{n(n-1)}{2\times1}+\frac{n(n-1)(n-2)}{3\times2\times1}=2\times2n$

$3(n-1)+(n-1)(n-2)=24$

$n^2=25$ $\quad\therefore n=\pm5$

그런데 $n\geq3$이므로 $n=5$

**3** ${}_{10}C_2=\frac{10\times9}{2\times1}=45$

**4** 1, 3, 5, 7, 9가 적힌 5장의 카드 중에서 3장을 뽑으면 되므로 구하는 경우의 수는

${}_5C_3={}_5C_2=\frac{5\times4}{2\times1}=10$

**5** ${}_4C_2\times{}_5C_2=\frac{4\times3}{2\times1}\times\frac{5\times4}{2\times1}=60$

**6** 특정 야구 선수 2명을 제외한 야구 선수 4명과 농구 선수 4명 중에서 2명을 뽑으면 되므로 구하는 경우의 수는

${}_8C_2=\frac{8\times7}{2\times1}=28$

**7** 모음 $a$, $e$는 모두 포함하고 $f$는 포함하지 않으므로 $b$, $c$, $d$, $g$ 중에서 2개를 뽑으면 된다.

따라서 구하는 경우의 수는

${}_4C_2=\frac{4\times3}{2\times1}=6$

**8** 남학생 5명 중에서 2명을 뽑는 경우의 수는

${}_5C_2=\frac{5\times4}{2\times1}=10$

여학생 6명 중에서 3명을 뽑는 경우의 수는

${}_6C_3=\frac{6\times5\times4}{3\times2\times1}=20$

뽑힌 5명을 일렬로 세우는 경우의 수는

$5!=5\times4\times3\times2\times1=120$

따라서 구하는 경우의 수는

$10\times20\times120=24000$

**9** A, B, C를 제외한 4명의 학생 중에서 2명을 뽑는 경우의 수는

${}_4C_2=\frac{4\times3}{2\times1}=6$

A, B, C를 한 묶음으로 생각하여 3명을 일렬로 세우는 경우의 수는

$3!=3\times2\times1=6$

A, B, C가 자리를 바꾸는 경우의 수는

$3!=3\times2\times1=6$

따라서 구하는 경우의 수는

$6\times6\times6=216$

**10** ${}_6C_2=\frac{6\times5}{2\times1}=15$

**11** 9개의 점 중에서 3개를 택하는 경우의 수는

${}_9C_3=\frac{9\times8\times7}{3\times2\times1}=84$

한 직선 위에 있는 5개의 점 중에서 3개를 택하는 경우의 수는

${}_5C_3={}_5C_2=\frac{5\times4}{2\times1}=10$

그런데 한 직선 위에 있는 3개의 점으로는 삼각형을 만들 수 없으므로 구하는 삼각형의 개수는

$84-10=74$

**12** 직선 $l$ 위의 3개의 점 중에서 2개를 택하는 경우의 수는

${}_3C_2={}_3C_1=3$

직선 $m$ 위의 4개의 점 중에서 2개를 택하는 경우의 수는

${}_4C_2=\frac{4\times3}{2\times1}=6$

따라서 구하는 사각형의 개수는

$3\times6=18$